水资源管理与政策

拉丁美洲流域管理

亚马孙河流域、普拉塔河流域、圣弗朗西斯科河流域

Asit K. Biswas[加] 等 编著

刘正兵　章国渊
黄　炜　马　恩　译

黄河水利出版社

图书在版编目(CIP)数据

拉丁美洲流域管理:亚马孙河流域、普拉塔河流域、圣弗朗西斯科河流域/(加)彼斯瓦斯(Biswas,A.K.)等编著;刘正兵,章国渊,黄炜,马恩译.—郑州:黄河水利出版社,2006.12

书名原文:Management of Latin American River Basins:Amazon,Plata,and São Francisco

ISBN 7 – 80734 – 161 – 0

Ⅰ.拉…　Ⅱ.①彼…②刘…③章…④黄…⑤马…　Ⅲ.水资源管理 – 研究 – 拉丁美洲　Ⅳ.TV213.4

中国版本图书馆 CIP 数据核字(2006)第 145755 号

出 版 社:黄河水利出版社
　　　地址:河南省郑州市金水路 11 号　　邮政编码:450003
发行单位:黄河水利出版社
　　　发行部电话:0371 – 66026940　　　传真:0371 – 66022620
　　　E-mail:hhslcbs@126.com
承印单位:黄委会设计院印刷厂
开本:850 mm×1 168 mm　1/32
印张:9.75
字数:245 千字　　　　　　　　印数:1—1 000
版次:2006 年 12 月第 1 版　　　印次:2006 年 12 月第 1 次印刷

书号:ISBN 7 – 80734 – 161 – 0/TV·486　　　定价:24.00 元
著作权合同登记号:图字 16 – 2006 – 27

译者的话

一、本书主要内容

国际水资源协会(IWRA)国际合作委员会于 1997 年 1 月 15 ~ 17 日在巴西圣保罗召集了一次拉丁美洲水资源论坛。由阿斯特·K·彼斯瓦斯会长主持。论坛参与者仅限于拉丁美洲的 33 位知名专家。这次论坛主要讨论了两条国际河流亚马孙河(由 8 个国家所享有)和普拉塔河(由 5 个国家所享有)流域水资源可持续开发和管理问题,这两条河是拉丁美洲两条最大的河流。此外,论坛还讨论了第三条河流——圣弗朗西斯科河。该河完全在巴西境内,是南美地区最重要的河流之一,还是巴西干旱东北地区的生命线。它流经 6 个州,是条"民族团结之河",但是在有的国家内部,州与州之间因共享水域所引起的冲突矛盾时有发生,甚至可能会更加紧张和复杂。

本书英文本系彼斯瓦斯教授在国际水会议上亲自送给我国专家的,他热情支持本书的翻译出版,还复信表示不需为此给编者及出版公司付费,在此表示衷心的感谢!

翻译者认为,本书是一本认识和学习水资源可持续开发和管理的好书。它强调应用符合流域独有特点的可持续开发模式,把跨边界水资源冲突问题作为优先关注的领域之一。跨边界河流上的蓄水和调水一直是国家之间及国家内一个值得重视的紧张根源,河流上、中、下游以及河口各方应本着"睦邻友好"政策,高姿态地为和平、发展与安全共享河流作出努力。本书第十章"通过水资源综合管理应付全球环境问题:圣弗朗西斯科河流域和普拉塔河流域展望",以更加综合的水资源管理方法为基础,以跨部门的和整体的方式对流域进行管理,对于提供援助者和接受援助者都有吸引力。

关于可持续发展本书初步认为主要可从以下几个方面来认识:

——从发展的时间尺度,可定义为:"既满足当代人的需要,又不对后代人满足其需求能力构成危害的发展";

——从发展的空间尺度考虑,还应加上:"特定区域的需要不危害和削弱其他区域满足其需求的能力";

——从人与自然的关系上考虑,要求人与自然和谐统一。

所以,可持续发展是一个综合的和动态的概念,它是经济问题、社会问题和环境问题三者的综合体。并且随着社会和科学技术的进步和创新,不断地对这个综合体的组成部分进行变革、提高,圆满地按上述指导思想进行。

水既是资源又是自然环境的重要组成部分,是可持续发展的基础与条件,是环境问题与发展问题的核心。国际水资源协会洞察到 21 世纪可持续发展的水战略问题是一个关系人类前途和命运的重大问题。彼斯瓦斯教授主编的《21 世纪可持续发展的水战略》中译本已由中国环境科学出版社发行,它指明了在可持续发展中正确处理水问题的方向,特别是在战略制定的可操作性上前进了一步。

长江水利委员会对组织翻译出版本书给予了大力支持,在此表示衷心的感谢。由于我们的水平有限,如有错误和不足之处,敬请读者斧正。

参加该书翻译工作的还有刘朝华、李星、朱晓红、何峥,进行技术审查的是方子云,在此对这些同志付出的努力表示感谢!

二、本书主要作者彼斯瓦斯教授简介

彼斯瓦斯教授生于孟加拉共和国,在印度成长,在加拿大受教育,取得加拿大国籍及公民权。曾任 18 个国家部长级顾问、联合国 6 个机构负责人,他的工作包括水资源政策的制定和水资源的规划、设计、实施与管理,对学术进步和创新,对有关人民的生活质量有实质性的改善。他认为"安全的水未来是我们最大的挑战"。

他对水问题有许多创见,坚信科学如无不同意见和争议,人们就会依然生活在黑暗年代!所以对复杂问题进行率真的讨论是绝对必要的。在水的领域没有通用的范例,一个尺码不能对所有情况都适合,对世界的北部和南部都不可能完全一样。

他不仅是一个高产作家,也是一个热心的读者,每天 6 时起床,工作前先读报 1 个半小时。现在还正在读世界银行前高级顾问威廉姆·伊斯特莉的《发达——难捉摸的探索:热带经济学家的奇遇与不幸》,他认为此书是对发展有兴趣的人必读的。读此书后他认为过去和现在的许多"万灵丹"在水领域已不能应用,但是许多人和许多规定现在还依然介绍它。

彼斯瓦斯教授现在仍为第三世界水管理中心的主要负责人。以前他曾作为联合国大学校长领导该校部分教授赴长江南水北调工程现场考察,当时方毅副总理曾单独接见他;后为审查亚州开发银行对中国水利发展战略问题又来过北京。

2006 年彼斯瓦斯教授曾获得西班牙东北部地区环境奖,加拿大首相本年专家奖,8 月份瑞典国王授予其世界最高级的斯德哥尔摩水奖。

他是一个不知疲倦的科学家,中国和世界很多国家都翻译过他的著作作为借鉴,本书即其中之一。

刘正兵

2006 年 8 月 26 日

序

随着冷战的结束和东西方紧张局势的减弱,一种新型非军事的国际和局部安全,正在日益为国际社会所关注。对维护和平与安全而言,传统的军事行动依然具有其作用,但其重要性比以前大为降低。虽然军事行动的威胁减小了,而另外一些非传统的威胁却大大增加,这些威胁来自一些新的因素如人口增长,和与此相关的影响如自然资源退化及环境恶化等。

在历史上,这些新的因素一般不会与"传统"的和平和安全问题有直接联系,冷战期间的军事较量才直接影响和平与安全。然而,这些正在出现的问题如果仍然像现在一样继续被忽视,或者不能引起足够的重视,在未来几十年可能会更加恶化,并进而对国家和地区安全构成严重威胁。这种漠视将带来更多潜在的威胁,并可能会扩大到全球范围。

这些新兴的和不断出现的问题将对国家、区域和全球和平带来严重威胁,但却很少有人意识到它们的危险,更少有人知道这种威胁在何时会以怎样的方式影响国际社会和平安全问题。近年来,这些非传统的问题已经得到一定程度的重视,这种重视常常体现在一个问题上:全球变暖和气候变化。但是,依我看,尽管全球变暖和气候变化是一个很重要的问题,然而对国家和区域最直接和最严重的威胁却不是来自于气候变化,而是来自优质淡水的缺乏。不幸的是,在最近全球性的讨论中,这个不争的事实却被极大地忽视了。

拉丁美洲水资源论坛组织者阿斯特·K·彼斯瓦斯教授早已指出,气候变化从未导致人员死亡,在未来的 20 年间也不会带来任何人员的死亡。然而,到现在为止,气候变化几乎已经受到了所有人的关注,与之形成鲜明对比的是,洁净用水的缺乏、水源的严重缺水和洪水每年要带走 600 多万人的生命,而这种事实在实际上却被国际政治会议和媒体所忽略。对人口增长、资源消耗和环境恶化问题进行客观和全面分析可以发现,优质水的缺乏很有可能是 21 世纪早期全球将要面临的最主要的危机。如果不采取必要的防范措施,在不久的将来水资源危机将在世界许多国家和地区引起动荡不安。

水在维持地球生命和保持生态系统多样性方面发挥着十分重要的作用,这一点毋庸置疑。随着发展中国家人口的不断增长,需要更多的水来维持人类生活消费、工业增长、发电、食品生产和生态系统保持等。由于这些发展中国家大部分位于热带和亚热带地区,水在这些国家已经变成一种稀有的商品。各国未来对淡水的需求将持续增长,经济和环境发展对水资源的竞争将导致国家和区域紧张局势不断升级。尤其是当涉及到国际水域的利用,也就是两个或多个国家共享的河流、湖泊、蓄水层的利用时,问题将变得更为复杂、尖锐和危险。相邻国家之间对有限淡水资源的竞争,可能会导致严峻的政治紧张局面,在一些特殊条件下甚至可能引发战争。

过去,由国际水域使用引发的紧张局势一直非常严峻,例如,1967 年爆发的阿拉伯—以色列战争,其中一个重要的原因就是争夺约旦河和该地区其他水域的控制权。在劳卡河利用上的长期争端,导致玻利维亚和智利断绝外交关系。类似的情况,如孟加拉国、印度和尼泊尔对恒河的利用,叙利亚和土耳其对幼发拉底河的利用,埃及和埃塞俄比亚对尼罗河的利用,致使他们之间的关系在过去一直比较紧张。后来成为联合国秘书长的埃及前外交部长布查斯布查斯－加利,他曾说:"在我们这个地区,下一轮战争将是为争夺尼罗河水而战,而不是因为政治争端。"

庆幸的是,所有的水问题在变得不可收拾之前,我们还有一些回旋的余地。过去,在一些事件上由于我们采取了恰当及时的措施,从而避免后来可能发生的极端冲突。其中一个很好的例子就是印度和巴基斯坦1960年就印度河所达成的协议,这个协议由具有杰出领导才能的尤伊尼·布莱克变成现实,他那时担任世界银行总裁一职。当时,他提出只要两国能就印度河利用签署一个相互接受的条约,世界银行就愿意为这两个国家提供实质性的经济援助,这样世界银行成功扮演了一个诚实中间人的角色,极大地推动了谈判进程。后来,世界银行给这两个国家提供7.2亿美元的经济援助。然而遗憾的是,国际组织的领导者们变得越来越规避风险,像尤伊尼·布莱克所表现出的那种领导才能在过去35年间实在是太罕见了。

许多国际河流的问题目前还没有达到十分危急的境地。我坚信,今天,我们客观并用力地拉响警钟,还是有可能提高政府部门、生活在河流旁的人们和国际组织对这个问题的重要性和危险性的认识的。这种认识水平的提高过程会促进相关国家表现出必要的政治意愿,在这些问题变得更加危急、复杂、纠缠不清之前加以解决。

日本财团支持拉丁美洲淡水论坛最重要的原因,就是这个论坛认真地分析了亚马孙河、普拉塔河和圣弗朗西斯科河流域的两国之间以及多国之间存在的诸多问题。

作为该论坛发起人,彼斯瓦斯教授利用他在该领域广泛的个人交际能力和影响力,召集了这三条河流流域所有相关国家的高层决策者、技术专家以及主要的国际组织组成该论坛,而如此重要的活动以前从未有过。本书收编了这次成功论坛的部分编辑稿件。我衷心希望这个论坛的成果能够最终促成达成及时有效框架协议,促进三条重要的拉丁美洲河流流域的可持续利用,进而有助于预防将来可能发生的潜在冲突。

歌川令三
东京日本财团常务董事

前　言

　　莱昂拉多·达芬奇曾说,水是"生命之源"。而在早些时候,许多人却认为他这是言过其实,但随着 20 世纪即将结束,莱昂拉多观点的现实意义和重要性日益显现,尽管它是好几个世纪以前提出的。

　　近年来,随着人口的增长、人类活动的不断加剧和社会对自然环境保护的关注不断加强,全球范围内水资源可持续利用和管理变得更加困难和复杂。随着发展中国家人民生活水平不断提高,人均需求量持续增长,加之发达国家人们的生活方式持续改变,使得这个问题变得更加复杂。几乎所有发展中国家的环境问题都变得日益严峻,这些国家的人口增长率最高。与经济发达国家不同,水资源的缺乏对这些发展中国家的经济发展有着非常重大的影响。

　　此外,在广大发展中国家,大部分经济上可开发利用的水资源都已经开发完毕。日前的分析表明,下一代人水资源开发项目每立方米水的开发成本可能是当代人的两倍到三倍,而这种情况一直被全世界的水资源管理者所忽略。

　　现在,水资源管理领域在 21 世纪早期将面临问题已经变得十分明显,问题的艰巨性和复杂性将是前所未有的。20 世纪早期,水资源领域面临两个严峻而又完全不同的选择:维持以前那种"按部就班"的做法,慢慢改变,这种方式将导致今后水资源日益缺乏和无处不在的水污染问题;或寻找一种有效的途径,从根本上改变我们的思想和观点,并在这些思想和观点的指导下规划、管理和利用全世界的水资源。

毫无例外,拉丁美洲也处于这种全球性的趋势中。因此,1996年12月美洲国家首脑在玻利维亚峰会上无条件地达成如下共识,也就不足为奇:

"尽管美洲国家在不断努力提高水资源利用和管理水平,但水的需求量仍持续增加,水资源污染问题日趋严重,使得水质下降、疾病传播,并带来经济损失。

不合理的水资源管理结构和定价方式,以及主要利益人缺乏对水资源管理和保护的承诺,这是造成水资源短缺的重要因素。尤其令人担忧的是,预计城市人口饮用水需求将大幅增长,以及共享水资源的行业、地区和国家之间存在着潜在的冲突。"

各国领导人把跨边界水资源冲突问题作为优先关注的领域之一。

面对上述事实和趋势,国际水资源协会(IWRA)国际合作委员会决定于1997年1月15～17日在巴西圣保罗召集一次拉丁美洲水资源论坛。这次论坛主要讨论了两条国际河流流域:亚马孙河(由8个国家:巴西、秘鲁、玻利维亚、哥伦比亚、厄瓜多尔、圭亚那、苏里南、委内瑞拉所享有;按这些国家所享有的亚马孙河流域大小降序排列),普拉塔河(由5个国家:巴西、阿根廷、巴拉圭、玻利维亚、乌拉圭所享有)。就这两条河流域的大小而言,亚马孙河(780万 km^2)和普拉塔河(310万 km^2)是拉丁美洲两条最大的河流。

此次论坛还讨论了第三条河流——圣弗朗西斯科河。尽管它完全在巴西境内,但圣弗朗西斯科河也是南美地区最重要的河流之一,其流域面积 64 万 km²,它还是巴西干旱东北地区的生命线,这一地区的干旱问题在巴西全国都是知名的。这条河流流经巴西许多州,州与州之间的冲突可能在将来会变得更加严重。关于国家之间因共享国际河流而引发的矛盾已有记叙,然而一个国家内部州与州之间因共享水域所引发的冲突矛盾有时可能会更加紧张和复杂。例如,巴基斯坦境内四个共享印度河流域的省份,为该河流使用达成协议所用的时间是印度和巴基斯坦之间为该河流达成协议所用时间的 3.5 倍还要多,并且与国际河流的情形相比,更多的人在州与州之间河流用水冲突中丧生。

此次论坛的参与者仅限于拉丁美洲的 33 位知名专家,他们是国际水资源协会(IWRA)国际合作委员会根据其各自在本领域所掌握的专业技术知识,经过认真的筛选而邀请的。论坛所有的参与者都可以发表观点,提出想法和进行自由而坦率的交流。

拉丁美洲水资源论坛是国际水资源协会(IWRA)国际合作委员会近年来举办的第三个地区性论坛。前两个是中东水资源论坛(1993 年 2 月 7～9 日,埃及开罗)和亚洲水资源论坛(1995 年 1 月 30～2 月 1 日,泰国曼谷)。开罗论坛和曼谷论坛都是由联合国大学和联合国环境署共同主办的,并诞生了两部权威著作:《中东地区的国际河流:从幼发拉底河—底格里斯河到尼罗河》(1994 年牛津大学出版社出版)和《亚州国际河流:从恒河—雅鲁藏布江至湄公河》(1996 年牛津大学出版社出版)。开罗论坛也得到了筱川(Sasakawa)和平基金会的大力支持。

开罗论坛直接促成中东水资源委员会的成立,我很荣幸地成为该委员会的主席。该委员会是由筱川(Sasakawa)和平基金会赞助。它的权威报告《核心和外围——以综合的方法处理中东水资源》，该书于1997年由牛津大学出版社出版。这本书的阿拉伯版本由黎巴嫩贝鲁特安那哈尔(Dar An-Nahar)出版社出版。

日语版的《亚洲国际水资源》一书可从日本东京计左右出版社(Keiso Sholbo)获得。曼谷论坛之后，于1998年3月18～20日在印度的加尔各答召开了高水平的恒河论坛。这本书以恒河论坛为基础，即将由联合国大学编辑出版。

像拉丁美洲水资源论坛这样的大事，没有许多人的支持是不可能组织起来的。首先也是最重要的，我非常感谢东京日本财团常务董事歌川令三先生和东京筱川(Sasakawa)和平基金会的高白洲(Takashi Shirasu)博士。歌川令三先生和高白洲博士，在开展这个论坛方面不仅给了我极大的鼓励，在我访问东京期间，他们二位也给了我许多非常好的建议。日本财团会也为此论坛提供了财政支持，并且，歌川令三先生也欣然答应为本书作序。谨以此书献给歌川令三先生，以表达我们深深的谢意。我也要对日本财团的安久山田(Yasuhisa Yamada)先生和江里口安乐(Eriko Anraku)女士表示感谢，感谢他们一直以来对此项目的长期支持。

我还要感谢以前在美洲国家组织工作的牛顿·V·克尔戴罗先生。从一开始克尔戴罗博士就对本论坛产生了浓厚的个人兴趣。他在拉丁美洲广泛的个人交际是确保这三条河域的国家政界领袖参加此次高级别论坛的关键，他确保了美洲国家组织对本论坛的财政支持，并撰写了一篇相当重要的论文。更重要的是，本论坛的成功，还应归功于我从克尔戴罗博士那得到的强大支持和极好的建议。

我还要对巴西国家科技促进委员会(CNPq)主席约瑟·加里知

亚·图恩迪斯教授表达最诚挚的谢意。图恩迪斯教授作为一个有名的水资源科学家，一个永久的朋友，不仅为此次论坛作了关键性的演讲，还通过巴西国家科技促进委员会提供了财政援助。

更值得注意的是，如果没有国际水资源协会主席贝里迪多·P·F·布拉加教授的大力支持，此次论坛根本就不可能在圣保罗召开。他写了其中很重要的一篇文章，并负责论坛的组织安排工作。

最后也是非常重要的，就是要感谢塞丽亚·多塔哈达的大力协助，她承担了该书大量繁杂的编辑工作。我谨代表国际水资源协会国际合作委员会感谢以上所有为论坛取得成功所给予支持和援助的人们。

就像早期的两个论坛一样，我们的委员会正在继续为圣保罗论坛作计划。有兴趣的人们可以到我们的网站（www.iwra.siu.edu)，查阅最新的动态。

阿斯特·K·彼斯瓦斯会长
国际水资源协会国际合作委员会
（墨西哥　墨西哥城）

目 录

序 …………………………………… 歌川令三
前言 ……………………………… 阿斯特·K·彼斯瓦斯

第一部分 亚马孙河流域

1 亚马孙河流域水资源可持续开发 ………………………… (3)
  1.1 绪论 …………………………………………………… (3)
  1.2 自然系统 ……………………………………………… (5)
  1.3 区域生态特征 ………………………………………… (8)
  1.4 水资源开发 …………………………………………… (24)
  1.5 法律和制度问题 ……………………………………… (34)
  1.6 巴西联邦政府的创举 ………………………………… (38)
  1.7 国际合作和亚马孙合作条约 TCA …………………… (39)
  1.8 现代化集中开垦的影响与可持续发展 ……………… (41)
  1.9 结论和建议 …………………………………………… (43)
2 哥伦比亚亚马孙政策 ……………………………………… (46)
  2.1 地理位置和生物物理特征 …………………………… (46)
  2.2 亚马孙地区社会经济现状 …………………………… (48)
  2.3 国家环境政策 ………………………………………… (49)
  2.4 活动方式 ……………………………………………… (50)
  2.5 亚马孙地区开发的工程项目 ………………………… (50)
  2.6 哥伦比亚和厄瓜多尔的亚马孙地区合作协议 …… (51)
  2.7 圣米盖尔河和普图马约河流域土地使用与管理规划
      …………………………………………………………… (52)
  2.8 哥伦比亚—秘鲁亚马孙河流域合作条约 ………… (56)
  2.9 普图马约河整体发展规划 …………………………… (56)
  2.10 哥伦比亚—巴西亚马孙河流域合作协议 ………… (59)

2.11　哥伦比亚—巴西沿阿帕珀利斯—塔巴廷加轴线
　　　　的相邻社区联合开发的示范规划 ··········· (60)
2.12　提议的哥伦比亚—委内瑞拉亚马孙河发展计划··· (62)
2.13　结论和建议 ···································· (62)
3　亚马孙合作条约组织:一个合作和可持续发展机构 ······ (65)
　3.1　绪论 ··· (65)
　3.2　亚马孙河和亚马孙河流域的独有特点 ········· (65)
　3.3　条约的目标和主要机构 ····················· (67)
　3.4　工作计划 ···································· (76)
　3.5　信息传播 ···································· (86)
　3.6　结论 ··· (86)

第二部分　普拉塔河流域

4　巴拉圭河流域上游的水文特性················· (91)
　4.1　绪论 ··· (91)
　4.2　巴拉圭河流域上游的特点 ··················· (92)
　4.3　平均降雨量、土壤水分蒸发量及流量 ······· (95)
　4.4　这里的水文记录究竟有多大的代表性 ········· (104)
　4.5　沉积物的产生和运输 ······················· (109)
　4.6　水质 ··· (109)
　4.7　结论 ··· (110)
5　普拉塔河流域的水资源管理 ···················· (112)
　5.1　绪论 ··· (112)
　5.2　1967～1972 年的组织:规则的差异和专家组 ······ (112)
　5.3　双边和三边协议(1973～1983 年):基础领域工作组
　　　　··· (122)
　5.4　流域机构系统的修订(1984～1996 年):技术部分
　　　　··· (125)
　5.5　结论 ··· (131)
6　普拉塔河流域环境管理 ······················· (136)

6.1 绪论 ··· (136)

6.2 普拉塔河流域:环境的代表 ·················· (138)

6.3 可持续性发展活动的关键区域 ··············· (141)

6.4 结论 ··· (153)

7 普拉塔河流域制度体系框架 ························· (159)

7.1 初期工作 ··· (159)

7.2 建立法治流域 ····································· (162)

7.3 普拉塔河流域条约概述 ························· (164)

7.4 艰难的起步 ······································· (166)

7.5 河道的利用 ······································· (171)

7.6 附属机构 ··· (174)

7.7 普拉塔河流域条约体系 ························· (178)

7.8 水资源规划 ······································· (184)

第三部分 圣弗朗西斯科河流域

8 圣弗朗西斯科河:东北部的生命线 ··············· (189)

8.1 绪论 ··· (189)

8.2 地理和气候 ······································· (191)

8.3 原著民 ··· (198)

8.4 河流的水文特性 ································· (198)

8.5 组织机构和政治状况 ··························· (204)

8.6 圣弗朗西斯科河水电能源 ···················· (206)

8.7 航运 ··· (208)

8.8 历史上的规划工作 ····························· (209)

8.9 灌溉农业开发 ···································· (212)

8.10 圣弗朗西斯科河流域开发特别委员会 ········· (212)

8.11 参议院特别委员会报告节选 ··············· (213)

8.12 总结与结论 ······································ (222)

9 圣弗朗西斯科河水资源规划和管理政策 ·········· (226)

9.1 新流域规划模式的基础 ······················· (226)

9.2　圣弗朗西斯科河流域简要介绍 ················ (228)

9.3　问题 ··· (235)

9.4　目标 ··· (240)

9.5　圣弗朗西斯科河流域的制度、法律框架和发展问题

··· (241)

9.6　计划和治理 ·· (244)

9.7　环境 ··· (244)

9.8　卫生和健康 ·· (246)

9.9　能源 ··· (246)

9.10　交通 ··· (247)

9.11　农业和灌溉 ··· (247)

9.12　教育 ··· (248)

9.13　研究与开发,科学和技术 ······················ (248)

9.14　社会组织 ·· (249)

9.15　建议 ··· (249)

10　通过水资源综合管理应对全球环境问题:圣弗朗西斯科河

流域和普拉塔河流域展望 ······························ (254)

10.1　绪论 ··· (254)

10.2　全球环境的威胁和压力 ························· (257)

10.3　全球组织制度策略 ································· (264)

10.4　全球环境基金 ······································· (271)

10.5　全球环境基金操作策略 ························· (272)

10.6　水资源综合管理 ···································· (276)

10.7　圣弗朗西斯科河流域展望 ····················· (278)

10.8　环境状况 ·· (279)

10.9　世界银行的投入 ···································· (280)

10.10　普拉塔河流域展望 ······························ (285)

10.11　前方的路:面向可持续性发展 ·············· (288)

第一部分　亚马孙河流域

1 亚马孙河流域水资源 可持续开发

(B·布拉格, E·萨拉第, H·马托斯·德·勒莫斯)

1.1 绪论

亚马孙地区拥有世界上最大的热带雨林和河流流域。它包含各种不同的生态系统,这些生态系统在地质、地貌、土壤和气候上呈现不同的特征,并由此产生了高度多样化的动植物种群。尽管亚马孙地区储藏有极其庞大的自然资源,如大量的木材和水、丰富的矿藏等,但是科学家们却认为,亚马孙地区的最大价值在于它的生态多样性及其潜在价值。在巴西境内的亚马孙地区,已探明贮量的矿产资源(铁、铝、铜、金、锰、镍、银、锡等),其价值大约为1 600亿美元(亚马孙环境与发展委员会,1994)。尽管这一地区生态多样性的价值还难以估量,但现有的经济木材市场价值约为1 700亿美元(马托斯·德·勒莫斯,1990)。

1982年美国国家科学院的一份报告指出:在一块典型的约10.36km² 的雨林中,就包含有750个树种、125种哺乳动物、400种鸟类、100种爬行类动物和60种两栖类动物。每种树上都生活着400多种昆虫。相比之下,在法国境内的森林中,仅仅包含有50种树种。亚马孙作为地球上最后一片未开发的地区,给人类尤其那些居住在生态系统不太丰富地区的人们(Repetto, 1988)带来了无穷的想象力。自从地球诞生以来,亚马孙就作为"地球的肺"而存在,科学家一直在努力了解,它是如何来调节整个地球气候系统平衡的。这一地区大部分降雨都是在区域内部产生,形成了整个流域大部分地区的湿热气候。

亚马孙的主要河流体系,即亚马孙索里姆斯—乌卡亚利,全长6 671km,比曾经被认为是世界上最长河流的尼罗河还要长91km。亚马孙河有1 000多条支流,注入大西洋的水量为20万~22万m³/s,流量大约为尼罗河的60倍。亚马孙河注入海洋的淡水大约是世界上每天注入海洋的淡水总量的15.47%(马托斯·德·勒莫斯,1990)。亚马孙河在安第斯山脉地区的落差很大,而从山脚至入海口,从秘鲁的伊基托斯到巴西境内的入海河口处的2 375km河段落差只有107m。河面水位全年起伏很大,在河口处起伏为6~10m,中间地段为10~15m。

当地人们的生活和经济高度依赖河流水资源,包括生活用淡水、渔业、运输、发电等方面,因此保护河流和湖泊成了当地的首要任务,尤其要防止污染、过度捕捞、侵蚀、灌木丛破坏和沼泽破坏等。流域的水质仍然很好(河水稀释能力非常大)。在巴西亚马孙河正在使用新技术回收金矿开采中用过的汞。亚马孙河这一巨大的水域大约生活着2 000种鱼类,比整个大西洋发现的水生动物还要多。这些鱼中可以以可持续方式提取的动物蛋白的数量相当巨大,为人们提供了另外一种取代畜牧业生产获取动物蛋白的方式,畜牧业给亚马孙生态系统带来了很大的破坏。

尽管亚马孙河流域有超过4万km的公路(大部分为没有铺柏油的),但是河流仍然是主要运输走廊,有几千公里的水道90%的时间均可航行。这一地区有多种能源可以选用,水能、化石燃料(石油和天然气)、生物能和太阳能等。修建水电站的最佳位置是在四周有山的地方,尤其是在靠近安第斯山脉的地方。亚马孙平原也储藏着重要水能,在那里蕴藏着巴西45%的水力发电潜能。由于开发水电潜能兴修水库要侵占大量的土地,因而这种举措遭到了环境保护学家的强烈反对。

本文从物理和生态的角度对亚马孙河流域进行了介绍,并指出了现在对水资源可持续利用的趋势。第 1 章介绍了水文、气象和生态系统;第 2 章介绍了流域内水电资源的利用和航运;第 3 章讲述了巴西国内以及亚马孙合作条约组织框架内的法律和法规。

1.2　自然系统

概述

亚马孙地区所包含的范围不仅仅限于亚马孙河流域本身。这个"亚马孙王国"(见图 1.1)包含了 9 个南美国家,它们是玻利维亚、巴西、哥伦比亚、厄瓜多尔、圭亚那、法属圭亚那、秘鲁、委内瑞拉和苏里南,面积大约为 750 万 km²。"亚马孙王国"不仅包括亚马孙河流域,还包括了托坎廷斯河、奥里诺科河流域部分地区以及注入大西洋的一些小河流域。巴西的亚马孙地区约占巴西总面积的 50%。1966 年巴西总统颁布法令,设立法定亚马孙地区,它包括巴西现今的 8 个州(阿克雷州、亚马孙州、帕拉州、罗赖马州、阿马帕州、罗丹尼亚州、马托格罗索州和托坎廷斯州)和马拉尼昂州的部分地区。人口 1 800 万,分布在 629 个行政区,都市化程度不断上升(约占 60%)。

亚马孙河流域面积为 611.2 万 km²。年平均降水量大约是 2 460mm,年平均流量大约是 20.9 万 m³/s,径流模数为 34.2L/(s·km²)。年平均蒸散发量为 1 382mm。由图 1.2 可以看出,它的流量是迄今为止最大的。亚马孙河的一些支流在世界上也是最长的。巴西境内的亚马孙河流域面积为 385 万 km²,年平均降水量为 2 220mm,径流模数为 30.8 L/(s·km²),年平均蒸散发量为 1 250mm。

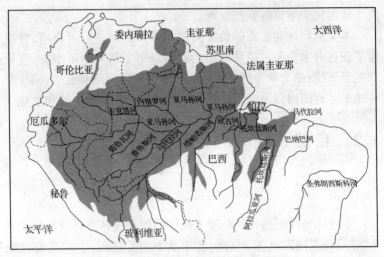

图 1.1　南美洲内亚马孙河流域范围

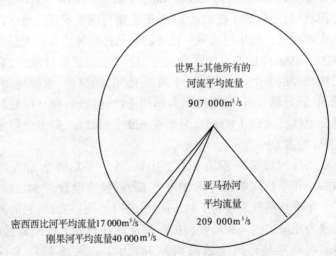

图 1.2　亚马孙河和世界上其他河流平均流量对比

托坎廷斯河流域的部分地区是"亚马孙王国"的一部分,面积为 55.7 万 km²,年平均降水量 1 660mm。在河口流量为 1.18 万 m³/s,径流模数达到 15.6L/(s·km²),年平均蒸散发量达到 1 168mm。托坎廷斯河从阿马帕州注入大西洋,在奥亚波基河和阿拉瓜里河流域区间,面积为 7.6 万 km²,该区域年降水量为 2 950mm,该河段河流流量为 3 660m³/s,径流模数为 48.2 L/(s·km²),年平均蒸散发量为 1 431mm。

该地区以湿热气候为主,几乎完全被森林覆盖,但是亚马孙绝不是单一性的自然区域。最近通过对生物和非生物特性研究,依据"自然景观系统"的分类(IBGE,1995 年),已经在亚马孙区域发现了 104 种系统。这里土地肥力很低,但是到处都覆盖了一层微生物,而且微生物的种类繁多,形成了世界上最大的自然生物多样性区域。由于土壤肥力低,尤其是处在所谓的"A"型稳定的地表,加上各种气候因素,很难在这里进行农业生产。

尽管这个地区科学技术知识相当有限,但是现在也已经有了长足的进步,尤其是在过去的 30 年中,一些专门的组织机构得以成立,如在马瑙斯和帕拉州的"亚马孙国家科学研究院",以及贝伦的"埃米尼奥戈尔德博物馆"。过去 30 年所出版的与亚马孙相关的文献,呈指数级增长,它们对生物和非生物方面的问题进行了广泛的阐述,其中许多文献被大量发行,广为传播。有一些信息需要很多工作者来编辑整理,使之系统化,并以书籍和科技期刊的形式出现。在这些期刊中,值得一提的有《亚马孙行动》、《亚马孙河流域》和《穆苏·戈尔德快报》。还有一些书是摘录其他一些出版物中的内容而形成的,这些书有:E·萨拉第艾阿 1983 年编辑的《亚马孙:发展,相互作用与生态》,赫拉德·希奥里 1984 年编辑的《亚马孙》和 J·H·加希艾阿 1996 年编辑的《亚马孙森林采伐与气候》。

自从欧洲人发现了亚马孙之后,人类在这里的活动可以分为三个阶段。第一阶段是在 1500～1840 年,主要以认识和占领这片土地为主。这个时期人类对环境的影响是比较小的。而欧洲殖民者与印第安人之间的争夺造成了本地部落的急剧减少,尤其是在沿河地带。这一时期大约有300万印第安人居住在目前的巴西亚马孙地区,20世纪下半叶人口已锐减到16万。殖民化的第二阶段是1840~1912年,这一时期的特点就是橡胶采集量的急剧增长和其他作物的大量种植,如栗子,以及专门针对少数几种动物和鱼类的捕捞。马瑙斯和贝伦经济中心在这个时期得到了高速增长,巴西亚马孙区域迁入60万~80万移民,其中大部分来自巴西东北部。

　　过去的50年是一个现代化和集中开发的时期。亚马孙地区从东到西,从南到北,到处都在修路(见图1.3)。经过长达4个世纪对沿河土地的占领,尤其是大型河流沿岸,内陆腹地通过所谓的"陆地"生态系统获得了扩张,由此在文化和环境上对原居民造成很大影响。这种现代化集中开发浪潮造成了森林砍伐量的急剧增长。森林砍伐造成的空地面积在1970年只占亚马孙区域面积的0.5%,但到1994年8月已急速增长到占"法定亚马孙地区"面积的9.4%,也就是469 978km^2。这几十年来,地区改造的主要动力来自于对可再生的和不可再生的自然资源的开发与利用。很多活动都是与道路建设、水力发电、石油开采、捕鱼资源、畜牧业、旅游事业和商业紧密相关的,尤其是在设立马瑙斯免税区之后。

1.3　区域生态特征

1.3.1　地貌

　　亚马孙河流域的广大地区海拔在250m以下。这些低地的西面是半圆形的海拔超过4 000m的安第斯山;北边是平均海拔只有1 200m的圭亚那冲积高原,但这里也有高达3 014m的内布利纳峰;南面是平均海拔 100~400m 的亚马孙高原。由于亚马孙河流域的轮廓就像一个马蹄形,开口朝向大西洋,它穿越地球赤道,这样的物理结构和地理位置形成了该区域的重要特性。季风带来了大西洋的水汽,再加上充足的太阳能,形成了这里的多雨气候特点。

图 1.3 南美洲内经过巴西和其他国家的高速公路分布

最近的研究表明,亚马孙河起源于秘鲁南部的内华达米斯米山脉。亚马孙河的水源来自芝拉山脉北部的一个山坡,称为"基布拉达",海拔 5 300m。注入亚马孙河的河水主要来自阿普里马克—乌卡亚利河。这条河向北流去,与马拉尼翁河汇合之后再转向东流,在流经秘鲁和巴西交界处与纳波河汇合之后就被称为索里姆斯河。在马瑙斯,内格罗河汇入索里姆斯河。从马瑙斯到入海口处河段就被称为亚马孙河。现在亚马孙河不仅在水量上而且在长度上都被认为是世界上最大的河流。它长 6 671km,稍稍超过尼罗河。由于还不能精确地确定亚马孙河的河口,它的真实长度还不为人知。

有一点需要强调的是,亚马孙河主河道从秘鲁到马拉卡岛河口落差非常小,长 2 375km 的河段落差仅 107m。但是同时还有一个重要的特征,在这相应平坦的区域,有很多支流切出了很多很深的水道,其坡面达 45°。因此,当对森林下面的大片平地进行分析时,发现它们实际是岩石峥嵘的地区,难以进行农业活动,并且当原生植被遭到破坏时,就很容易受到侵蚀。

1.3.2　气候

1.3.2.1　太阳能

由于这一区域位于赤道附近,到达亚马孙地区高层大气的太阳能变化很小。以马瑙斯市为例,一年中太阳能最大的 1 月份为 3 699.3kJ,太阳能最小的 6 月为 3 051.4kJ。同样,白天的长度变化也较小,最短为 11.36h,最长为 12.38h。云团覆盖了亚马孙大部分区域,尤其是它的中部地区,因此到达地面或者树梢的能量受这些云团控制。平均日照时间和星云分布见表 1.1 和表 1.2,1977 ~ 1979 年马瑙斯市太阳日照能量列在表 1.3 中。

热平衡最重要的因素是星云分布指标和空气湿度,由此造成每天或每年的温度变化一直很小。

表 1.1　亚马孙河流经城市月平均日照时间

N（世界气象组织）	城市	纬度	经度	1月	2月	3月	4月	5月	6月	7月	8月	9月	10月	11月	12月
82 067	拉乌鲁瑞德	0°36'N	69°12'W	4h24min	3h54min	3h54min	3h30min	3h36min	3h42min	3h48min	4h42min	5h12min	4h48min	4h47min	4h24min
82 331	马瑙斯	3°08'S	60°01'W	3h48min	3h55min	3h36min	3h48min	5h24min	6h54min	7h54min	8h12min	7h29min	6h36min	5h54min	4h54min
82 106	沃佩斯	0°08'S	67°05'W	5h13min	5h30min	5h13min	4h31min	4h54min	4h54min	5h13min	8h18min	6h36min	6h07min	6h00min	5h30min
82 741	塔帕林哈	2°24'S	54°51'W	3h12min	3h25min	3h24min	4h11min	6h05min	7h49min	8h30min	8h18min	5h43min	5h05min	4h12min	3h29min
82 191	贝伦	1°28'S	48°29'W	5h01min	4h00min	3h17min	4h13min	6h18min	7h55min	8h37min	7h31min	7h48min	7h55min	7h18min	6h49min
82 243	圣塔伦	2°45'S	54°42'W	4h35min	3h43min	3h25min	3h48min	4h42min	5h54min	6h49min	7h49min	7h24min	7h24min	6h30min	6h05min

INEMET(1979).

表 1.2　亚马孙河流经城市平均云量（云层覆盖率为天空的 1/10）

N（世界气象组织）	城市	纬度	经度	1月	2月	3月	4月	5月	6月	7月	8月	9月	10月	11月	12月	平均
82 704	南克鲁赛罗	7°38'S	72°36'W	8.4	8.5	8.4	8.0	7.4	6.5	5.7	5.6	6.9	7.8	8.0	8.2	7.4
82 113	巴塞卢斯	0°58'S	62°57'W	7.1	7.2	7.1	7.7	7.7	7.2	6.7	6.3	6.5	6.8	6.4	6.8	7.0
82 425	利阿里	4°05'S	63°08'W	6.7	6.7	6.8	6.7	6.4	5.6	5.2	5.1	5.4	6.0	6.0	6.3	6.1
82 212	丰蒂博阿	2°32'S	66°01'W	7.3	7.1	7.2	7.7	7.2	6.9	6.8	6.3	6.3	6.6	6.7	7.0	6.9
82 727	乌迈塔	7°31'S	63°02'W	7.5	7.6	7.4	7.0	5.6	3.9	3.1	3.3	5.0	6.2	6.6	7.0	5.8
82 067	拉乌瑞德	0°36'S	69°12'W	7.6	7.7	8.0	8.2	8.0	7.9	7.7	7.4	7.3	7.7	7.5	7.5	7.7
82 331	马瑙斯	3°08'N	60°01'W	8.3	8.4	8.5	8.5	7.9	6.9	6.4	6.1	6.9	7.6	7.8	8.0	7.6
82 103	塔拉今	8°10'S	70°46'W	7.3	7.4	7.2	7.6	8.1	7.6	7.4	7.0	6.6	7.2	7.2	7.1	7.3
82 106	沃佩斯	0°08'S	67°05'W	8.0	7.8	7.9	8.2	8.1	8.0	7.7	7.4	7.1	7.7	7.6	7.7	7.8
82 741	塔帕林哈	2°24'S	54°41'W	8.2	8.3	8.2	7.5	5.9	3.6	2.9	3.6	6.4	7.4	7.7	8.1	6.5
82 191	贝伦	1°28'S	48°29'W	7.7	8.3	8.6	8.2	7.4	6.1	5.6	5.2	5.6	5.5	6.0	6.8	6.8
82 243	圣塔伦	2°45'S	54°42'W	6.5	7.0	7.2	7.1	6.5	5.4	4.5	3.7	3.9	4.5	5.0	5.5	5.6

INEMET(1979).

表 1.3　1977～1979 年马瑙斯市表面总辐射量(Q_s)($\times 4.18$kJ)

年份	1 月	2 月	3 月	4 月	5 月	6 月	7 月	8 月	9 月	10 月	11 月	12 月
1977	—	—	—	—	—	—	—	425	348	325	360	267
								(51)	(40)	(36)	(41)	(30)
1978	295	277	305	323	335	432	404	462	486	499	407	363
	(33)	(31)	(34)	(38)	(42)	(57)	(52)	(56)	(56)	(56)	(46)	(41)
1979	337	395	412	—	—	—	—	—	—	—	—	—
	(38)	(36)	(44)									

注:括号内的数字表示与本地大气层上部太阳能辐射量相比较的百分数。

1.3.2.2　气温

亚马孙地区一个最重要的特征就是温度变化较小,尤其是在海拔高度低的大高原地区。以贝伦为例,最高温度出现在 11 月,为 26.9℃,最低温度出现在 3 月,为 24℃。在马瑙斯,最高月均温度和最低月均温度都出现在 9 月,温度为 27.9℃和 25.8℃。在秘鲁的伊基托斯,最高月均温度出现在 11 月,为 32℃,在 7 月最低温度也为 32℃。这种等温情况的出现,是由于存在大量的水汽,并且太阳能变化很小而造成的。表 1.4 给出了一些在亚马孙河流域的巴西城市的月平均温度。

1.3.2.3　降雨

从空间分布上看,亚马孙地区的降水相当不均衡。从图 1.4 可以非常清楚地发现,设在赤道南边和北边的气象站月降水量分布不同。赤道以南 5～8 月非常干燥,同一时期赤道以北的降水量最大。另一个重要的观测结果是,随着西移,降水逐渐增加,干旱持续时间逐渐减少。在亚马孙地区的东北部全年基本上没有干旱出现。

从年总降水量分析,亚马孙河流域最小的降水量为 1 600mm/a,

表 1.4　亚马孙河流域一些巴西城市的月平均温度

（单位：℃）

城市	纬度	经度	1月	2月	3月	4月	5月	6月	7月	8月	9月	10月	11月	12月	平均
塔帕林哈	2°24'S	54°41'W	25.2	25.3	25.2	25.4	25.5	24.8	24.4	25.6	25.8	25.7	25.3	25.4	25.3
阿尔塔米拉	3°12'S	52°12'W	25.3	26.6	25.3	25.8	25.8	26.3	25.5	26.1	26.4	26.6	26.4	26.2	26.0
阿鲁曼杜巴	1°29'S	52°29'W	27.0	26.8	26.8	26.8	27.2	27.0	26.8	27.0	27.4	27.6	27.9	27.3	27.1
贝伦	1°27'S	48°29'W	25.6	25.5	25.4	25.7	26.0	26.0	25.9	26.0	26.0	26.2	26.5	26.3	25.9
卡楚马巴	9°25'S	54°38'W	24.4	24.1	24.8	24.9	24.6	24.1	24.0	24.4	25.7	24.9	24.6	24.8	24.7
阿拉瓜亚	8°15'S	49°17'W	24.8	24.5	24.8	25.2	25.3	24.7	24.4	25.5	26.3	25.6	25.3	24.9	25.1
伊泰图巴	4°17'S	55°59'W	26.2	26.1	26.0	26.4	26.4	26.6	26.5	26.8	27.2	27.2	27.2	26.4	26.6
马拉巴	5°21'S	49°07'W	25.9	25.6	25.8	26.4	26.9	26.4	26.8	26.6	26.9	27.1	26.9	26.1	26.4
奥比杜斯	1°55'S	55°31'W	26.2	25.9	25.8	26.3	25.8	25.9	26.0	26.9	27.0	28.0	26.4	27.2	26.5
莫斯港	1°45'S	52°14'W	25.4	25.0	25.0	25.2	25.4	25.2	25.2	25.3	25.3	25.6	26.4	26.0	25.4
萨利诺波利斯	0°37'S	47°20'W	26.9	26.4	25.9	26.0	26.1	25.8	26.9	27.1	27.4	27.6	27.6	27.7	26.9
圣塔伦	2°26'S	54°42'W	25.8	25.5	25.5	25.6	25.6	25.4	25.4	26.2	26.7	27.0	26.9	27.7	26.0
索里	0°44'S	48°31'W	26.9	26.2	25.9	26.2	26.7	26.8	26.8	27.2	27.6	28.2	28.0	27.7	27.0
托梅	2°25'S	48°09'W	28.2	28.1	28.1	27.9	27.7	27.6	27.5	27.7	27.9	28.2	28.2	28.4	27.9
特拉库特	1°15'S	46°54'W	25.2	24.9	24.5	25.4	24.6	24.6	24.4	24.6	25.0	25.3	25.6	25.7	24.9
巴塞卢斯	0°58'S	62°57'W	26.1	26.2	26.3	25.8	25.6	25.5	25.4	26.0	26.0	26.4	26.5	25.6	26.0
康斯坦特	4°22'S	70°02'W	25.8	25.8	25.9	25.8	25.8	25.2	25.1	25.8	26.0	26.1	26.2	26.0	25.8
卡劳阿里	4°52'S	66°54'W	26.3	26.1	26.4	26.2	26.2	25.6	25.3	26.2	26.6	26.6	26.6	26.6	26.2
科阿里	4°05'S	63°08'W	25.2	25.2	25.4	26.2	25.3	25.3	25.4	26.0	26.0	25.9	25.9	25.6	25.5
埃鲁那普	6°40'S	69°52'W	26.3	26.2	26.0	26.2	26.0	25.7	25.6	26.0	26.6	26.8	26.8	26.7	26.3
丰蒂博阿	2°32'S	66°01'W	24.8	24.9	24.9	24.8	24.7	24.5	24.3	24.9	25.2	25.3	25.3	25.2	24.9
乌迈塔	7°31'S	63°02'W	25.2	25.3	25.4	25.4	25.5	25.2	25.2	26.4	26.3	26.3	26.0	25.7	25.7
伊塔夸蒂亚拉	3°08'N	58°25'W	26.7	26.4	26.4	26.5	26.7	26.7	26.7	26.8	28.1	28.2	28.1	27.6	27.1
拉康今瑞德	0°36'N	69°12'W	25.2	25.2	25.3	25.1	24.9	24.4	24.1	24.5	25.1	25.3	25.5	25.3	25.0
马瑙斯	3°08'S	60°01'W	25.9	25.8	25.8	25.8	26.4	26.6	26.9	27.5	27.9	27.7	27.3	26.7	26.7

续表 1.4

（单位：℃）

城市	纬度	经度	1月	2月	3月	4月	5月	6月	7月	8月	9月	10月	11月	12月	平均
马尼科雷	5°49'S	61°19'W	26.2	25.8	26.1	25.8	26.3	26.3	26.1	27.0	27.0	27.2	27.2	26.9	26.5
毛埃斯	3°24'S	57°42'W	26.1	26.0	28.8	26.2	25.8	26.0	26.1	26.8	26.4	27.2	27.4	27.0	26.3
帕林廷斯	2°36'S	56°44'W	27.0	26.6	26.8	25.4	27.0	27.0	27.2	28.2	28.8	29.0	28.3	27.7	27.5
奥利文萨	3°27'S	68°48'W	27.8	25.8	25.8	26.8	25.5	25.4	25.2	26.0	26.3	26.2	26.2	26.2	25.8
塔拉库拉	8°10'S	70°46'W	25.2	25.3	25.3	25.8	24.9	24.5	24.1	24.4	25.3	25.4	25.4	25.2	25.0
克鲁鲁夸拉	0°24'S	65°02'W	26.8	26.6	26.8	25.2	25.8	25.6	25.6	26.0	26.6	26.9	27.0	26.9	26.4
克鲁塞罗	7°38'S	72°36'W	24.4	24.6	24.4	26.2	24.1	23.1	22.9	26.8	24.5	4.6	24.7	24.6	24.2
马杜雷拉	9°04'S	68°40'W	25.2	25.3	25.2	25.0	24.3	23.5	23.0	24.1	25.3	25.3	25.5	25.5	24.8
阿马帕	2°03'N	50°48'W	26.2	25.9	26.1	26.1	26.4	26.2	26.8	27.0	27.4	27.7	27.5	27.0	26.7
马卡帕	0°02'N	51°03'W	26.8	26.4	26.1	26.3	26.8	26.7	27.5	29.3	8.3	28.3	28.0	27.3	27.3
克莱韦兰迪亚	3°49'S	51°52'W	24.3	24.2	24.4	24.5	24.5	24.0	24.6	25.0	25.5	25.6	25.4	24.8	24.8
波多韦柳	8°46'S	63°54'W	25.1	25.2	25.3	25.3	25.3	25.1	25.0	26.4	26.6	26.1	25.8	25.4	25.6
博阿维斯塔	2°49'S	60°40'W	27.7	28.0	28.3	28.2	27.0	26.2	26.1	26.6	28.1	28.8	28.6	28.3	27.7
卡罗利那	7°20'S	47°28'W	25.6	25.6	25.8	25.6	26.4	25.0	24.9	26.6	27.2	27.8	28.6	28.3	27.6
格拉雅乌	5°49'S	46°08'W	25.4	25.3	25.2	25.1	25.4	25.0	24.5	26.3	27.2	27.8	26.5	25.9	25.8
因佩拉特里斯	5°32'S	47°29'W	25.2	25.1	25.2	25.1	25.4	24.8	24.5	25.3	26.3	26.4	26.1	25.6	25.4
本图	5°14'S	36°02'W	26.4	26.1	26.1	26.2	26.4	26.8	26.1	26.4	26.6	26.9	26.1	26.0	26.4
卢伊济	2°31'S	46°16'W	26.8	26.4	26.3	26.3	26.3	26.4	26.2	26.6	27.0	27.2	27.3	27.2	26.7
图里亚苏	1°41'S	45°21'W	27.0	26.4	26.1	26.1	26.3	26.2	26.1	26.6	27.0	27.3	27.5	27.5	26.7
纳西纳尔	10°42'S	48°25'W	25.3	25.3	25.4	26.0	25.8	24.8	24.8	26.4	27.9	27.0	25.9	25.5	25.8
塔瓜廷加	12°25'S	46°20'W	23.8	23.7	23.8	24.3	23.9	23.2	22.9	24.4	26.1	25.7	25.9	23.5	24.1
卡塞雷斯	16°04'S	57°41'W	26.4	26.4	26.2	25.3	23.5	22.1	21.5	23.9	26.1	26.8	24.2	26.6	25.1
库亚巴	15°35'S	56°05'W	26.5	26.5	26.2	25.5	24.3	23.2	22.8	25.0	27.0	27.2	26.8	26.6	25.6

INEMET（1969）

从过渡带向中央巴西高原,降水量不断增加,最大的降水量出现在安第斯山附近,为 6 000mm/a。在阿马帕海岸和马拉卡岛北部地区,降水量超过 3 000mm/a。图 1.4 是降雨分布,图 1.5 是月平均降水量等雨量线图。

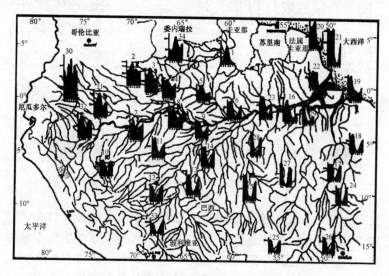

图 1.4 亚马孙河流域各相关地区的雨量分析

(1)博阿维瑞斯塔;(2)拉乌瑞德;(3)塔拉乌阿卡;(4)沃佩斯;(5)巴塞卢斯;(6)马瑙斯;(7)本雅明康斯坦特;(8)丰蒂博阿;(9)科阿里;(10)南克鲁赛罗;(11)卡劳里;(12)普鲁斯河;(13)波多韦柳;(14)乌迈塔;(15)塔帕若斯上游;(16)塔帕林哈;(17)阿拉瓜亚;(18)因佩拉特里斯;(19)贝伦;(20)克莱韦兰迪亚;(21)阿帕;(22)马卡帕;(23)帕林廷斯;(24)纳西纳尔;(25)库亚巴;(26)皮热诺普利斯;(27)Serra do Cachimbo;(28)雅卡雷阿坎加;(29)阿尔塔米拉;(30)特马;(31)区域平均值;(32)伊基托斯;(33)阿布南;(34)区域平均值(1983)

1.3.2.4 水量平衡——亚马孙地区水汽生成和再循环过程

亚马孙河流域水量平衡区域面积达 611.2 万 km^2。这一区域年降水量为 2 400mm/a,亚马孙河流量为 20.9 万 m^3/s,相应的蒸散

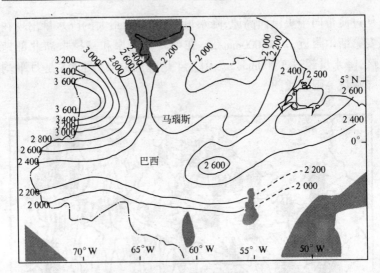

图 1.5　亚马孙河流域正常降水量等雨量线（mm/a，1978 年）

发量为 1 382mm/a，这些数据是由巴西国家水电能源部（DNAEE）
1992 年发布的。根据这些资料，每年亚马孙河流域产生的水量为
$15.04 \times 10^{12} \mathrm{m}^3$，注入大洋的水量为 $6.59 \times 10^{12} \mathrm{m}^3$，通过蒸发回到大
气中的水量为 $8.45 \times 10^{12} \mathrm{m}^3$。蒸发产生水汽的重要性在于直接促
成了整个亚马孙地区水的动态变化，形成云团和降雨。在 20 世纪
70～80 年代开展了一项研究，以确定水汽团对云团和降雨量形成
的重要影响。这些工作分为三部分（Salati et al，1984），第一部分描
述了在亚马孙河流域以及其他重要流域建立水量平衡；第二部分
利用可获得的无线电波分析信息，确定水汽通量；第三部分阐述水
中 $^{18}\mathrm{O}$ 和氘同位素的空间分布。从这些综合研究可以得出以下结
论：

　　（1）进入亚马孙河的水汽主要来源于大西洋，如图 1.6、图
1.7、图 1.8 和图 1.9 所示，而且这些图也描述了水汽量。

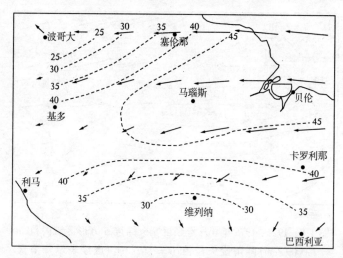

图 1.6　1972～1975 年 3 月份经度 5°×纬度 5°方形区域内（1cm = 2 000g_v/cm）降雨量矢量值 $\vec{Q} = \vec{Q}_\lambda + \vec{Q}_\lambda$（虚线表示降雨量（mm））

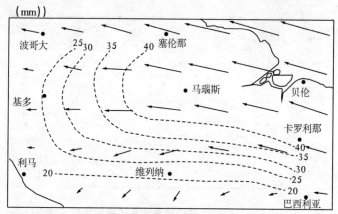

图 1.7　1972～1975 年 9 月份经度 5°×纬度 5°方形区域内（1cm = 2 000g_v/cm）降雨量矢量值 $\vec{Q} = \vec{Q}_\lambda + \vec{Q}_\lambda$（虚线表示降雨量（mm））

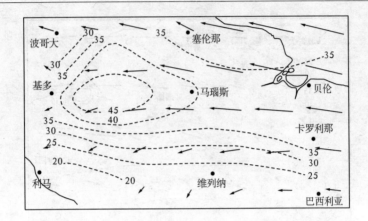

图 1.8 1972～1975 年 6 月份经度 5°×纬度 5°方形区域内(1cm = 2 000g$_v$/cm)降雨量矢量值 $\vec{Q} = \vec{Q}_\lambda + \vec{Q}_\lambda$(虚线表示降雨量(mm))

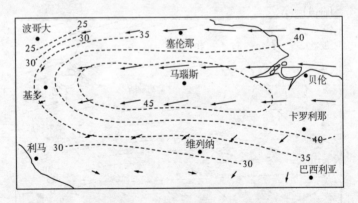

图 1.9 1972～1975 年 12 月份经度 5°×纬度 5°方形区域内(1cm = 2 000g$_v$/cm)降雨量矢量值 $\vec{Q} = \vec{Q}_\lambda + \vec{Q}_\lambda$(虚线表示降雨量(mm))

(2)水汽量在低经度地区较高,向西逐渐减小,而降雨量由东向西逐渐增加。从大西洋来的水汽量与从亚马孙河流域森林蒸散发所产生的水汽量保持平衡。

(3)假如产生降水的水汽是唯一来自大西洋的话,那么降水中^{18}O含量的空间分布变化比预料的要小。

根据以上的观测结果,建立了一个水汽再循环模型。根据这个模型,来自海洋中的水汽和植物蒸发的水汽共同形成云团,云团又导致了某个地方雨水的形成。这个模型可以更好地解释在第一种情况下的雨量分布和所观察到的^{18}O浓度的空间分布情况。这些研究结论带来的主要结果就是,亚马孙地区上空空气的动态平衡依赖于绿色植物,也就是森林的覆盖。

这个结论表明,森林的形成不仅仅是气候所产生的一种简单结果,而且目前的气候条件反过来也依赖于森林自身。从这点来讲,亚马孙地区特有的地貌地形使得它可以截留湿润和潮湿的风,并将其引入大气的整体循环中。由于该地区又地处两个热带的交会处,决定了这里湿热气候的形成,这样的气候又正好促进了热带雨林的生长。亚马孙地区生态系统经过长时间的发展,加上现在平衡的环境状态,形成了目前亚马孙地区的水量平衡。水汽主要来自大西洋,而这个区域的水汽动力学研究表明,目前仅仅有50%的降雨量来源于该水汽。原始生态系统的不断进化形成了本地的植被,这些植被是目前生态系统的基本组成要素,因此也是目前已经建立的水汽平衡的基本元素,它通过蒸散发的形式提供了该地区降雨量所需的另外50%的水汽。这种生态系统的成熟过程,经历了多个平衡阶段和多个自然选择及进化发展阶段,这是生物圈和大气互相作用的结果。

由此我们可以得出一个结论,大量的森林砍伐将不仅会影响生物圈,而且会影响到现在常见的气候条件,包括亚马孙区域和它周围区域的水量平衡。根据这一信息,萨拉第得出以下结论:

　　(1)总体上讲,森林砍伐将改变流域水量,使得雨季河流水流量增加而地表储水减少,从而导致旱季河流水流量减少。森林面积的减少将意味着大气中可用水汽的减少,从而导致降雨量的减少,尤其是在干旱季节。气候变化有可能发生,并伴随土壤中水分的缺乏和温度的大幅度变化,导致长时间干旱季节的出现。

　　(2)由于亚马孙地区为周边区域提供水汽资源,大面积的森林砍伐将导致水汽大量减少,而这些水汽是南美洲中部地区降雨的主要来源,这样将引起巴西一些区域水力发电量潜能降低。

　　(3)到达树梢的太阳能大约为1 755.6kJ。这些能量有50%~60%用于森林系统的蒸散发作用。因此,森林的砍伐会破坏能量平衡。那些被植物用来促使水汽蒸发的能量,以蒸腾或直接蒸发的方式用于水分蒸发,可能反过来对周围的空气起到了加热的作用。

　　另一方面,在亚马孙地区的部分区域,有草原覆盖的地方与有森林覆盖的地方所观察到的情况不一样。例如,在马拉若岛,其森林覆盖的区域全年降雨分布好,月最小降雨量接近80mm,而在该岛草原地区,干旱时节降雨量为零,但这两个区域的降雨总量实际是相同的。观测表明,草原地区日温差较大,显示大气水分含量较少。根据对云团的观察,区域内形成的积云较小。而且是位于草原海拔较高的地区,并非位于由森林覆盖的地区。

　　1983年萨拉第公布的这些结论已经被《亚马孙森林采伐与气候》中的多篇论文所证实,该书由加希艾阿于1996年编辑完成。这些研究表明,空气温度在接近地面时不断上升(Souza et al,1996;Hoalnett et al,1996)。宁艾阿(1996)的模型表明,大规模的森林砍伐,或者说森林总量的减少,引起了气候变化,导致所研究区域的降雨量减少。根据模型预测,如果该地区森林全部消失,将导致降水量减少7%,水分蒸散发总量减少19%,地表温度上升2.3℃。

1.3.3 保持生物多样性

亚马孙河流域作为地球上最大生物多样化地区之一,在过去几十年里,巴西政府极尽努力建立多个自然保护区对它进行保护。目前,巴西境内的亚马孙河流域包含了 112 个自然保护区,占地面积达 43 496 837hm^2,相当于巴西领土总面积的 8.7%。

据基兰德资料(1995),在表 1.5 中列出了自然保护区的数量和所处区域,它们是根据巴西法律而建立的不同类型的自然保护区。表 1.6 列出了巴西亚马孙河流域的国家公园、生物保护区和生态保护区。在图 1.10 和图 1.11 中列出了这些站点的具体位置。

表 1.5　巴西亚马孙河流域自然保护区的数量、面积以及所处区域

保护区种类			数量	面积(hm^2)
直接使用(维护管理)	联邦的	国家森林	24	12 527 986
		联邦储备开采区	08	2 199 311
		联邦环境保护区	02	82 600
		相关地质保护区	02	18 288
	地方的	地方森林	11	1 401 638
		地方储备开采区	02	1 438 978
		地方环境保护区	10	6 922 257
	小计		60	24 591 058
间接使用(整体保护)	联邦的	国家公园	10	8 301 113
		生物保护区	08	2 902 800
		生态站	11	2 007 666457 574
		生态保护区	03	
	地方的	公园	10	3 880 953
		生物保护区	03	105 878
		生态站	03	1 244 678
		生态保护区	01	3 000
	小计		49	18 903 662
其他种类			03	2 117
总计			112	43 496 837

注:减去上表中各区域面积的重叠部分,整个巴西亚马孙地区保护区总面积为 41 641 237hm^2。

表 1.6　巴西亚马孙地区的国家公园、生物保护区及
生态保护区

种类	州	名称	公布年份	面积(hm²)
国家公园	托坎廷斯	阿拉瓜亚河	1959	562 312
	帕拉	亚马孙河	1974	994 000
	朗多尼亚	新帕卡斯河	1979	764 801
	亚马孙	皮科内布利亚	1979	2 200 000
	阿马帕	卡博奥兰治	1980	619 000
	亚马孙	雅乌	1980	2 272 000
	马托格罗索	潘特拉—马托格罗索	1981	135 000
	阿克里	塞拉—杜迪维松	1989	605 000
	罗赖马	蒙特—罗莱玛	1989	116 000
	马托格罗索	沙帕达—杜斯吉马朗伊斯	1989	33 000
	小计			8 301 113
生物保护区	帕拉	里奥—托姆贝塔斯	1979	385 000
	朗多尼亚	雅鲁	1979	268 150
	阿马帕	拉戈—皮拉图巴	1980	357 000
	亚马孙	阿布萨里	1982	288 000
	朗多尼亚	瓜波雷河	1982	600 000
	马拉尼昂	古鲁皮	1988	341 650
	帕拉	塔皮拉佩河	1989	103 000
	亚马孙	瓦图芒河	1990	560 000
	小计			2 902 800
生态保护区	亚马孙	索姆—卡什塔涅拉斯河	1982	109
	亚马孙	尤泰—索里蒙伊斯河	1983	284 285
	亚马孙	尤阿米—雅普拉河	1983	173 180
	小计			457 574
总计				13 669 153

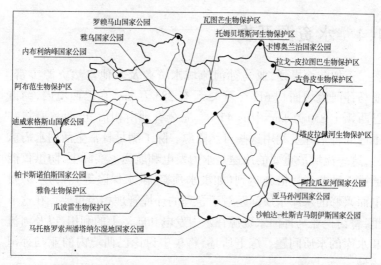

图 1.10　巴西亚马孙地区的国家公园和生物保护区分布

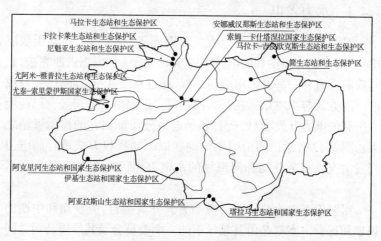

图 1.11　巴西亚马孙地区的生态站和国家的生态保护区分布

1.4　水资源开发

正如前面提到,亚马孙河流域水资源及其他自然资源丰富。亚马孙河流域面积 611.2 万 km^2,有 385 万 km^2 在巴西境内,约占巴西领土 850 万 km^2 中的 45%。完全有理由相信,巴西政府将在不远的将来开发利用这些自然资源。除了满足日常生活用水需求外,这一流域最重要的用途是水力发电和航运。实际上,防洪仅能通过一种非工程措施达到(如洪水预警、洪水保险等)。为水力发电而兴修的水库水质问题对于合理的环境管理相当重要。在这节里,将讨论亚马孙河水资源在水力发电和航运上的利用,以及河流和水库的水质问题。综上所述,将集中讨论巴西境内的亚马孙河流域。

1.4.1　水力发电

巴西水力发电由巴西电力公司管理和控制,该公司属于政府机构,负责电力传输和配电系统的规划与营运。根据巴西宪法,联邦政府享有开发和开采水能的特权,通过直接参与或转让、授权或许可的方式与水电站所在州共同开发。巴西电力公司经营巴西境内所有的电力开发项目,所有各州电力公司都在它的控制管辖之下。图 1.12 表示巴西全国不同地区以不同授权方式进行的电力开发情况。整个亚马孙河流域的水电都由巴西北方电力公司运营。

尽管巴西电力公司以分散的方式开展运营,但长期和中期的规划和运营方案都是由其领导下的一个委员会及其所属公司共同参与制定的。在巴西,最新的电力规划称之为 2015 规划,它是 2015 年的规划蓝图。这一规划是基于四种不同需求情景制定的,情景中假定 1992~2015 年期间巴西 GNP 年增长率为 2%~6%不等。表1.7描述了在这种经济增长速度下预期的能源需求情况，而其中电力能耗需求约占总能耗的40%。

| 北方电力公司 |
| 阿克里州—亚马孙州—罗赖马州—帕拉州—马托格罗索州—朗多尼亚州 |

| 圣弗朗西斯科水电公司 |
| 皮奥伊州—塞阿拉州—北里奥格兰兰州—帕拉伊巴州—伯南部哥州—阿拉戈斯州—塞尔希培州—巴伊亚州 |

| 南方电力公司 |
| 南马托格罗索州—巴拉那州—圣卡塔琳娜州—南里奥格兰德州 |

| 中部电力公司 |
| 米纳斯吉达斯州—圣埃斯皮里图州—里约热内卢州—圣保罗州—戈亚斯州 |

图 1.12 巴西亚马孙地区电力特许经营商地理分布

水力发电在巴西占主导地位。1992年巴西 228×10^9 kWh 发电量中96%来自水力发电。火力发电供应一些独立的用电系统，它用于水力发电系统调峰，以提高水力发电的可靠性。在巴西水力发电系统的三个主要部分是：南部—东南部—中西部联合电力系统,北部—东部联合电力系统,以及北部地区独立的电力系统。这些发电系统和电力传输系统最重要的特征是:水库有多年蓄水能力,电力生产地区与电力使用地区之间的传输距离远,流域水文呈多样性,不同流域各个电力子系统高度结合,以及具有巨大的水电开发潜力,在亚马孙河流域这些是显而易见的。

表 1.7　巴西 GNP 和能量消耗增长预测

	项目	1992	2000	2005	2010	2015
情况 1	国民生产总值(10^9US\$)	321.2	382.5	488.2	593.9	722.4
	增长率(%)	—	2.2	5.0	4.0	4.0
	能量消耗(10^9kW)	224.3	293.8	384.0	467.2	563.0
	增长率(%)	—	3.4	5.5	4.0	3.8
情况 2	国民生产总值(10^9US\$)	321.2	450.9	575.5	700.2	851.6
	增长率(%)	—	4.3	5.0	4.0	4.0
	能量消耗(10^9kW)	224.3	329.5	430.6	523.9	631.3
	增长率(%)	—	4.9	5.5	4.0	3.8
情况 3	国民生产总值(10^9US\$)	321.2	516.0	690.6	881.3	1 124.5
	增长率(%)	—	6.1	6.0	5.0	5.0
	能量消耗(10^9kW)	224.3	360.7	473.2	589.7	731.4
	增长率(%)	—	6.1	5.6	4.5	4.4
情况 4	国民生产总值(10^9US\$)	321.2	540.8	723.7	968.5	1 295.7
	增长率(%)	—	6.7	6.0	6.0	6.0
	能量消耗(10^9kW)	224.3	377.6	495.4	642.6	826.4
	增长率(%)	—	6.7	5.6	5.6	5.2

注:巴西电力公司,1994 年。

表 1.8 描述了 2015 年规划中关于巴西的电能资源的规划,从中可看出,在巴西今后的 20 年,几乎唯一的选择就是水力。因此,巴西电力公司要基于以下几方面因素着手开发有水电潜能的地区:方案上与其他可行性方案比较起来要更省钱,更有开发潜力

（仅有 1/4 的潜在水能已经开发或正在建设中）；作为一种可再生
资源，其运营成本与燃油价格的波动无关；有现成的水力发电站规
划、设计和建设的专业技术力量；水力发电用的水库能够而且应该
充分得到利用（如灌溉、水运和水供应等），以促进其他部门的经济
发展；以及具有可用的远距离电力传输的专业技术知识，可以支持
亚马孙地区潜在水能的开发。

表 1.8　2015 年巴西水力发电规划

来源	发电量		成本
	GW·a	GW	（US$/MWh）
水力	123.5	247.0	33% < 40 40 < 29% < 70 28% > 70
煤	12.0	18.0	50 ~ 70
核能	15.0	25.0	60 ~ 70
总计	150.5	290.0	

注：巴西电力公司，1996 年。

对巴西潜在的水电资源进行更详细的分析表明，50% 以上的
水电潜能位于亚马孙河流域，尤其是在帕拉州（见表 1.9）。将优
先开发托坎廷斯河的水电潜能，紧接着是欣古河。欣古河上游地
区水电将优先供给东南部—南部—中西部地区，而下游地区的水
电则供给东北部地区。亚马孙河流域输往北部、东北部地区的电
量超过 5 000MW，根据不同需求情况，输往东南部、中西部地区的
电量为 3 000 ~ 6 000MW。包括马代拉河和塔帕若斯河流域电能
在内，另外还可提供 11 000MW 的电量。四个水力发电厂（见图
1.13)提供了这些电能：欣古河流域的博罗蒙特电站发电电量
11 000MW 和阿尔塔米拉电站 5 720MW；塔帕若斯河流域的 TA－1
电站9 528MW 和马代拉河流域的 MR－1 为 6 884MW。

表 1.9　巴西可作为可靠电能的水电蕴藏量　（单位：MW/a）

河流	营运和建设中	勘测、可行性研究、设计阶段	预估可开发	总计
亚马孙河	3 707.0	26 173.5	37 173.5	68 623.2
大西洋(东北部)	140.0	94.6	1 329.0	1 563.6
圣弗朗西斯科河	5 707.0	2 673.0	1 270.5	9 650.5
大西洋(东部)	909.7	5 579.9	1 327.0	7 816.6
巴拉那河	18 715.2	6 045.8	5 426.1	30 187.1
乌拉圭河	141.8	6 268.0	1 355.4	7 765.1
大西洋(东南部)	743.8	765.1	1 931.0	3 439.9
总计	30 064.5	47 599.9	49 812.5	127 476.9

注：巴西电力公司，1996 年。

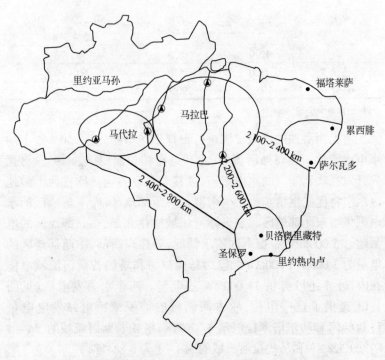

图 1.13　从亚马孙河流域至巴西其他不同地区的电力传输图

1996 年在亚马孙河流域的水力发电装机容量是 4 734MW(其中图库鲁伊为 4 240 MW;库鲁亚乌拉为 30 MW;科拉希伦依斯为 40 MW;巴尔比拉为 250 MW;萨缪尔为 174 MW)。根据巴西电力公司 2015 年规划蓝图,大量的水电站要建在对环境很敏感的地方。因此,在考虑大坝选址的同时要进行多目标分析,在系统实施的第一阶段应考虑所有相关的变量——经济、社会、政治和环境因素。

应该避免使用一些简单的指标(古兰德,1996),例如,每 1MW 装机容量所淹没区域的比率,或每 1MW 装机容量所需搬迁的居民数量。因为这些简单的指标没有考虑水资源的多种用途和其他经济方面的因素,工程建设项目如何因地制宜地实施,水资源的多种用途等,而这些概念对水电站和水库的选址才应该起到决定性作用。

为了举例说明亚马孙河流域潜在水力资源的重要性,图 1.14 用柱状图表明了巴西处于竞争中的水电潜能分别在不同情形下完全耗尽的情况。

从图中可看到,设想如果没有亚马孙地区潜在的水电资源,巴西的水电资源的潜能将在 2003～2012 年期间消耗殆尽,而有了亚马孙地区潜在的水电资源,这一时间将会推移至 2012～2021 年。如果不使用亚马孙地区潜在的水资源提供电能,为了满足需求,2005～2010 年需要建设相当多的热电项目:煤矿和核电站。这势必造成最终用户用电成本的提高,导致地区性和全球性的空气污染及核废料的处理等问题。因此,对亚马孙河流域水电站进行合理规划就显得尤为重要,它需要考虑经济、社会和环境这些变量再对亚马孙水资源进行开发,这是保证巴西电力能源长远供应的唯一可行的办法。

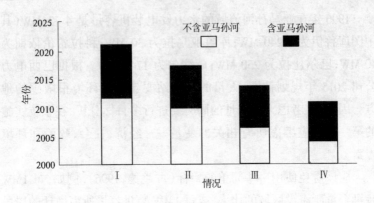

图 1.14　巴西境内符合环境要求并有竞争力的水电的衰减水平

1.4.2　航运

巴西拥有世界上最大的河流网络。大约 4 万 km 的河流为自然水道,可以通航。不幸的是,由于地形条件影响,国内比较发达的地区大部分位于沿海一带,而通航在这一带存在着很大的困难。开始开发的土地仅有 10% 靠近适合通航的河道(卡布拉尔,1996)。今天,农民和矿工不断向内陆移民,他们利用规模如此庞大的河流网络中的一部分对外出口谷物、矿产、石油和建筑材料,同时进口设备,每年的总装载重量已超过 12Mt。在亚马孙地区,载重量达 45t 的大卡车利用滚装船系统,从波多韦柳河出发经马代拉河到达马瑙斯河,或者从马瑙斯河经亚马孙河到达贝伦河。巴西境内 4 万 km 航道中大约 50% 适合航运的航道在亚马孙河流域。

巴西的河流航运几十年以来一直期待有一个国家规划,该规划应能将该航运系统与整个国家的总体运输系统结合,以形成一个更有优势的运输体系。1989 年,巴西交通部门精心制定了国家内陆航道规划 PNVNI。该规划是 2002 年的规划蓝图,其中规定了装载量,建立了河流网络和船队,并与水力发电、灌溉部门以及内陆航运规划立法结合起来统一考虑。尽管这个计划没有对航道相互间如何连接进行详细描述，而初步研究表明,从贝伦河出发跨越长达 8 000km 的航道来到普拉塔河河口处是有可能的(如图1.15)。巴西电力公司的 2015 规划的航运规划实施还未启动,政府部门正在对它进行较大的修改。

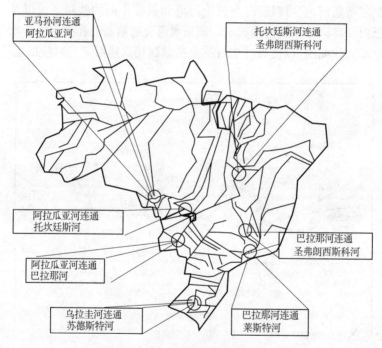

图 1.15　巴西境内航道联络图

图 1.16 对亚马孙河流域航道网络包括海港和城市给出了更加详细的描述。亚马孙—索里姆斯河全年可以通航,从大西洋入口直到秘鲁的伊基托斯。马代拉河在波多韦柳接入高速公路系统,形成一个从中西部农场到马瑙斯出口农产品的重要轴心线。另外一条重要的河流航线是内格罗河(马瑙斯位于其河岸)、布南

科河(是内格罗河的一条支流)、普鲁斯河以及茹鲁瓦河。如图
1.17 所示,从托坎廷斯河至阿拉瓜亚河是亚马孙河主要的河流体
系,它贯穿巴西中西部地区巴西新农业区,从帕拉河河口处一直向
南延伸到巴西利亚的中部高地,蜿蜒约 3 000km 长。这条水道有
715km 河段在托坎廷斯,1 701km 河段在阿拉瓜亚,425km 河段在
莫尔特斯河,它可以随时与贝伦海港和卡拉雅斯的铁路系统以及
巴西联邦铁路系统连接起来。该条水道要通航需要在图库鲁伊水
电站兴建船闸,以便通过 72m 落差换航到托坎廷斯河。阿拉瓜亚

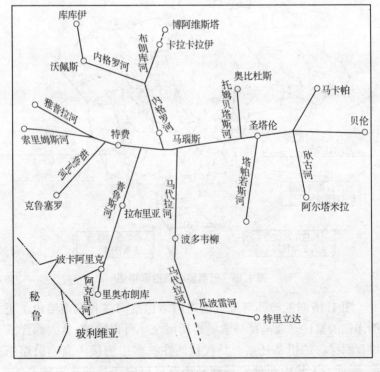

图 1.16　亚马孙河流域航道系统

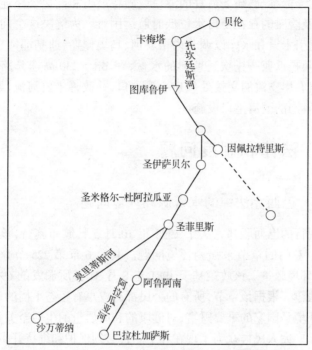

图 1.17　托坎廷斯及阿拉瓜伊亚河航道系统

河的障碍是圣伊萨贝尔境内的险滩,该地区正在规划建造水电站,届时湖水将淹没圣伊萨贝尔险滩。圣伊萨贝尔大坝兴建的船闸可以通过 60m 落差实现换航。

　　基本的亚马孙河流域水道体系包括伊加河、索里姆斯河、亚马孙河、茹鲁瓦河、阿克里河、普鲁斯河、马代拉、塔帕若斯河、欣古河、托坎廷斯河、阿拉瓜亚河、雅普拉河和内格罗河。这些河流在亚马孙地区与高速公路都有连接点,可以进出人口密度低的地区,同时也是区域间相互连接的轴线(卡布拉尔,1996)。

　　由于多种原因尚没有对这个基本的水运网络进行完全开发,这些原因包括亚马孙河和索里姆斯河的部分支流缺乏信号系统和必要的浮标系统,缺乏适宜的港口设施将航道和高速公路连接起来,以及险滩的存在使得水位低时航运困难。为解决这个问题需要修建引水渠和水库以调节内格罗河、乌奥佩斯、迪基耶河、伊萨纳河、阿拉瓜亚—托坎廷斯河的水量,在 BR-230 高速公路与亚马孙河右岸支流的交接处修建小型港口,并改善主要河流(泰菲、马瑙斯等)的既有港口设施。

1.5　法律和制度问题

1.5.1　巴西宪法中的水资源和环境问题

现行的巴西联邦宪法于 1998 年 10 月 5 日颁布施行,该宪法用一个专门的章节来强调环境问题。其第 6 章第 225 节介绍了"国家环境政策",该政策基于 1981 年 8 月 31 日所颁发的 6938 号联邦法律。根据该章节,所有的公民都有权享有生态平衡的环境。这个环境是国家的重要财富,对健康的和高质量的生活至关重要,政府和广大人民群众为了现在和下一代必须保护和维持好生态环境。第一段中指出,为确保公民这种权利的效力,联邦政府要履行许多重要的职责,这些职责对于水资源保护具有重要意义,如:

• 保护和恢复基本生态的循环过程,为物种和生态系统提供生态管理;

• 在联邦政府各单位确定需要特别保护的物理空间;

• 在对任何土木工程或任何存在潜在危害的活动发放许可证时,必须进行环境影响研究;

• 对那些会对生活质量、生活自身和环境构成潜在威胁的技术、方法和物质的生产、商业化及应用进行控制。

第 225 节中其他涉及水资源的法律论述还有:

• 开发矿产资源必须承担恢复已受破坏的环境的责任,并按照相关公共机构所推荐使用的技术进行作业；

·除了承担减轻已造成的破坏的责任之外，对环境有危害的行为和活动将受到刑事处分或行政制裁。

·亚马孙森林、大西洋森林、潘塔纳尔沼泽地和沿海地区都是国家资源，这些自然资源在使用时要注意环境保护。

联邦宪法的其他部分也有关于环境的表述，但我们探讨的主要集中在水资源规划和管理上，接下来的章节主要讨论涉及水资源的法律问题。

1.5.2 水在巴西是一种公共资源

巴西民法(第65条)指出，领土内所有属于联盟、州或城市的资源都是公共的，而其他的资源都是私有的。公共资源分为如下类别(第66条)：

(1)人们通常使用的资源，例如河流、湖泊、海洋、道路和街道；

(2)专门使用的资源，例如供联邦、州或市政府使用的建筑物；

(3)国家资源，即那些属于联盟、州或城市的资源。

1988年联邦宪法一个重要的变化就是将水资源所有权划分为联邦和州各自拥有。属于联邦的水资源是指那些流经两个或多个州的河流或作为两个州分界的河流中所有流动的东西；而属于州的水资源是那些完全独自流经本州范围的河流中所有流动的东西。根据这种分类方法，1934年的水法案中所提出的城市水资源就不复存在了。同样根据这一条例(第225条)，环境将会被看做是公共资源。根据上述观点，1981年8月31日颁布的联邦法律6938号把环境看做是属于公众的，并定义为："一组物理的、化学的和生物的条件，以及与之相关的法律法规和它们之间相互作用和影响，保持和主宰着各种形式的生命。"该法律中包含的环境资源有内陆水、地表水和地下水、海湾和领海(第3条)等。

根据民法第67条规定，公共所有权所有的东西不能转让给私有部门。波穆泊(1992)引用其他议员的话指出,共同使用的公众资源不受所有权的影响,尽管传统上允许使用所有权这一概念来指明司法关系的持有者,并委托持有者管理和使用。从这个意义上讲,公共机构就是公共物品的持有者,人民和州是受益人。民法第68条指出公共物品的共同使用可以是免费的,或者特定情况下根据联邦或州级的专门立法收取费用。相似的,水法(第36条)指出,水的利用可以依据它们所属行政地区的法律法规进行收费。公共资源能够根据其拥有者的特别授权而提供给私有部门使用,在这种情况下使用者应该向公众机构缴纳使用费。

1.5.3　水利用和用水许可证

根据联邦宪法(第24 - Ⅵ条),联盟、各州和联邦地区共同负责针对森林、渔业、自然保持、土壤和自然资源保护、环境保护和污染控制进行立法,而联盟独立负责针对水和能源以及河流、湖泊和航运进行立法。第22条允许各州立法(补充性),通过特别立法来管理这些事情。然而现行的宪法不允许各州制定额外(附加性)的法规,来应对像巴西这样一个拥有巨大领土的国家所出现的特殊情况。第22 - Ⅻ条指出,联邦政府可以直接或通过授权、转让及许可的方式开发水道潜在的水电资源,而这种开发必须与拟定开发项目所在的州一起实施。尽管这种联合行动方式是由法律来约束的,但宪法原则允许各州按照自己的需求发放许可证。

实施国家水资源管理系统是联邦的职责,第21 - ⅩⅨ条要求该系统由联邦政府建立,它负责制定发放水资源开发许可证的标准。

于1934年颁布的水法,是一个开创性的法律文书,虽然同时颁布了其他两个法案,但它的许多规则现在仍然是有效的。尽管如此,由于缺乏专门的立法来管理它们,许多规则并没能付诸实施。根据第36条,任何公民都有权使用公共水资源,并且生活用水享有最高优先权。在第43条指出,公共水资源如果没有行政许可就不能用于农业、工业或卫生行业,而少量使用的情况例外。这些许可证有一个固定的时间期限,但最长不超过30年。

1.5.4　国家水资源政策和管理系统

根据联邦宪法第19章第21条要求,执法委员会在1991年把2249号法律草案提交给了国会。该草案规定了国家水资源政策并建立了国家水资源管理系统。共和国总统于1997年1月8日签署了9433号法律,以管理巴西领土境内水的利用。根据这项法律,国家水资源政策力求实现水资源统一和谐使用,以促进巴西发展和社会进步。第4条阐述了国家水资源政策不同的法律文件,例如:

(1)使用权的转让应与水法和后续立法所规定的标准和优先权保持一致。

(2)水资源使用收取费用,多用途水资源工程中费用分担。

(3)建立生活用水水域保护区。

筹建的国家水资源管理系统要有一个国家学院、多个流域委员会和一个执行秘书。该系统的指导原则在第6条中阐述,要求:

(1)考虑到与巴西一样的大国所共有的在物理、水文、社会、经济、文化和政治上的特性。

(2)联合联邦、州和市的力量制定水资源使用规划,将水域作为该地区水资源利用活动的基地。

(3)如果有明显的利益关系,联邦可以通过派驻代表到州和联邦行政区以实现联邦行动的分散化。

(4)鼓励水资源使用者在技术上、制度上和金融上的合作,广泛参与有共同利益的水利工程的建设、操作和维护。

(5)促进公众参与决策过程。

尽管上面的指导原则体现了典型的分散化建议,但文件的其他部分存在着与此相矛盾的规定,这些规定限制州政府和水资源使用者参与决策过程。鉴于此,第12条指定由来自联邦政府的代表组成的国家学院共同决策:

(1)批准全国范围内联邦河流水利用规划;

(2)批准根据优先使用权限对水道的分类;

(3)创建流域委员会,建立实施标准和程序。

这个水资源法是一个巨大的进步,今天巴西的水资源部门正在体验这种进步。水行政管理、用水收费和排污收费都是非常重要的观念,这种观念将会在总体上提高巴西水资源管理水平,尤其会提高亚马孙河流域水资源管理水平。

1.6　巴西联邦政府的创举

在巴西,亚马孙河流域开发和保护的责任被赋予了水资源、环境与法定亚马孙地区部;这个新的部门应该避免重犯过去在亚马孙地区开发过程中所犯的错误。除此之外,自从1991年政府为地区的发展停止发放津贴后,森林采伐量大为减少,到目前为止仅仅只有10%的森林被利用。此外,巴西政府已经在这个区域建立了多个保护区,这些保护区包括国家公园、生物保护区、生态站、国家森林保护区、采掘保护区和印第安人保护区。1991年11月在巴西的亚马孙地区整个保护区的面积超过了1.16亿 hm²(雅鲁玛米和凯阿波保护区是之后建立的),这些面积大约占该地区总面积的25%。

巴西政府目前正在着手开展一项关于巴西亚马孙可持续发展的研究,这个研究将对该地区生态区和经济区进行区划,以避免重犯过去的错误。根据可持续发展的观点,划分生态区和经济区是最重要的土地管理政策,它通过动态调节土地使用来实现。这样划分区域可对该地区的不同开发方案进行协商和调整,该地区将有三个典型的分区。它们致力于以下用途：

(1)生产区域。通过技术改进，改进对自然资源的利用，确保人们有更好的生活质量。

(2)临界区域。考虑到环境条件，要求特别小心管理的区域。

(3)两种特殊的区域。与印第安人相关的区域、采掘保护区和其他保护区；还有一种是那些适宜生态旅游的历史文化景点区域和战略区域(例如国家边境)。

经过四年的工作，他们第一步完成了生态区和经济区的划分工作，并为这个地区的环境进行了诊断，建立了电子计算机数据库。

水资源、环境和法定亚马孙地区部负责确保在巴西亚马孙地区的开发行动符合可持续发展观点。由共和国总统任主席的亚马孙全国理事会于1995年7月批准了统一开发亚马孙的国家政策，该政策是在对过去的开发工作、成功经验、失败教训和局限性进行广泛评估的基础上所结出的硕果，是竭尽全力实现可持续发展应对现在和将来挑战的答案，这个政策充分考虑了亚马孙地区水资源的极端重要性，不仅是因为需要对水资源的多种用途进行统一管理，还因为在这个地区产生的水汽是保持气候条件的一个重要因素，至少在当地和区域范围内是如此。

1.7 国际合作和亚马孙合作条约 TCA

在国际上，这个地区有一个重要的水资源管理机制，即亚马孙合作条约(TCA)。这项条约是由玻利维亚、巴西、哥伦比亚、厄瓜多尔、圭亚那、秘鲁、苏里南和委内瑞拉政府于1978年7月3日在巴西利亚签订的，目的在于提高亚马孙人民的生活质量。亚马孙合作条约指出，地区经济发展很重要，保护自然环境也同样重要。这个条约明确指出："……很显然，不管是发展社会经济还是保护环境,它们都是各主权国家政府内在的本质职责,同时各签约国之间的合作将促进其履行各自的职责,继续并扩大对亚马孙生态保护所作的共同努力……"

在条约中提到的各种合作有:包括水在内的自然资源的合理利用,住房和航运条件的改善,动植物的合理利用,健康服务,科学与科技研究,研究院及产品实验中心的建立和运作,组织会议和研讨会,文件和信息的交流,增加人力资源的合理使用,促进本地商业发展,加强发展国内外旅游业。作为总体原则,条约的执行应该遵循下述内容:采取任何行动必达成一致意见;只要与条约不相抵触,签约各方可以达成各种双边和多边协议;认识到对不发达国家的首创行动给予特别关注的必要性;国际组织参与该地区项目的可能性;条约的持久性和各方的平等权利。

自亚马孙合作条约签署以来已经召开了几次会议,其中涉及政治和技术方面的问题。为实施该条约成立了多个特别委员会,其中包括亚马孙环境委员会(CEMAA)、亚马孙运输通信和基础设施委员会(CETICAM)、印第安人事务委员会(CEAIA)、亚马孙旅游委员会(CETURA)、科学技术委员会(CECTA)和亚马孙健康委员会(CESAM)。考虑到世界上大多数国家目前所经历的经济和金融的局面,该条约以一种循序渐进的方式实施。

与水资源有关的亚马孙合作条约的章节有:

(1)第Ⅴ章

考虑亚马孙地区河流的多种重要功用,在该地区的经济和社会发展中,签约各国应该竭尽全力确保水资源的合理利用。

(2)第ⅩⅤ章

在条约所允许的行动范围中,签约各国应该努力保持在他们之间及与拉丁美洲合作组织之间永久的信息交换和合作。

从20世纪90年代初至今,亚马孙合作条约成员国在亚马孙河流域水资源管理方面做出了很多富有成效的工作,包括建立亚马孙地区水文气象数据库;促进在水文学和气象学方面的研究交流,加强研究工作;着手实现地表和空间的水量平衡;创建一个热带水文区域中心;开展农业气象学方面的基础研究;加强遥感技术的运用;加强在水文学和气候学领域中各种层次的技术合作;在水文学和气候学领域每两年召开一次会议和为亚马孙河流域建立一个基本的水文气象网络。

当考虑到亚马孙地区的保护和可持续发展,特别是其水资源的保护和可持续利用时,要认识到所涉及各国共同承担责任的重要性。1989年3月这个地区的各个国家在厄瓜多尔基多召开会议,发表了基多—圣弗朗西斯科宣言,建立一个亚马孙环境专门委员会和一个印第安人事务专门委员会。此外,亚马孙合作条约各签约国总统于1989年5月6日在巴西马瑙斯召开会议,发表了亚马孙宣言。宣言说:"我们强调这种必要性,即高度发达国家对亚马孙环境保护所表现的关注应转化为经济和技术合作措施。我们呼吁为我们国家环境保护项目,包括纯粹的科学研究和应用科学研究,建立新的资源配置和特惠条款,并反对那些在配置国际开发资源时强加某些条件的企图。我们期望创造条件,允许自由获取科学知识、洁净技术和环保技术,反对利用合理的生态观来实现商业利益的企图。"

1.8 现代化集中开垦的影响与可持续发展

可持续发展是一个广泛的概念,它指出要保护好今天的自然资源,使得后代得以继续利用。可持续发展这一概念要通过客观量化的标准进行分析。这样,对国内国际机构支持的工程项目进行评估时,要依照经济、生态和社会可持续性的判据进行评估。

(1)经济可持续性的实现,是要使投资收益符合相关机构规定的指标(至少要能收回利息和分期付款成本)。

(2)当系统生产力能长时间得到保持,生物多样性能得到保护,就达到了生态可持续发展。

(3)当利用投资收益提高了生活质量,而且带来了更公平的收入分配,就实现了社会可持续发展。

在过去的几十年里,亚马孙河流域所实施的项目并没有达到这可持续发展的标准,特别是涉及到农业和饲养业不断扩张的项目,这些项目的实施是导致该地区森林退化率增长的主要原因。这些项目与修建大型高速公路一道开发实现,例如贝伦至巴西利亚高速公路跨越亚马孙地区,BR364高速公路将库亚巴与波多韦柳相接。目前,还修建了从里奥布朗库至库亚巴的二级公路,该公路的修建促进了政府部门和私有企业的多种交往活动,这些私有企业对这里的树木开采、农业和畜牧业均有兴趣。

不幸的是,亚马孙地区农业长期可持续发展项目的实施对于管理者和科学家们而言一直是一个挑战。原始森林所达到的生态平衡是基于营养物质的强力循环,在这个过程中生成的有机物(树叶和小树枝)在土壤中被大量微生物,特别是微生节肢动物进行分解。这个相互作用导致有机物发生了分解和营养的释放,并保持了土壤的化学和物理化学特性。森林退化影响到这个动态过程,尤其在森林退化导致成千上万的动物和植物种类灭绝后,它会影响到生态系统内部。另一方面,传统的农业生产活动习惯了连续播种,所种植和收获的种类也在减少。大量雨水加之耕作活动,以及土壤保持技术的缺乏,通过浸滤作用或径流冲刷,导致土壤侵蚀。

在亚马孙地区所实施的其他项目与矿石开采、水力发电厂的修建、金矿和稀有宝石的开采以及木材的开采有关,它们未必与农业活动有关,但所有这些活动都在不同程度上导致了该地区环境严重恶化、河岸被毁、河流被汞所污染以及与当地印第安人部落之间冲突等。间接影响也存在,例如修建发电站需开挖大型人工湖,导致开发活动失控,并加剧了其他负面影响——如水库未进行植物清理就蓄水而引发的影响。

实际上,在亚马孙地区很难找到一个项目可以经得起这三个判据的严格分析。然而,这并不是说,这种水平的开发是不可能的。据最近(萨拉第,1997)对可持续发展制约的因素研究,制约因素可分为如下五类:①自然因素;②技术因素;③教育因素;④经济因素;⑤制度因素。

当对开发项目进行分析时,有一个或多个因素通常会成为限制因素。显而易见,主要问题在于,在坚持或初次提出在某一地区进行开发活动时,对那些维持动态平衡的因素或作用力尚没有完全认识。从上面所说的亚马孙森林,特别是在那些高密度的森林来看,要找出营养物质缺乏的特征是不可能的,并且前期勘测表明该地区有很高的源于光合作用的初级生产力。而这种很高的初级生产力导致了错误的结论,认为进行单一种植会有同样长期的生产效率。后来进行的几十年的研究,终于剥掉了这些错误武断的外衣,但在此之前,大量森林已经被砍伐。现在,相关机构已经不允许用牧场来取代森林,而且还规定在亚马孙地区进行项目开发时,项目所在地点50%以上的原始森林必须得到保留。

长期以来人们获得了很多教训,现在为可持续发展制定了法律。然而,缺乏能够控制和执行法律的组织机构,仍然是制约亚马孙地区生态平衡的重要因素。

1.9 结论和建议

本文对亚马孙河流域做了总体介绍,涉及到它的生态系统、可持续发展的多种途径以及在巴西亚马孙区域和全亚马孙合作条约框架内的法律与组织框架。该亚马孙领域不仅限于亚马孙河流域本身,由于它在生态和水流特性上具有多样性,在选择开发方式时,应充分考虑到这个地区生态系统的脆弱性。

流域水资源最直接的使用是它的水能和航运。巴西的能量分布表明,除水能以外,其他种类的能源资源非常少,可供选择的替代品(煤、汽油、核能)更加昂贵,而且会造成严重的环境污染。因此,从 2000 年开始,巴西政府就在考虑利用亚马孙河流域水电来供应巴西南部和东北部的电力能源市场。亚马孙地区航运是天然的运输系统。现在,大型船只可从海洋航行至内陆两千多公里。航运系统与其他系统(铁路和高速公路)的集成工作,将在 2000 年的巴西航运规划中加以考虑。

参考文献

Barbosa, M. N. 1996. *Deforestation assessment and detection programs in Brazil*, Pilot programme to conserve the rainforest meeting. Bonn, Germany.

Cabral, B. 1996. *O papel da hidrovia no desenvolvinmiento. sustentável da região amazoônica brasileira*. Brazilian Federal Senate Press, Brasilia (in Portuguese).

Comision Amazônica de Desarrollo y Medio Ambiente 1994. *Amazonia Sin Mitos*. Colombia: Editorial La Oveja Negra.

Gash, J. H., Nobre, C. A., Roberts, J. M., and Vistoria, R. 1996. *Amazonian Deforestation and Climate*. New York: John Wiley & Sons.

Hodnett, M. G. et al. 1996. "Comparison of long-term soil water storage behavior under pasture and forest in three areas of Amazônia."In: J. H. Gash et al., eds. *Amazonian Deforestation and Climate*, p. 57. New York: John Wiley & Sons.

IBGE/FBDS/FUNCATE/SAE 1995. "Diagnóstico ambiental, análises temáticas e sistema de informacão geográfica." *Subsidios para o Macrozoneamento Ecológico da Amazônia Legal*, 6 vols. Rio de Janeiro.

Instituto Nacional de Meterorologic (INEMET) 1984, "Atlas Climatológico do Brasil." In: H. Sioli, ed., *The Amazon-limnology and landscape ecology of a mighty tropical river and its basin*, p. 92. Dordrecht: Dr. Junk Publishers.

Lean. J., Bunton., R., Nobre, C. A., and Rowntree, P. R. 1996. "The simulated impact of Amazonian deforestation on climate using measured ABRACOS vegetation characteristics." In:J. H. C. Gash, C. A. Nobre, and J. M. Roberts, eds. *Amazonian deforestation and climate*, p. 549. New York: John Wiley & Sons.

Marques, J., et al. 1979. "O campo do fluxo de vapor d'água atmosférico sobre a região Amazônica." *Acta Amazônica*, 9(4):701 - 713.

Mattos de Lemos, H. 1990. "Amazônia: In Defense of Brazil's Sovereignty." *The Fletcher Forum of World Affairs* 14(2).

Prance, G. T., and Lovejoy, T. (eds.) 1985. *Amazônia Key Environments*. Oxford: pergamon press.

Repetto, R. 1988, "Economic Policy Reform for Natural Resource Conservation." *World Bank Environment Department*, Working Paper No. 4. Washington, D. C.

Ribeiro, M. N. G. et al. 1982. "Radiacão solar disponível em Manaus e sua relacão com duracão do brilho solar." *Acta Amazônica*, 12(2):339 - 346.

Salati, E. et al. 1978. "Origem e distribuicão das chuvas na Amazônia." *Interciência*, 3 (4):200 - 206.

Salati, E., Schubart, H. O. R., Wolfang, J., and Oliveira, A. E. 1983. *Amazônia: desenvolvimento, integracão e ecologia*. São Paulo: Brasiliense, CNPq.

Salati, E., and Marques, J. 1984. "Climatology of the Amazon region." In: H. Sioli, ed. *The Amazon: limnology and landscape ecology of a mighty tropical river and is basin*, ch. 4, pp. 85 - 126 Dr. Junk Publishers, Dordrecht.

Salati, E. et al. 1990. "*Amazônia.*" *The Earth as Transformend by Human Action*. New York: Cambridge University Press.

Salati, E., Santos, A., Lovejoy, T., Klabin, I. 1997, *Porquê Salvar a Floresta Amazônica*. Instituto Nacional de Pesquisas da Amazônia(INPA).

Sioli, H. 1984. *The Amazon: limnology and landscape ecology of a mighty river and its basin*. Dordrecht: Dr. Junk Publishers.

Sousa, J. R. S. et al. 1996. "Temperature and moisture profiles in soil beneath forest and pasture areas in eastern Amazônia." In: J. H. C. Gash, et al. eds. *Amazonian Deforestation and Climate*, pp. 125 - 137. New York: John Wiley & Sons.

2　哥伦比亚亚马孙政策

(法比奥·托里霍斯·昆德罗)

2.1　地理位置和生物物理特征

　　哥伦比亚境内亚马孙地区的面积为 336 583km²,占哥伦比亚整个国土面积的 1/3。它包含亚马孙省、卡克塔省、瓜伊尼亚省、瓜维亚雷省和普图马约省的部分地区。地理位置上,它从北部的瓜维亚雷河和瓜亚贝罗河一直流到南部的亚马孙河和普图马约河之间的梯形区域,再从巴西东部边境延伸到西部的东方山脉分水岭(见图 2.1)。

　　哥伦比亚境内的亚马孙地区生物种类丰富多样、文化内容丰富多彩、社会经济各具特色。不同的气候、地质构造和海拔造成了极其不同的风光,它们具有不同的土壤、植被和物种。这个地区降雨量充足,年降雨量保持在 2 500～4 000mm 之间,平均气温 25℃。

　　由于人类活动的影响使这个地区的自然资源不断恶化,7 500hm² 的热带雨林已经消失,多种动植物受到影响,导致生态多样化的丧失;废水排放、有机残渣和化学药品的使用使水源遭受污染;不合理的耕种造成土壤退化。对公园、自然保护区和亚马孙河流域森林保护区的非法占用引发了多种冲突,这就要求仔细调查以制定与当地实际情况及自然保护区发展目标相适应的解决方案。由于人类生活需求和非法贸易活动使野生动物的生存受到影响,以致造成多种物种濒临灭绝。

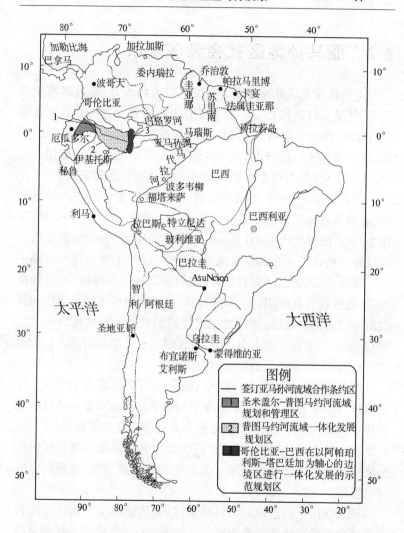

图 2.1 哥伦比亚亚马孙地区边界位置图

2.2　亚马孙地区社会经济现状

哥伦比亚亚马孙地区原著居民人口大约 6 万,经过多次殖民活动,移民人口达到 85 万。在过去的几年中这个地区人口迅猛增长,1985～1993 年间增长了 23 万,增长率是全国人口增长率的两倍,也是该地区中最高的,其中 45% 的人口增长来自于移民。这个地区 52.5% 的人口生活贫困,24.3% 的人口生活极其贫困。

原著居民由 59 个不同的民族组成,他们主要居住在沃佩斯省、亚马孙省和瓜伊尼亚省的农村地区。其中大部分(70%)居住在 25 个总面积大约 1 800 万 hm² 的保护区中,其余的生活在保护区以外。1991 年颁布的宪法规定,原著居民的土地也是国家领土的一部分,原著居民享有自治权,他们可以行使各种权力、管理资源、征收税收为其所用,他们还可以分享国家税收。原著居民的领地由专门委员会管理,领地根据当地的惯例和风俗进行划分。另外,在委员会的众多职责中,还要对该领地土地的使用和人们的生活进行管理,以保护当地的自然资源。

原著居民中文盲率为 18.4%,而全国的文盲率为 12.7%。接受初级和中级教育人数低于国家平均水平。特别制定一些政策来加快亚马孙的大学的发展,以使更多人可以接受高等教育。

就像其人口一样,当地的经济活动也复杂多样。原著居民的经济活动主要以小型农场和一成不变的伐木业为主,逐渐向家庭经济发展。

原著居民生活已经与市场高度接轨,传统的生产活动逐渐被面向当地消费市场的农业所取代。外来人口的经营活动依赖于提炼加工和生产。现在主要的提炼加工活动有木材加工、开采石油、冶炼黄金,次要的是花卉种植、捕鱼和狩猎。

该地区普图马约省的石油开采和其产地使用费是当地税收的

重要来源。然而,这些活动对环境产生了负面影响,不仅影响移民还影响当地经济发展。

外来人口进行的农业生产引进了外来的耕种方法,生产的产品与当地环境不相适宜,牲畜饲养技术也不适宜,因此这个地区没有对环境来说可行的可替代的区域经济活动。渔业主要集中在亚马孙省、卡克塔省和普图马约省,由于过度捕捞和对资源缺乏科学的认识已经导致一些物种的灭绝。

这个地区的金矿开采业才刚刚起步就引发了许多环境问题,并导致国际间和种族间的冲突。一个基于可可的种植和加工的经济模式发展起来,成为当地经济的支柱。当地政府关于彻底清除和控制非法植物入口的政策引发了该地区社会和政治生活的冲突。

这个地区的交通基础设施非常薄弱,影响了当地地区与地区之间及与外界的联系。这种情况下,各种交通方式之间不能相互协调,以致不能构建一个多种方式的交通系统。公路少,质量拙劣,而且破坏环境,它们所穿越地区的环境非常脆弱。由此,修建基础设施以解决市场与环境破坏的矛盾,而各个不同政府机构相互矛盾的做法加深了这种矛盾。

由于成本低和对环境破坏小而受到推崇的水运,也由于主河道淤积影响了通航能力。空运,这种最理想的交通方式,由于基础设施的缺乏和不足及高成本妨碍了它的应用。

2.3 国家环境政策

国家环境政策是为了满足人类可持续发展而制定的,它包括五个基本目标:①促进新兴文化的形成;②提高生活质量;③提倡清洁生产;④促进环境可持续发展;⑤指导当地居民的行为方式。

哥伦比亚的环境在不断恶化,为了扭转这种局面,需要有高效、务实的政府干预,以及社会和生产领域的支持,以保证每个人都能享受良好的环境,并将环境成本纳入到经济发展规划中去。通过采取教育战略、共同努力增加社会投资、中央权力下放、公众广泛参与,以及科学和技术活动的支持等,使国家环境政策得以逐步付诸实施。

为了人类的可持续发展,一项计划正在实施之中,该计划能够解决一些主要的环境问题,还能防止许多具有战略意义的生态系统恶化,并为新兴文化设立基金会以求带来长期的影响。这项计划分为两个部分:环境改善活动和活动方式。

环境改善主要程序和活动包括:①保护具有战略意义的生态系统;②优质的水源;③清洁的海洋及海滨;④更多的森林;⑤良好的城市和居住环境;⑥人口和居住政策;⑦清洁生产过程。

2.4　活动方式

为了完成以前制定的目标,共开展了五种活动方式:①环境教育和提高意识;②通过国家环境体系建立公共机构;③信息的公开化和民主化;④环境及土地使用规划;⑤全球协作。

环境管理的经费来源于国家预算、外部信贷、技术合作、一些其他协会的基金以及地方政府和当地企业集团的支持。

2.5　亚马孙地区开发的工程项目

1996年9月20日,哥伦比亚议会颁布了第318号法律。依照这部法律第二章第五节条款的规定,成立了哥伦比亚国际协作机构,该机构作为一个政府机构,隶属于国家规划部,具有合法地位以及自己独立的资金和管理权。这个国际协作机构的主要任务就是协调、管理和募集无偿国际技术与金融合作,这些得到的合作或赞助是来自其他国家对哥伦比亚公共机构发展的官方援助,与通过免除债务所获得的资金一起共同造福社会、保护环境。

　　另外,哥伦比亚已经和邻邦国家签订了双边协议以从事专门的活动或项目开发。

2.6　哥伦比亚和厄瓜多尔的亚马孙地区合作协议

　　哥伦比亚和厄瓜多尔的亚马孙地区合作协议于 1979 年 3 月在基多签订。它是在亚马孙合作框架协议下的首个双边合作协议。

　　该协议重申了哥伦比亚和厄瓜多尔两国间的友谊源远流长,采用"睦邻友好"原则来处理双边关系,从而保护并且合理使用两国所共有的亚马孙地区自然资源,尤其是要重视从根本上提高居民的生活水平。该协议还提到了用于处理类似事情的 1977 年 2 月 25 日的普图马约宣言。

　　为确保亚马孙地区的合作活动顺利进行,特成立了哥伦比亚和厄瓜多尔联合委员会。该委员会作为高层组织主要负责对双边共同关心的项目进行研究和协调,并决定由大使级别的官员来主持该委员会的会议。

　　联合委员会负责一系列的事情,其中包括对亚马孙地区现存动植物种群的调查和评估的双边合作;优化该地区内农业、渔业、林业、矿产业和工业资源;扩大交通网络,改善交通质量;建立两国间飞机通航业务。该委员会强调了在普图马约河和圣米盖尔河建立水上运输业务的重要性,确定合适的工程使两条河流顺利通航。此外,委员会工作的重点还有公共卫生设施的建设和管理、教育、渔业、采矿业以及本地特产的推广。

2.7 圣米盖尔河和普图马约河流域土地使用与管理规划

依照哥伦比亚与厄瓜多尔两国签订的双边协议,两国政府遵循"睦邻友好"原则开展合作活动,这个原则也是哥伦比亚处理邻邦问题的依据。

依照亚马孙合作条约的条款,哥伦比亚和厄瓜多尔两国意识到双边合作和"睦邻友好"与亚马孙地区广大居民生活水平的提高是密不可分的,因此保证这个地区资源和谐、可持续和合理的发展至关重要。两国在 1979 年 3 月签订了亚马孙合作双边协议,该协议在 1985 年 2 月鲁米查加宣言发表后得以实施,宣言重申两国继续促进其在两国边境地区的统一开发,两国还批准了圣米盖尔河和普图马约河流域土地使用与管理规划所参照的条款。

在亚马孙合作双边条约的第 18 节声明中,哥伦比亚和厄瓜多尔向美洲国家组织提交了一个联合请求,寻求获得技术合作和协作以开始对边境地区有效的开发管理进行初步研究。1986 年圣米盖尔河—普图马约河规划建议书(PSP)获得批准,为促进该建议书的实施,美洲国家组织成立了亚马孙合作多国工程机构。

哥伦比亚选择其农业部哥伦比亚水资源和土地发展研究所(HIMAT)、厄瓜多尔选择农业部土地区域部门(PRONAREG)完成该项目的规划、判断、评估阶段的工作;在项目工程立项初期,哥伦比亚指定亚马孙河科学研究院(SINCHI)、厄瓜多尔指定亚马孙河地区生态发展研究所(ECORAE)来完成该阶段工作。

该规划的总体目标是开发亚马孙河流域,开发方式要结合对环境和生物多样性的管理和保护,并考虑到该地区自然资源的潜力和有限性限制,以及现在和未来各代的需要。

圣米盖尔河—普图马约河规划建议书(PSP)规划寻求:促使在

亚马孙土地上自行定居所带来的冲击趋向有利、合理;帮助发现因人类对定居地的不合理利用而造成的对环境和自然资源的严重破坏。

规划所覆盖的地区面积为 47 307km²,其中包括圣米盖尔、普图马约和阿瓜里科流域与位于厄瓜多尔纳波和苏昆比奥斯省的纳波河左岸以及哥伦比亚普图马约省的部分地区(见图 2.2)。

为达到圣米盖尔河—普图马约河规划建议书(PSP)所制定的目标,其战略指导原则如下:

地区活动应基于统一的方法;尽量多地开发替代品保护原始地区,限制新的定居点;规划土地使用,统一目前已占领的土地,引导实现可持续发展;加强移民和原著民的自我管理;优先考虑弱势群体的社会需求;在两国边境上加强治安,维护和平与秩序,促进和谐发展;加强对官方和私营项目机构的管理能力。

两个国家活动的实施,加上各国自己的努力,使以联合规划的方法处理共同面临的问题和局面成为可能,这比传统做法中以边界为规划的截止点要有效得多。

鉴于此,这个规划集中致力于:通过实施适宜于生态系统的生产项目对自然资源进行合理运用和综合管理;管理国家公园和生态保护区;恢复本土社区文化和传统;保持生物多样性;指导农业生产;规划项目以提高和训练亚马孙人的环境意识。它还包括了开展环境教育和研究以及加强社区机构的作用,并将其作为培训项目的一部分。而在各种情况下社区都扮演主要角色。

因而,行动计划包含 5 个项目,每个项目又有其自己的工程、组成及活动,可分解为:环境、可持续发展的生产组织、对本土社区和团体的关注、健康和环境卫生,以及社区组织和训练。这一模块化结构项目使得本地人、移居者、国家和地区地方以及市政官员等完全统一成为可能,而自我管理是其成功的关键所在。

PSP 的预可行性研究阶段和两国政府对总体概念的批准工作

图 2.2 圣米盖尔—普图马约河流域规划及管理计划

已经完成。选择各国的实体单位作为在各国的执行机构。在哥伦比亚将由亚马孙公司承担这些工作,其中包括跟踪协调活动的实施,进行项目监理,以及监督和管理资源。同时,还要核实获得外部资金的机制和程序,以完成各种项目的资金筹措工作。

PSP 的总成本估计为 20 087 万美元,其中的 60.4% 由受益人投资,其他 39.6% 由国家政府提供。在这 39.6% 中,15% 直接来自政府,其余的来自国际机构、非政府组织或对该区域的可持续发展有投资兴趣的国家。

每个项目的成本、国家出资数额及所需外部资金数额都列在表 2.1 中,单位为百万美元。

要尽可能寻求无偿援助资金,这样的资金当前是相当有限的,多数国际组织使用它开展研究,资助一些有特许信用的项目,或使用其他贷款,其利率和偿还期限非常接近金融市场上那些常见的贷款。这使得过程复杂化,因为大多数项目本质上是社会公益性的,其资本投资返回率是负值,并且不能赢利,因而无法吸引投资者。预计项目带来的好处是社区福利、环境卫生及生态系统和生物多样性的保护,而这些对人类的未来都有着重大影响。

表 2.1　圣米盖尔—普图马约河计划成本、国家出资及外来资金

项目	成本 (US$)	国家出资 (US$m)	外来资金 (US$m)
环境	23 212	4 237	18 975
可持续发展组织	143 288	116 666	26 322
对本土社团及群体的关注	8 357	1 847	6 550
健康及环保卫生设施	19 040	7 859	11 187
社区组织及其训练	4 742	725	4 017

1996 年 6 月,美洲国家组织总秘书处的可持续发展和环境机构在华盛顿召开了一次会议,与会的代表来自相关的国家、潜在的捐款人、国际机构和对项目感兴趣的非政府组织。潜在的捐款人表达了对双边规划的兴趣,并表示会对其进行研究并有选择性地

根据不同国家考虑他们的金融风险。

2.8 哥伦比亚—秘鲁亚马孙河流域合作条约

哥伦比亚和秘鲁于 1979 年 3 月 30 日在利马签署了双方间的亚马孙河流域合作条约,以更加重视两国共有的亚马孙地区经济和社会发展中环境保护和自然资源的合理利用。

该双边条约强调要注重 1934 年 5 月 24 日在里约热内卢签署的友好合作协议的补充法案,该法案为两国在亚马孙地区的合作奠定了基础,同时还要考虑到 1978 年 7 月 3 日在巴西利亚签署的亚马孙河流域合作的多边条约。

依据条约第 14 条约定了要成立哥伦比亚—秘鲁联合委员会,作为研究和协调两国接壤边界有共同利益项目的代表机构。

该联合委员会将促进在边界地区进行项目评估、调研、合作,扩大和改善公路网并建立通信基础设施;放眼未来,建立跨边界航线,保护生态和环境。

该联合委员会还要进行持续的评估以遵循 1938 年海关合作协议,并适时对其进行更新和修订以满足当前需要。

2.9 普图马约河整体发展规划

随着从当时还是亚马孙合作多国工程机构所属的美洲国家组织区域开发和环境部门获得的技术支持,哥伦比亚和秘鲁起草了一份双边规划,以开发两国在纳波河、普图马约河、卡克塔河和亚马孙河公共边界区域,该地区一直以来受到来自放任自流的居民区的负面影响,以及与毒品交易有关联的哥伦比亚游击队及其在秘鲁的同伙入侵的影响(见图 2.3)。

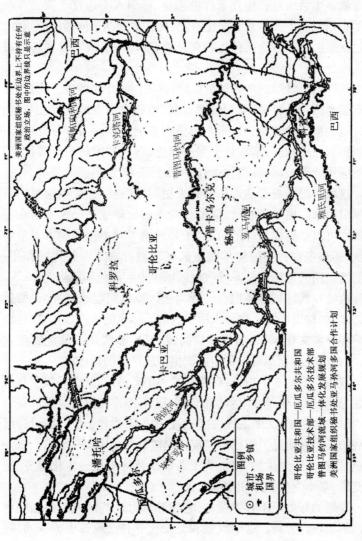

图 2.3 普图马约河流域整体开发计划

该规划土地面积为 16.05 万 km²。该地区所面临的最严重的问题就是生活质量和生存条件的恶化,而引入不适宜于亚马孙地区生态系统的生产体系和文化、社会模式更加剧了问题的严重性,并且正逐渐破坏该地区的生物多样性,对环境造成不可逆转的破坏。

该计划所涉及的地域幅员广阔,远离国家中央政府。因此,使得定居者热衷于冒险,希望快速致富,他们占有土地进行无节制、无计划和标准的开发。这带来的负面影响可概括为以下几点:土著居民居住地减少;基本社会服务缺乏;对热带雨林滥砍滥伐;对自然资源肆意破坏;沉积物;河流严重污染和土壤侵蚀,等等。

这种情况随着毒品走私的到来更加复杂化,毒贩被这里的条件吸引而来。更糟糕的是,移民和商人们发现亚马孙的木材在发达国家可以卖到相当好的价钱,于是开始了对本土的树木无节制砍伐,而大多数种类的树木对该区域环境有着不可替代的作用。他们所采用的方法和技术导致该区域土地荒漠化和沉降。

边境发展计划意在把亚马孙周边区域组织起来,解决最敏感的问题,如移民、殖民、白种人所引入的不适宜的生产技术、居住地维护和外来文化体系、习惯等。河流污染,非法买卖濒危野生物种,所有这些问题都对土著居民产生了极严重的影响。

双边规划共 5 个项目:自然资源和生态系统、社会发展和基础设施、贸易和运输、生产活动和管理,以及公共机构和组织。在这些项目中选定了 12 个工程,这些工程中如下适宜于统一和可持续发展的可行性研究工作已经完成:森林、自然公园、环境教育、统一渔业、保护区野生生物管理、为土著居民社区提供一体化服务、整体健康、基本卫生医疗和市场化等。

规划的好处是不容置疑的,它意味着对这些区域所面临问题的理解和联合管理。这个规划和哥伦比亚外交政策中固有的"睦邻友好"概念是紧密相连的,并通过分散管理和建立组织机构促使双边活动广泛开展以满足人民生活的基本需求。它将达到预定的土地利用目标,这也有利于禁止在这片土地上从事非法生产和贸易活动。

该规划还处在审察和预可行性研究阶段,现在正在采取措施确保从政府部门、机构和非政府组织获得融资,以保证这些国家以及美洲国家组织在这些活动的重点领域中所付出的巨大努力能够最终成功。

2.10 哥伦比亚—巴西亚马孙河流域合作协议

1981 年 3 月 12 日,为深化亚马孙河流域合作条约中的目的和目标,根据条约第 18 条,哥伦比亚和巴西两国政府签订了亚马孙河流域合作协议,以保证亚马孙资源的合理开发,保护自然环境,并遵循 1973 年 6 月 20 日签订的亚马孙领域动植物保护协议的原则利用植物群和动物群。

协议中的第 1 条条款如下:

"考虑到各签约国决定在适宜于亚马孙地区开发领域和科技研究领域开展积极的合作,以进行联合行动,相互交换经验,实现亚马孙地区和谐发展,为人民带来利益,以及充分地保护该地的生态系统。"

内陆水道航运及亚马孙河、普图马约—伊加河及内格罗河上稳定的旅客和货物运输,都特别重要。对这些河流进行勘测及绘制水文图表,并开展必要的研究以提高通航能力。

电讯领域、普通跨边界航空服务、道路连接、健康及热带疾病控制,尤其是适宜于自然资源管理的措施等,均需进行研究。

为完成目标,成立了亚马孙合作哥伦比亚—巴西联合委员会。负责协调在该协议的基础上确定的项目和有其他共同利益的项目,使亚马孙地区向着和谐方向发展。1987年,在哥伦比亚的莱蒂西亚召开了首次委员会会议,会议批准了哥伦比亚—巴西沿阿帕珀利斯—塔巴廷加轴线的相邻社区联合开发的示范规划。

2.11 哥伦比亚—巴西沿阿帕珀利斯—塔巴廷加轴线的相邻社区联合开发的示范规划

哥伦比亚和巴西边境区域是亚马孙河流域的主要部分,它包括亚马孙省和沃佩斯省的哥伦比亚亚马孙梯形地带,以及巴西西北部的亚马孙州。

在以阿帕珀利斯—塔巴廷加为轴心的国家边境上,共享着卡克塔河和普图马约河的河水,以及与城市中心的天然隔绝,促使各社区在相邻地区建立定居点,留下了该区域互相支持和发展的特殊烙印。

正因为这个原因,在亚马孙河流域合作条约的基础上,通过并批准了以阿帕珀利斯—塔巴廷加为轴心的边境区域示范规划(见图2.4)。在美洲国家组织的技术支持下,该规划实施工作已展开,预定开展以下6个方面的项目:生产活动、社会基础设施、社会发展、向本土社区提供统一的服务、公共卫生的基础设施建设以及组织制度的加强(城市发展)。在项目上最初所表现出的兴趣还在继续增长,审查阶段的工作已经完成,目前,工作进展到了可行性分析阶段及资金的获取阶段。

该计划虽然覆盖了公共边界区域的很大一部分,但是它仅仅管理了共享带的一半。1991年,亚马孙合作联合委员会在巴西利亚召开了一次会议。在会议上,哥伦比亚向巴西提出了一个建议,建议将计划扩展覆盖到余下边境区域的另一半,即从阿帕珀利斯至培得拉德尔科库。培得拉德尔科库位于哥伦比亚、巴西、委内瑞

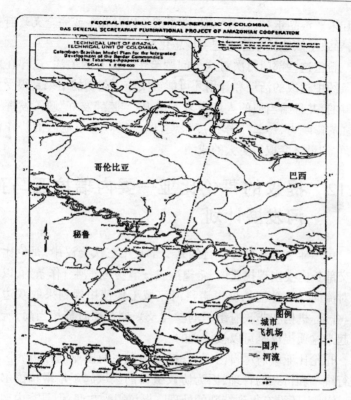

图 2.4 沿阿帕珀利斯—塔巴廷加河轴线相邻
地区的哥伦比亚—巴西整体开发计划模型

拉三国的交界处。

这个建议得到了很好的接纳,但是,巴西声称在执行上缺乏资金。在这些地区发生的问题急需处理,因为这里是内格罗河的源头,在马瑙斯汇入亚马孙河的内格罗河是亚马孙河的一个重要支流。

这部分中最严重的问题是不断增加和高度危险的河流污染,不适宜的掘金技术所带来的汞和其他成分导致奥里诺科河流域、沃佩斯和内格罗河上游遭受了污染。政府必须控制自然资源的过度开采。毒品走私、公共犯罪、游击战争以及几乎或完全无政府主义，导致了该地区形势更进一步恶化。

希望这些部门再次对这个问题给予它应有的关注，这样在双边条约中达成的活动和计划才可能被实施。起初的结果是很受人鼓舞的，并且给当地的人们带来了动力。"睦邻友好"政策发挥了很强的影响力，尽管工作速度很慢，但已经激发了地区的协作活动，它们最终会取得更大的成绩。

2.12 提议的哥伦比亚—委内瑞拉亚马孙河发展计划

1979 年 3 月在基多举行的外交部长第三次会议中，哥伦比亚外交部长向委内瑞拉建议，希望达成一个亚马孙河合作条约，以利于对流向亚马孙河的奥里诺科河流域土地使用规划采取双边行动。国际机构和非政府组织的参与及兴趣在那时都相当高，所以看起来这项提议是可以被接受的。

哥伦比亚政府尽自己努力，提议确保在两国亚马孙边界区域进行统一和持续的管理，因为协议覆盖的区域起于培得拉德尔科库，该地点还没有得到特殊的处理。提议很受欢迎，但是委内瑞拉官方却没有给出任何回应。

2.13 结论和建议

当政策和策略是以"睦邻友好"的方式付诸实施时，与交界国家间的技术合作项目就显得尤为重要。

国会应当行使与之相适应的立法权，并确保他们批准的法律和条约得以实施。这种权力应该被用做达成合作协议，因为该协议所带来的好处和所要解决的问题最终会直接关系并影响到各国最贫穷的群体。

"睦邻友好"政策已经达到它最初的目的,保持了它作为最重要的和最有效的获得相互信任的方式。需要指出的是,这种方法或者说蓄意转让其所实施的项目,却又忽视其法律职能是将国际协议用于实践中去,必将造成混乱,带来的后果将是体系停滞不前,对各方都会造成损害。

管理和协调国际技术合作应该由各国组织和机构来完成。这些组织和机构负责执行项目,外交部履行宪法赋予的职能,指导政府外交事务工作,对这些项目进行跟踪评估和协调。每个国家政府的内在机制都应该赋予"睦邻友好"必要的优先权,而拉丁美洲已经浪费了几十年的时间,他们在双边和多边发展所宣称采取的原则,一直摇摆不定。

当各国高层签署了亚马孙河合作条约后,各国就完成了自己在亚马孙双边合作规划中所担负的任务。政府的政治意志已经在各种不同的双边协议和条约中得以实现,毫无疑问在远离中央政府的边远边界地区将会有很多活动蓬勃开展。

美洲国家组织(OSA)作为一个大陆架和半球论坛,它在参与并指导和编制双边发展规划方面,为条约框架下亚马孙政策的出台起到非常现实和重要的作用,它唤醒各国对某些地区的兴趣,而这些地区一直被传统所遗忘和抛弃,命运悲惨。

在哥伦比亚,已经将发展规划的实施作为边界政策的首要任务。在开发亚马孙行动中,其外交部扮演协调者的角色,各级政府机构共同参与,将有限的预算投资和专业力量集中用在与亚马孙开发相关的活动中。

这些国家中需求最大的地方就是广大的边远地区。哥伦比亚与厄瓜多尔、秘鲁和巴西均签署了双边亚马孙河合作协议,包括边远地在内,各国都已经取得了重大进步。

边界区域微观的统一,得益于亚马孙河文化的滋润,它使得上述所提及的环境政策的重要概念得以制度化。

双边规划已经形成了亚马孙河意识,并且吸引了许多专家来从事各种相关学科专门研究,负责开发制定新的环境规则。在这项工作中,美国国家组织一直在提供技术支持。

亚马孙河政策的总体制定,促成了多个双边合作协议出台。这些国家领土沿着亚马孙,首尾相接,所以"合作的边界"这一观念一定要制度化并且要不断加强。而这些边界是没有界限的,因为这些区域的地理和人类学特征均是不可分割的。

该地区双边亚马孙河合作规划项目中取得的经验和重大进展,对亚马孙河整体政策有重要贡献。条约临时专职秘书长负责进行协调工作,因此它又是合作规划的另一分子,帮助获取外部资金,与国内资金一道帮助项目实施。这一重要的行动将会赋予框架条约以新的生命力,而且使得各方认可的亚马孙政策的出台成为可能。

有建议指出,各成员国签署了双边亚马孙合作协议之后,其所制定的规则和所作的努力都必须从本地区的利益出发。哥伦比亚在 1989 年作为临时专职秘书长在任期内提出了这项建议,其中还提到,现在时机已经成熟,可以通过签约各国的行动将所获得的资源分配到实际的工程中去,诸如那些拟定与美洲国家组织进行技术合作的项目等。

3 亚马孙合作条约组织:
一个合作和可持续发展机构

(曼纽尔·毕加索·伯托)

3.1 绪论

本文的主要目的是简单介绍亚马孙合作条约组织机构的职能范畴和工作程序,该条约于 1978 年 7 月 3 日由玻利维亚、巴西、哥伦比亚、厄瓜多尔、圭亚那、秘鲁、苏里南和委内瑞拉在巴西利亚签署执行。

为便于参照,首先介绍亚马孙河和亚马孙河流域的一些独有的特点,紧接着介绍条约和条约相关机构的目的和任务,最后总结在这个国际框架内进行的主要项目和工程情况。

3.2 亚马孙河和亚马孙河流域的独有特点

(1)亚马孙地区以面积最大的湿热雨林地区而闻名于世。它的植物群和动物群落占全球生物圈的 50% 以上,其中包括数量众多的科学尚不能解释的物种。据估计,在亚马孙河流域发现有占地球地面 56% 多的热带雨林。

(2)亚马孙河起源于阿雷基帕省(秘鲁南部)地区白雪皑皑的米斯蒂火山,长 6 762km,是世界上最长、最大、最宽和最深的河流,流域面积也是世界上最大的。

(3)亚马孙河以 20 万 ~ 22 万 m^3/s 的流量,每年 63 亿 ~ 69 亿

m³、相当于世界所有淡水的 15.47% 的流量流入大西洋。同时,每年大约有 10 亿 t 沉积物被亚马孙河河水带入大西洋。

(4)在巴西奥比杜斯峡口,亚马孙河河水深约 300m,大吨位轮船舶可以到达河流上游 2 300 多公里处的伊基托斯。

(5)在流域上游落差很大,亚马孙河 50km 直线航道上大约有 5km 的落差。在中下游地区坡度稍有和缓:亚马孙河从秘鲁的伊基托斯到河流的入海口处,亚马孙河长约 2 375km,每公里落差只有 4.5cm。

(6)亚马孙河的宽度变化大。在雨季期间,在某些地区,亚马孙河洪水泛滥到两岸 20～50km 范围。

(7)河床面积大约有 7 165 281km²,占地球表面积的 1.40%,占大陆架表面积的 4.82%,占南美洲面积的 40.18%。

(8)在海拔 6 000m 的安第斯山脉和海平线之间的亚马孙河流域,地理和生物特性差异很大。下游流域是一个巨大的森林和水域组成的生物圈。据估计,这个地区将近 30% 是由水域和湿地组成,即由特性各异的河流、礁湖、池塘、沼泽、湿地和洪泛区组成。

(9)毫无疑问,亚马孙地区对全球环境做出了如下几个方面的巨大贡献:控制温室作用,维持大气中的水汽平衡、营养物的循环,保持生物、科学和文化的多样性,等等。

(10)尽管整个亚马孙地区人口密度很低而且 60% 的人口居住在城市,但亚马孙并不是一个无人居住的地域。目前,大约 2 200 万人以自然村为单位生活在下游地区,现代森林里的居民依靠森林生活;其他居民人口,例如亚马孙人口,以每年 3% 的速率增长。这里有大约 379 个少数民族,而且上千年的传统一方面使他们适应了该地区各种不同的环境,另一方面也积累了无数的知识和技术财富。

3.3　条约的目标和主要机构

这个条约的主要目标之一是以保护自然环境和合理使用自然资源实施联合行动,以促进亚马孙各个地区的和谐发展。为了达到这个目标,各政府要进行信息交换,执行协议,实施安排部署的工作,以及遵照执行有关的法律文件。

该条约其他目标包括促进亚马孙地区的和谐发展,保证经济增长和环境保护的平衡,同时提高该区域居住人民的生活水平。

条约特别强调了有些活动的重要意义,这些活动旨在将全部亚马孙地区纳入到国民经济中,合理利用水资源,改善水道通航条件,在成员国间建立合适的物质基础设施,尤其在运输和通信领域。

其他需要特别对待的目标包括:提高亚马孙居民的健康水平,防止并控制传染病,在科学和技术领域紧密合作,在不影响自然文化的条件下发展旅游业,可持续利用自然资源,保护地域资源、种族性资源和考古资源。这个子地域合作法律文件的应用范围是亚马孙河流域和邻近的有非常类似特点的区域。

这个条约包括如下主要内容:

(1)外交部长会议是最高主体,它负责建立基本的共同政策指导方针,监督并评估这个合作过程的总体行动。

(2)亚马孙合作委员会由签约各国的高级外交代表组成。它负责监督条约中的目标和条款的遵守情况,同时对双边或者多边的研究项目和工程进展情况进行决策。

(3)各成员国常设国家委员会负责在各自的领土范围内执行条约相关条款的规定,以及外交部长会议和亚马孙合作委员会做出的决策。

(4)基于轮流的原则,该机构的秘书长由各成员国中的外交部长轮流担任,负责实施条约规定的各种事务,以及外交部长会议和亚马孙合作委员会下达的命令,同时还负责有关国际技术和经济合作的工作。

(5)亚马孙地区特别委员会由各成员国的指定机构组成,对具体的问题和项目进行调研工作,并负责协调、跟踪和校正各自国家已经批准的计划和项目的执行情况,在条约规定的范围内提交涉及共同利益的议案,并使得各方行动与条约相符。

亚马孙合作协商组织机构的组成见图3.1。

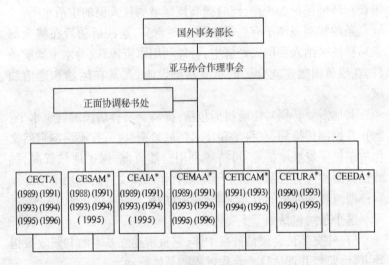

* 亚马孙合作协商组织永久国家委员会

图 3.1　亚马孙合作协商组织结构图

3.3.1　外交部长会议

按照条约第 20 条,各签约国外交部长会在任何方便或者合适的时候召开会议,以建立基本的共同政策指导方针,考虑并评估亚马孙合作过程的整体进展,同时为实现既定目标而制定决策。这些会议可由任何成员国发起,但是至少要有4个其他成员国支持。

因此,从条约签署的那一刻起,指导条约方针路线的总体政策是以目前五次外交部长会议发出的指示作为基础的。

条约中的过去五次外交部长会议文件如下:1980年10月24日在巴西的帕拉州贝伦市签署的贝伦宣言;1983年12月8日在哥伦比亚的卡利签署的圣地亚哥—卡利宣言;1989年3月7日在厄瓜多尔的基多签署的圣弗朗西斯科—基多宣言;1991年11月8日在玻利维亚的圣克鲁斯签署的圣克鲁斯—德拉塞拉宣言;1995年12月5日在秘鲁的利马签署的利马宣言。

由秘鲁政府发起的第五次外交部长会议闭幕前利马宣言的签署可以断定,条约进入了一个新的前途光明的巩固阶段:它决定组建常设秘书处和一个亚马孙地区新的教育专门委员会;设计建立金融体系;研究和保护遗传资源的网络体系;就防止和控制水资源污染进行商讨以达成一致意见,同时它的破坏作用促使条约重新定义它的组织框架,并使得它迅速得到巩固,给条约注入更多的活力、凝聚力和连续性,而且已经获得了一个国际公认的形象和地位。

这次会议(1995年)是自1992年在里约热内卢举行的世界环境和发展大会以后的第一次会议,部长们在这次会议上讨论了与亚马孙森林、水资源、生物多样性、原著民、环境教育和水生生物资源有关的重要议题和相关内容。

3.3.2 亚马孙合作委员会

按照条约第21条,作为亚马孙合作委员会成员的各成员国高级别外交代表将每年举行一次会议。该委员会的职责如下:

(1)监督条约对象和目标的遵循情况;

(2)监督外交部长会议决议的遵循情况;

(3)在合适或者适时的时候向各成员国建议,举行外交部长会

议,并准备各项议程;

(4)考虑各成员国提交的议案和项目,对将由常设国家委员会执行的双边、多边研究和项目的运作过程做出相关决定;

(5)对涉及双边、多边利益的项目,评估其运作过程。

通常,委员会成员可以举行一般会议和特别会议,但是这两种会议都必须由临时秘书长召集。代表团必须是每个成员国的高级外交官带队,并由与会代表、顾问和其他经政府授权的成员组成。

截至目前,亚马孙合作委员会已经举行了7次会议:1983年7月在秘鲁利马召开第一次会议;1986年9月在玻利维亚拉巴斯召开第二次会议;1988年3月在巴西巴西利亚召开第三次会议;1990年5月在哥伦比亚波哥大召开第四次会议;1993年7月在厄瓜多尔基多召开第五次会议;1994年10月在秘鲁利马召开第六次会议;1995年11月在秘鲁利马召开第七次会议。1997年初第八次会议在委内瑞拉加拉加斯举行。

3.3.3 亚马孙地区的特别委员会

按照条约第24条,成立了7个亚马孙地区特别委员会,对以下的具体问题和对象进行研究:环境、科学和技术、运输、通信、基础设施、健康、本地事务、旅游、教育。这些特别委员会由各领域内有能力的国家机构组成,连接并形成一个活跃的子区域交通网络。

3.3.3.1 科学和技术特别委员会(CECTA)

在亚马孙合作委员会的第三次会议(巴西利亚,1988年3月)期间成立了CECTA。目的是在科学和技术领域对亚马孙合作条约各成员国所承担的地区性项目及其他活动的执行情况给予鼓励与监督;作为一个机构从国际资源中获得资金,并协调这些资金在地区性项目上的使用。科学和技术特别委员会已经召开过5次会议,最后的两次会议分别是1995年在利马和1996年在伊基托斯举行的。

3.3.3.2 环境特别委员会(CEMAA)

在亚马孙合作条约的第三次外交部长会议(基多,1989 年 3 月)期间成立了 CEMAA,以贯彻共同目标,保护环境和合理使用亚马孙各种自然资源。这个委员会已经召开过 5 次会议:最近的两次年会分别是在 1995 年的利马和 1996 年的波哥大举行。

3.3.3.3 **本地事务特别委员会(CEAIA)**

在亚马孙合作条约的第三次外交部长会议(基多,1989 年 3 月)期间成立了 CEAIA,目的是根据下面的指导方针,以国家利益为重,处理本地事务:

(1)促进各民族特性的发展,保持原著民的历史和文化传统,尤其是他们的土地和资源;

(2)促进各种团体、协会和(或)各亚马孙国家负责对本国国民制定和实施国家政策机构的信息交换,以达到增强地区原著民相互了解的目的;

(3)促进各成员国政策服务于本地人民的技术项目合作;

(4)在如下领域内实施涉及共同利益的计划和项目,例如保持、管理和使用各国领土内的自然资源;援助和发展本国技术力量;进行区域开发;进行人力资源培训等。

这个特别委员会已经召开过 4 次会议,最近一次会议是 1995 年在利马召开的。

3.3.3.4 **健康特别委员会(CESAM)**

亚马孙合作委员会第三次会议(1988 年 3 月)期间成立了健康特别委员会 CESAM,它作为卫生健康领域内的一个区域协调机构,其目标如下:

(1)促进、协调和监督卫生健康领域内亚马孙条约各成员国执行地区性项目和其他活动的实施情况;

(2)作为一个机构,从国际合作中获得国际资源,同时协调保证这些资源能用于地区性项目中。

　　这个特别委员会已经召开过 4 次会议,最近一次会议是 1995
年 6 月在利马召开的。

3.3.3.5　运输、基础设施和通信特别委员会(CETICAM)

　　亚马孙合作委员会第四次会议(在波哥大圣塔菲召开,1990
年 5 月)期间成立了亚马孙地区运输特别委员会(CETRAM)。1991
年 11 月在玻利维亚圣克鲁斯举行了亚马孙合作条约第四次外交
事务会议上,扩大了运输特别委员会的权限,使其包括通信和基础
设施,同时更名为亚马孙地区运输、基础设施和通信特别委员会
(CETICAM)。

　　一般而言,这个特别委员会的项目和工程是用制定政策来改
善不同运输模式;促进经济发展和地区繁荣,制定沿亚马孙河运输
的总体规划和项目;促进地面运输系统的建立(通过公路和铁路);
鼓励地区空中运输;推动电讯发展;在主要的跨海走廊开展预可行
性研究和可行性研究;在亚马孙河流域、奥里诺科河流域和普拉塔
河流域寻找各种联合运输模式。

　　亚马孙地区工程项目对环境影响的评估,尤其是与运输基础
设施建设相关的项目,已成为目前这个特别委员会对成员国基础
培训项目。

3.3.3.6　旅游特别委员会(CETURA)

　　在亚马孙合作委员会第四次会议(在波哥大召开,1990 年 5
月)期间成立了 CETURA。它的主要职责如下:

　　(1)促进人力资源的培训和组织,同时对旅游相关的各方面进
行市场调查;

　　(2)促进会议、展览会和其他活动的组织工作,以鼓励亚马孙
地区的生态旅游业;

　　(3)确定相关的旅游活动对自然资源和自然群落产生的影响,
在筹划和进行项目开发时应将亚马孙地区独特的环境和文化特色
考虑进去;

(4)促进在亚马孙地区各旅游区进行互补开发;

(5)促进各成员国在旅游业涉及投资贷款政策的不同领域里积累经验,进行研究和学习交流;

(6)根据条约总体目标,鼓励国家间的、地区间的、公众间的以及私人机构间的旅游业事务的合作。

这个委员会已经召开过3次会议,它的第三次会议是1995年6月在利马召开的。

3.3.3.7 教育特别委员会(CEEDA)

在亚马孙合作条约的第五次外交部长会议上做出了两个有关教育的决定:成立亚马孙地区教育特别委员会(CEEDA),该机构评估教育行为,同时协调和制定适合亚马孙环境的教育规划;促进亚马孙地区人力资源的培训和组织,尊重原著居民文化特征,并负责制定增加学校环境教育和提高环境意识的公共计划。为此,这个特别委员会需要组织一个地区性的研究会,为目标提出指导性方针、内容和指导手册等。

通过成立该委员会,各国政府通过各种途径使亚马孙河流域原著居民从教育和项目中获益,满足他们的需要,并促使他们参与到经济开发和环境保护活动中去。

根据进度表,这个特别委员会的第一次年会——提高学校范围内环境教育和增强环境意识公共项目的地区性研讨会,将在1997年召开。

3.3.4 亚马孙合作条约临时专职秘书处

亚马孙合作条约组织临时专职秘书处负责履行条约、外交部长会议和亚马孙合作委员会所规定的职责。它负责促进整个地区工作的开展、经验交流、科学或者技术信息的传播,鼓励地区项目的编制规划和实施。为此,秘书处规划和收集各种建议,组织和召集专门议题的研讨会;编辑论文公告和出版物;制定提高本地区文化的工程项目,促进亚马孙地区的可持续发展,保护生物的多样性,同时支持对原著民的培训。

秘书处的规章规定了它的责任和义务如下:

(1)监督亚马孙合作条约目标任务的完成情况。

(2)监督外交部长会议和亚马孙合作委员会决议的执行情况。

(3)召开会议对亚马孙国家权威机构和团体,与正式的技术条约团体进行协调,宣传会议结果并跟踪执行会议所做出的决议。

(4)起草、编辑并保存亚马孙合作条约组织的官方往来信函,这些信函在进行相应的轮换时进行移交(基于轮流的原则履行责任)。

(5)保证及时通知亚马孙合作过程中签约的常设国家委员会有关各种特别委员会、会议和其他活动所取得的进展。通过外交渠道,秘书处和各成员国须互通信息,召开技术会议或者召开涉及工程、项目和内部合作重要环节的特别委员会会议。专职秘书处要保证特别委员会执行同样的程序。

(6)根据外交事务部长会议、委员会和特别委员会的授权,秘书处负责管理、推广和准备融资谈判需要的文件,以保证后续项目工程的融资需求;负责及时高效地执行和启动这些工程项目。这些工程可以由特别委员会或者目前的秘书处提议产生,并提交给所有的签约成员国审查,同时对其实施,需经各成员国明确表态认可。非关联成员国可以在最多60天的期限内提出意见。

(7)申请、安排和提交技术、科学和金融合作建议书,提交各成员国审议通过。

(8)跟踪并全面评估正在进行的工程项目,并且为项目及时高效实施采取有效的措施。

(9)保护并更新所有执行过程取得进展的相关文件,包括亚马孙合作条约、双边协议以及相关的法律文件。

(10)不断地宣传合作过程中的信息,以达到吸引国际组织、其他国家、公众以及私人组织积极关注的目的。

(11)与专业咨询委员会和特别委员会地区协调机构共同起草年度工作计划,该计划包括具体工程项目的研究规划和实施。秘书处必须努力在合作委员会会议之前的所有特别委员会会议上,将特别委员会的年度工作计划提交给各个成员国审批,以利于后续跟进工作开展。

(12)每半年提交详细报告,在任期结束时提交详细报告。

(13)通过各自的执行秘书处,协调亚马孙特别委员会的各项活动。

(14)为了便于评估亚马孙合作进展情况,可根据任何一个成员国的请求,召开必需的技术会议,以协调条约中各种双边或者多边机构的活动,并且将已完成情况和取得的成果向亚马孙合作委员会汇报。

(15)承担其他由外交部长会议和亚马孙合作委员会分配给秘书处的责任与义务。

对于亚马孙合作条约,由缔约成员国参加外交部长会议,基于轮流的原则履行专职秘书处的职能。各国的外交部长指派一名高级外交官员担任专职秘书,而专职秘书处由许多全职为其工作的外交官员组成。

从条约签署到现在,下列国家已经行使过秘书处的职责:秘鲁,1980年10月至1983年7月;玻利维亚,1983年7月至1986年9月;巴西,1986年9月至1988年3月;哥伦比亚,1988年3月至1990年5月;厄瓜多尔,1990年5月至1994年1月;秘鲁,1994年2月到现在。这个职责很快就会轮到委内瑞拉的外交部长担任。

专职秘书处得到专业咨询委员会的帮助,该委员会由各成员国大使组成。各成员国在负责秘书处前,必须给各自大使授权。秘书处的职责是协调这个委员会在亚马孙合作方面的信息交换。

特别委员会各领域的专家在秘书处总部工作,同时也是地区协调员。他们的责任是促进地区项目的开展,采取措施实现信息的充分交流,制定技术文件,更新地区数据库,同时为科研机构和专家更广泛地参加研究会、专题讨论会和一般会议建立必要的联系。

最近几年,亚马孙地区负责各成员国政策制定和实施的各组织和部门,在秘书处的促进下,开展了有声有色的组织活动,而参与到有益于条约合作过程的活动也大大增长。秘书处有助于协调亚马孙合作条约内各成员国在讨论各成员国利益问题的国际会议上采取共同的立场。同样地,秘书处已规划了一些地区性的项目,并涉及总金额 2 500 万美元,并得到了联合国一些重要机构的支持,其中一些融资已经提前到位。

秘鲁任职秘书处期间的组织结构见图 3.2。

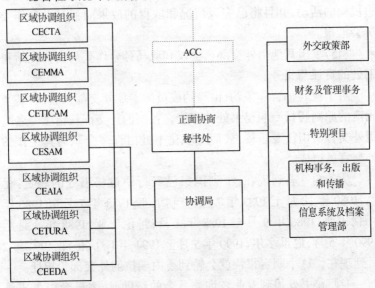

图3.2 亚马孙合作协商组织的正面协商秘书处组织结构

3.4 工作计划

外交部长第五次会议批准了秘书处工作计划,包括为实现条约目标而制定的,尤其是关于提高居民生活质量的各种项目、工程和其他活动。

按照外交部长会议和亚马孙合作委员会发布的政策方针,该工作计划基于前期所确定的共同需求、期望和需优先考虑的事项,旨在采纳和应用各成员国制定的政策和策略,以实现可持续发展。

(1)在政治和协会领域,工作计划目标包括下列目标但不限于实现下列目标:

强化条约各成员国的组织基础,并支持常设国家委员会的行动;

采用明晰的机制管理秘书处,确保各成员国间信息交流畅通,并充分地完成其本职工作;

巩固亚马孙地区特别委员会的工作;

在各种国际会议上,凡涉及到条约的各种事件均采取共同立场,促进各成员国交换观点,同时在不同子地域团体和机构间实现并保持密切联系,以便于处理涉及共同利益的事务;

促进采用针对特定主题的协议,以便保护环境;

在亚马孙地区特别委员会规划项目的实施过程中,促进条约内各个具有政治外交权实体间行动的协调。

(2)在技术领域:

集中地区力量建设工程;

为项目和后续机构的设立而制定标准;

对先前已确定的项目,评估其潜在危害和缺点,并且根据成员国的共同需要决定它们的优先级。

亚马孙地区各特别委员会将这个工作计划分解为具体的小细节,并将这些细节列在各自的实施计划中,与下列目标相对应:

(1)在科学和技术领域,促进亚马孙合作条约各国既有政策和策略的不断发展,加强科学和本地技术的发展,以利于为实现亚马孙地区可持续发展寻找到重要的替代品。

(2)在环境特别委员会的工作范围内,通过对环境资源的有效管理,开展和实施环境保护策略,保证生态平衡以保障亚马孙地区的可持续性发展;为了地区的可持续性发展,鼓励研究亚马孙地区的生物多样性并推广亚马孙地区的生物多样性的充分利用,促进有关生态系统、物种和基因资源在自然生产中所取得经验的交流;

(3)关于国内事务,促进有效处理亚马孙原著民人口问题,努力保护和重新评估他们的民族传统与文化传统,保护他们的土地;

(4)在运输、通信和基础设施领域,各成员国采用与亚马孙地区可持续发展目标相吻合的环境政策和环境策略;通过在亚马孙合作条约框架内的单边和多边合作,组织亚马孙地区各国处理各自的经济事务,也促进各国共同努力;

(5)在旅游领域,在不影响环境和原著民的情况下,努力在成员国内建立一个共同的政策,吸引旅游者前往亚马孙地区,并且尽可能将这些人组织参与到即将实施的活动中去;

(6)在卫生领域,通过加强基本卫生项目建设,为亚马孙居民提供足够的卫生服务。在具体的卫生和营养服务方面,要注意亚马孙热带气候的特点和亚马孙居民的文化差异,促进亚马孙居民,特别是原著民部落卫生状况的提高。

这些项目工程和技术工作通过特别委员会和常设国家委员会得以实现。专职秘书处负责对正在进行的项目和工程进行后续总体评估,并采取必要的措施保证它们迅速和有效的实施。

在特别委员会的工作范围内,已有8个项目被确立,相应地区性的合作职责已由各成员国分别承担。本地事务特别委员会(CEAIA)的具体项目只有7个;旅游特别委员会(CETURA)项目由所在地区范围内的秘书处和地区共同合作完成。这些项目根据其主题和所包含的相关工程和工作进行分类。

考虑到项目工程的范围,其目标是鼓励使用各个国家业已存在的人力资源和基础设施以及实施范围广、成本高的项目,以便于各实施阶段的融资。另外一个目标是将各种工作的宣传与培训、教育、信息、经验、调查和研究的宣传相结合。

这些工作的许多经费是通过无偿的国际合作获得的。然而，在已分配给他们的固定定额之外，成员国不得不额外出资，尽管他们确实为这些国家项目的实施贡献了人力资源和财政资源，但各国在专职秘书处轮职期间，还应为秘书处的运转提供资金。

由各组织机构和各政府提供的国际合作使得条约各项工程（特别是与发现潜能和管理自然资源有关的工程）能够得以实施。它也支持专职秘书处和特别委员会的各项事务，交流经验，举办会议，将各国的实际情况引入到该地区的工程中去。这个过程已经刺激了政府各机构和亚马孙合作条约常设国家委员会各部门的工作，有助于在各成员国间建立通畅的互利关系。

各种国际组织已经通过无偿的多边援助形式为条约提供了大量的支持，如欧盟、联合国发展计划署（UNDP）、全球环境实验室（GEF）筹集的资金，联合国粮食和农业组织（FAO）、荷兰筹集的资金，美洲开发银行、世界银行、联合国工业发展组织（UNIDO）、美洲国家组织（OAS）、安第斯发展合作机构（CAF）和其他机构。最近，芬兰政府和加拿大政府已经加入了这个合作组织。

专职秘书处通过签署谅解备忘录与众多的机构建立联系，如与联合国环境计划署、亚马孙大学联盟（UNAMAZ）和世界资源协会（WRI）等。

3.4.1 主要在建项目和工程

3.4.1.1 在环境特别委员会（CEMAA）框架内的项目和工程

为持续保持和管理亚马孙自然资源而制定的地域性战略项目，包括三个子项目：亚马孙生态区划分和地理监控；在可持续使用亚马孙生物多样性方面的培训；亚马孙地区自然资源管理。这些项目的实施由联合国发展计划署（UNDP）和全球环境实验室

（GEF）提供资金,促进地区条理规划,研究制定战略和评估亚马孙地区的生物多样性。

亚马孙生态区划分和地理监控项目资金由美洲开发银行提供,包括两个子项目:对亚马孙合作组织下属的常设国家委员会提供技术援助项目和地理信息系统（GIS）整合提供援助项目。后一个子项目是对区域划分项目的补充,是用联合国发展计划署（UNDP）提供的资金来启动的,目的在于协调上述工程的实施。

亚马孙生态区域划分和地理监控方面的项目目标是让亚马孙合作条约各成员国在为整合规划该地区而制定政策和战略时,采用生态—经济分区原则,并将这一原则作为基本工具和判定标准,以促进亚马孙地区的可持续发展,强化国家区域立法,同时寻找途径促进亚马孙合作条约各成员国硬软件和谐发展,以促进各国地理信息系统互为补充。

亚马孙地区规划和管理保护区的区域性项目得到了来自欧盟的资金支持,该项目的目标在于通过强化选定主要地区和示范中心,以及在亚马孙建立保护区来保存自然和文化的多样性。除了监督别的活动以外,这个项目还监督生态旅游管理规划的制定。需要重点强调的是,在这点上,就目前已取得的成果,各成员国已经同意实施项目的第二阶段。

下面正在进行的项目和研究活动经费由联合国粮食和农业组织（FAO）提供:亚马孙地区的食品安全,营养和自然资源;亚马孙地区的生物多样性和食物;自然食物的加工;人工食品;在亚马孙地区推广优秀的庄稼和蔬菜品种;将小型农业贸易作为在亚马孙地区可持续发展的一个领域;可持续性使用和保护在亚马孙河流域各国的野生动物;重点管理项目;森林、树木和乡村;确定反映亚马孙森林等的可持续发展的标准和指标。这些项目主要涉及到自然资源的知识、管理和评估。

最后,联合国工业发展组织（UNIDO）提供的技术被用来支持开展"玻利维亚、厄瓜多尔和秘鲁三个亚马孙合作条约成员国的环境质量管理战略"工程,这个工程的目标在于制定各种政策以将环境因素和工业因素纳入到亚马孙地区实施的发展活动中。

3.4.1.2 在运输、基础设施和通信特别委员会(CETICAM)框架内

根据条约中有关在成员国间建立一个方便合适的基础设施的条款,特别是在运输和通信领域,各成员国正在开展"亚马孙地区运输网"工程。该工程作为一个基本的规划工具和物理空间,用以实施地区运输政策,并从环境方面与亚马孙地区制定的可持续性发展目标相一致。同时,它作为一个总体框架,为实现地区一体化而开发各种工程项目。

这个项目的第一阶段设想是为亚马孙地区制定一个关于多模式国际运输网建议书。在环境方面,它与地区提出的可持续性发展的目标相一致,并且有助于:

(1)通过在亚马孙合作条约框架内的活动,以促进各成员国共同努力;

(2)把亚马孙地区全面纳入到各成员国内的经济活动范围中;

(3)建立物理基础设施,并使其与亚马孙地区居民的需要和偏僻地区居民的出行需求相一致。

欧盟已经出资赞助这个项目的第一阶段,并由巴西运输计划署负责执行实施。

制定这个提案的研讨工作已经完成。与此同时,由专职秘书处于1996年12月3~6日在加拉加斯组织举行的技术研讨会期间,各成员国的代表已批准了该工作草案。

该网络的最终版本包括了各成员国政府所提供的信息,它正在起草,不久将发行。在加拉加斯举行的运输、基础设施和通信特别委员会(CETICAM)第四次一般会议批准了这个提案。

3.4.1.3 在科学和技术特别委员会(CECTA)框架内

由世界银行的经济开发机构(EDI)、荷兰政府、联合国粮食和

农业组织(FAO)及联合国发展计划(UNDP)提供的资金正在被用于实施"关于利用亚马孙生物多样性方面可持续发展技术的推广"项目,并在这些工程中发布和广泛传播重要的技术文件,例如:亚马孙水生生物资源的调查;在亚马孙地区内成功的农林生产经验;亚马孙河流域粮食作物和水果植物遗传资源;亚马孙河流域医用植物:现实和前景;在亚马孙河流域本地居民所处生物多样性和医疗保健;利用和保护亚马孙河流域野生动物群落;专利,知识产权和亚马孙河流域的多样性;亚马孙河流域棕榈的生产。

在联合国粮食和农业组织(FAO)的技术与资金支持下,"潜力无限的亚马孙水果和蔬菜"文章最近已出版发行。这篇著作是由公共机构、私人机构、研究员、技术员和关注亚马孙地区的人员所编写而成,其成果应用到了本地、国家和地区经济之中。这篇著作描述了 52 种植物,为研究和了解具有经济和社会潜能的一系列植物产品做出了巨大贡献。

3.4.1.4　在本地事务特别委员会(CEAIA)框架内

在欧盟的技术和财政支持下,题为"通过亚马孙合作条约巩固自然地域的地域性项目"的工程正在实施。该工程的总体目标是协助某些在玻利维亚、厄瓜多尔和秘鲁的亚马孙地区的居民对其居住的土地进行勘查和管理,同时制定规定以使这些居民区得到管理、保护并且循环使用存贮在那里的自然资源。

在这个工程期间,开展地区性的调查分析,同时,指导方针被发表在秘书处最近的出版物上,文章标题为"亚马孙的自然土地和水资源:一个地区的经验"。

1995 年 5 月,在利马举行的 CEAIA 第四次例会上,签约各成员国授权秘书处制定一个新的地区性工程,以支持认识和保护亚马孙地区的自然土地与水资源,以及对亚马孙生物资源的可持续管理。关于这一点,秘书处与各成员国负责本地事务的国家机构进行协同配合,同时秘书处针对命名为"亚马孙地区自然资源可持续性管理区域项目"的一个地区性工程参考各个国家的提案,并制定一个基本提案,而这个基本提案已提交给各成员国进行审查。

需要注意的是,在亚马孙合作条约框架内,本地亚马孙人口信息系统化工作仍然处于初期阶段。在本地事务特别委员会(CEA-IA)的第四次例会上,通过亚马孙地区本地事务特别委员会的协调,专职委员会提出在 SIAMAZ 系统的范围内将本地事务的主题纳入其中,而不是建立一个独立的信息子系统。基于这个观点,现在正在把分散的公共信息收集起来,稍后将以 CD-ROM 的格式呈现。

3.4.1.5 在健康特别委员会(CESAM)的框架内

"在亚马孙居民中改善卫生状况"的地区性项目的规划和磋商工作正在进行,该项目从欧盟获得总额为 1 821 396 美元的经济援助,以及从相关国家获得了相当于 1 278 089 美元的捐赠。这个工程的主要目标是通过在亚马孙发展一个地区性的有关培训、技术援助和国家之间改善卫生水平方面经验交流的项目,来强化亚马孙地区的社区卫生服务。

这个项目的具体目标是建立一个地区卫生项目的试点来强化和促进在卫生领域的合作,同时提高卫生人员的能力和管理水平。

3.4.1.6 在旅游特别委员会(CETURA)框架内

在第五次外交部长级会议期间,秘书处被授权与各成员国主要部门进行磋商,并在公共和私人领域对各成员国的旅游业、环境、本地事务的支持及积极参与下,共同规划亚马孙地区旅游业和生态旅游业,同时以此为手段以促进亚马孙在旅游业方面的地区开发和投资。

这个计划是基于 1995 年 6 月在利马举行的旅游特别委员会(CETURA)第三次例会上所制定的"亚马孙地区生态旅游业开发"地区性项目,和该地区之前对旅游业进行的规划。这个新提案的目标不仅包括生态旅游业,而且也包括作为该生态旅游业中的一部分——可持续发展的旅游业。

在将于马瑙斯举行的旅游特别委员会(CETURA)第四次会议上,各成员国的权威性代表将对主计划和地区工程项目都进行审查。

3.4.1.7　在教育特别委员会(CEEDA)框架内

这个特别委员会将开展的活动,就是举行它的第一次例会,并根据第五次外交部长级会议发布的指示,筹划一个公共项目来提高学生的环境教育和环境意识。为了这个目的,该特别委员会要组织并召开一个地区性的专题研讨会以提出主要方针、内容和实施范围。

3.4.2　已经列入计划的活动

专职委员会的工作计划除了其他事务以外,还包括进行下列活动:

(1)制定规划和战略以保护并改良土壤,充分使用和管理土地资源,同时促进基于本地的植物、动物和微生物物种的生产活动。

(2)实施提高在学校层次上环境教育和环境意识的项目,同时为了这个目标开始出版课本。

(3)就防止和控制公共水资源的污染,及其对人体健康、栖息地和各种生物总体上负面影响的行动方面,进行谈判并达成一个框架协议。

(4)亚马孙各国以后的谈判要把地区的独有特点考虑进去。为了这个目的,可能需要像湄公河、塞内加尔河、普拉塔河和莱茵河流域那样对在其他河流流域使用的各种方法进行评估,同时,也是很重要的,就是需要不断有效更新对亚马孙河流域污染程度问题的研究。

(5)对亚马孙基因资源的登记进行分析并制度化,制定制度保护知识产权和类似传统文化,以及制定使用亚马孙生物基因资源的知识产权的标准。

(6)为保护和研究基因资源而构建一个机构网络。

(7)遵循系统化的途径,对在各成员国内持续使用亚马孙森林制定共同章程。同时,与此相关,支持各成员国发起的为制定亚马孙森林的持续发展标准和指标而实施的所谓的"泰若博托进程"。为了这个目标,秘书处已经能够从国际合作组织获得资金,同时能够资助举行国家评估研讨会。研讨会在哥伦比亚举行过一次,其余的是在秘鲁和厄瓜多尔举行的。同样地,下列拓展地区的合作活动正在进行中:

①完成当时命名为"亚马孙可持续发展行动"的工程的重新规划,结束与全球环境实验室(GEF)的融资磋商,并开始实施这个工程。

②完成下列工程的规划和咨询过程:"可持续利用和保护亚马孙河流域各国的野生动物";"通过本地乡村,发展和改善亚马孙地区的可持续旅游业与生态旅游业的地区性项目";"规划和管理亚马孙地区的保护区"。

③对运输、通信和基础设施的特别委员会(CETICAM)继续进行定义运输项目的范围的工作,同时继续进行下列工程:"促进发展亚马孙地区优先运输走廊的战略和分阶段实施战略";"亚马孙地区的电信网络";"亚马孙河流域与奥利诺科河和普拉塔河流域相互联通的可行性"。

④对下列由特别委员会、工作机构和其他技术会议确定的各种工程,继续定义它们的范围,并制定建议书进行:"巩固、管理和使用亚马孙本地的自然资源";"亚马孙农业开发—一体化生产体系";"考察亚马孙地区棕榈树的经济和社会潜能";"亚马孙河流域野生动物管理的主要经验";"黑鳄鱼保护和可持续利用区域管理规划";"通过梯田、复合农业林和丛林饲养系统的使用,恢复被农业和畜牧业所破坏的土壤生产力";"亚马孙条约各签约国传染病

控制系统标准的参考规划";"防止和预防汞污染"。

3.5　信息传播

对于涉及亚马孙地区开发指标的有关方面的宣传活动,如生物多样性和自然资源的财富;条约下各项工程的详细目录;现行法律;参考目录;出版物;各种研究;有关环境的其他数据资料;健康;科学和技术;运输;通信;国内事务;旅游;教育;以及亚马孙地区内的研究中心;为亚马孙地区服务的研究中心等,秘书处采用以下的方式有效地执行这项任务。

用三国语言编写季度信息快报,并散发到各成员国的政府机构、对亚马孙感兴趣的学术和研究机构、地方政府或国家政府、国民大会或议会各位代表成员、协作的政府和机构、非政府组织、媒体、对亚马孙感兴趣的私人企业、由亚马孙合作条约专职临时秘书处组织和赞助的各种研讨会的参与者。

类似地,还设立了一个因特网网址,以服务于有兴趣的政府、研究人员和机构等。通过这项服务,秘书处将已经出版的 10 期信息快报放在网站上。这项服务还在不断扩大,不久将把它的重要出版物都放在网站上。它现在正在将各种出版物编辑成 CD – ROM 格式。

秘书处已经出版了大量的与条约有关的出版物。对所有的出版物都设立了协调和咨询机制,各成员国都参与,并预留一定的时间以便各方对拟定的出版物的内容进行审查。

3.6　结论

今天我们可以断言,该条约在某些领域已经有了一个联合的工作纲领,它要求 8 个成员国有越来越多的组织和机构参与进来。

秘书处在努力寻找途径，以加强咨询，扩大机构的参与范围，将各种地区力量引入到亚马孙河流域的可持续发展中来。从某种程度上看，有些目标已经达到了。

条约周期性举行会议的机制，促进了决策的制定，以支持、加强和拓展共同行动的范围。各国最近已经召开了40多次会议、研讨会和专题会，讨论实质性的政策问题和技术问题。所有这些已经或将要在以下这些方面产生实际效果，如亚马孙资源所带来的持续经济收益；提高人们的生活水平；加强机构网络的工作和促进在各级政府间的对话。

根据第五次外交部长大会的决议，各国签署了条约，不久将在巴西利亚成立条约常设执行秘书处，建立一个专门的工作组，并在各种场合下，在巴西利亚和利马召集会议，由有能力的团体专门考虑和制定建议书。秘书处条约的修订导致条约内容的修改，这必须由各国国民大会专门审查。

为完全满足条约的目标，还有很长的路要走。各国所表达的政治意愿表明，完全有可能调和各方的利益和观点，以实施有效的发展规划，并与1978年提出的可持续发展标准和1992年里奥国际峰会上所裁定的可持续发展的标准相吻合。

然而，还有许多巨大和重要的挑战在前进的路上。亚马孙地区的未来，尽管大家都有不同的看法，但是，一定要逐渐达到并继续加强在同一水平上的合作。通过对话和信息交换，这个过程的结果，将会在技术合作共同政策、保护和利用自然资源、工程项目实施等方面产生正面影响。逐渐地，在标准和观念上将会达成一致，达成一个各方都接受的物理数据系统，以理解生物多样性的复杂特性，并看成是跨边界现象。

这一过程要强化，作为已实施的项目工程和活动的评估结果，各种积累经验要系统化总结；为各个项目应制定共同的实施准则；要应用符合亚马孙独有特点的可持续发展模式，可持续发展政策以及它与国家、地区和国际上的相互关系,要进行分析和更新。

我认为,由水资源咨询委员会、国际水资源协会和美洲国家组织共同组织的这个论坛,提供了一个机会,来阐述亚马孙合作条约的机制、它的各种组成机构和今天它所表现出来的运作水平与协调能力。我相信,在普拉塔河流域、圣弗朗西斯科河和亚马孙河上的信息交换,将为全拉丁美洲,尤其是为 CETICAM 各成员国的代表,贡献很多重要的观念。其中之一就是,要寻找亚马孙河流域、普拉塔河流域和奥里诺科河流域各种不同模式间的相互联系,并考虑水道和该地区的物理特征。

这项工作意味着要优先利用这些流域广大的水道网络,最大限度地实现多模式的一体化,与可用的公路连成一体,防止新修的公路对环境造成负面影响,和由此造成的大片地区森林砍伐和不当的占用土地用于农业开发。

本纲领的目标与其他特别委员会的纲领是一致的,如关于运输的特别委员会,其目标在于制定总体战略和特定的项目,以开发河流的航运,使之作为一种自然的工具方便在亚马孙河流域的出入和交通,而亚马孙河就是运输的主体。

第二部分　普拉塔河流域

4 巴拉圭河流域上游的水文特性

(卡洛斯·EM·图西,费南多·根兹,罗宾·克拉克)

4.1 绪论

巴拉圭河上游流域的水文是影响当地环境的一个主要因素。过去,降雨在空间和时间上的差别以及由此引起的径流和蒸发损失,使得本地的排水系统和脆弱的环境发生了显著变化。另外,一些有关将来的开发建议如果付诸实施,也可能会引起许多非常严重和并非可完全预想到的后果。

巴拉圭河流域上游包含了两种不同水文性质的地理特征区——普拉纳尔多高原和潘塔纳尔湿地。水文性质的不同很大程度上影响了陆地、水上生态系统及人类的活动。普拉纳尔多高原大多数地区海拔高于 200m,该地区降水量随季节分布不同,平均年降水量超过 1 400mm,排水系统排水速度很快。该地区以农业和畜牧业生产为主,从 20 世纪 70 年代开始,这些地区的大豆产量一直增长很快。该流域所包含的潘塔纳尔湿地是世界上最大的湿地之一,占地面积达 12.4 万 km²,海拔在 100m 以下。潘塔纳尔湿地年降水很少,有时甚至少于年土壤水分蒸发量。由于坡度小及大量沉淀物的存在,使得这个地区的排水速度很慢。潘塔纳尔湿地的生态环境也因此形成了自己的特色,保持这种特色对于巴西来说非常重要。然而,目前人类的活动以及即将实施的计划在很大程度上对保持该生态系统形成了威胁。普拉纳尔多高原地带大量的大豆种植将引起土地的侵蚀及潘塔纳尔湿地沉积物的增加。此外,潘塔纳尔湿地也因为其独特的生态环境正被开发成旅游区,而最为严重的是,为促进本地农业产品的对外贸易,有人有意将巴拉圭河建成适合航运的水道,而这将破坏潘塔纳尔湿地独特的生态环境。

对于目前正在实施和即将实施的开发活动都应当慎重考虑环境问题,应尽量避免对潘塔纳尔湿地生态环境的破坏和对当地环境的影响,这些影响本质上都是由于水文变化引起的。本文主要讨论当地水文这一主要因素,以及水文是如何影响环境及人类活动的。

4.2 巴拉圭河流域上游的特点

巴拉圭河流经 4 个国家——巴西、玻利维亚、巴拉圭和阿根廷,是南美洲的主要河流之一。巴拉圭河由阿根廷边界的科林特斯河流入巴拉那河,并成为普拉塔河流域的主要河流。图 4.1 给出了该河流域在南美洲的具体位置,图 4.2 给出了它在普拉塔河流域的位置。

巴拉圭河发源于巴西境内,靠近亚马孙河流域南部的分界线,四周是海拔 500~1 400m 的丘陵地带。巴拉圭河流域上游主要是在波德罗埃斯伯兰卡的上游河口,流域面积达 36 万 km²。图 4.3 给出了普拉纳尔多高原及潘塔纳尔湿地在巴拉圭河上游流域的详细分布。

巴拉圭河上有两处水流量受到限制,并因此形成了天然的蓄水池,其中一处靠近圣弗朗西斯科,另外一处是波德罗埃斯伯兰卡的上游。这两个限制处,都是由于岩石限制了水流量。

图 4.1 巴拉圭河流域上游在南美洲的位置

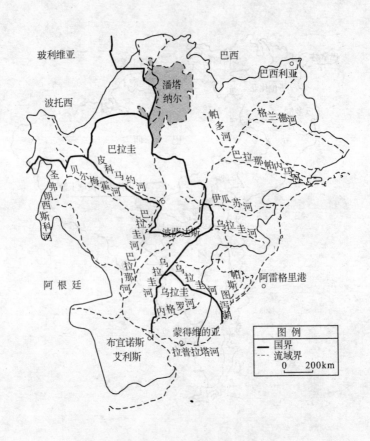

图 4.2　巴拉圭河流域上游在普拉塔河流域的位置

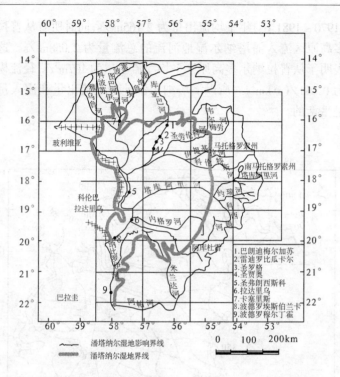

图 4.3 普拉纳尔多高原及潘塔纳尔湿地在巴拉圭河上游流域的分布

4.3 平均降雨量、土壤水分蒸发量及流量

图 4.4 表明在潘塔纳尔湿地地区年平均降雨量达到 1 180mm，然而潜在的土壤水分蒸发量却达到了 1 370mm。图 4.5 表明了位于潘塔纳尔湿地的塔库阿里河的降雨量和蒸发量变化情况。这里年平均温度为 25℃，平均最低温度为 20℃，平均最高温为 32℃。图 4.6 表明了在普拉纳尔多高原区河流径流模数为 15～20L/(s·km²)，但在下游急剧减少。波德罗埃斯伯兰卡在 12

年(1970～1981年)年平均流出量为2 165m³/s,同时所有从普拉纳尔多高原区流入潘塔纳尔湿地河流的总流量为2 058m³/s。这些图表明了从普拉纳尔多高原区平均净流出量为107m³/s,径流模数仅为0.91L/(s·km²)。所以潘塔纳尔湿地地区流出量和流入量基本是平衡的。

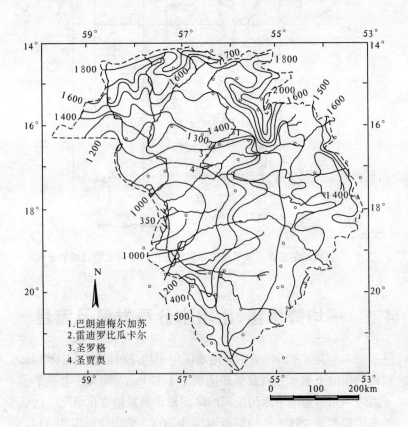

图4.4 潘塔纳尔湿地地区降雨分布

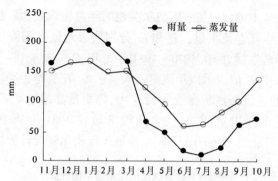

图 4.5 潘塔纳尔(Pantanal)地区降雨及蒸发蒸腾损失变化曲线

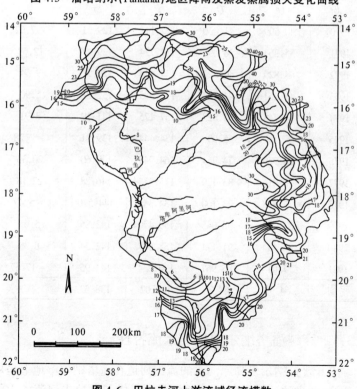

图 4.6 巴拉圭河上游流域径流模数

在表 4.1 中，Qe 是潘塔纳尔湿地的年总流入量，Qs 是波德罗埃斯伯兰卡年总流出量。P 和 Er 分别代表地区平均降雨量和估计的实际蒸发量，而在 1970~1981 年每年 $D = Qe + P - Er - Qs$。最后一栏中 D 值表示该年流出流入量平衡情况，是否平衡主要依据 D 值的正负来判断。整个 12 年中，降雨量都超过了平均值，流入量超过了流出量，并且洪水淹没区域在 1981 年从 1970 年的 6 770km² 增加到 52 697km²（根据 1996 年汉密尔顿统计数据）。

表 4.1　潘塔纳尔地区水量平衡计算　　　（单位：km³）

年份	Qe	Qs	P	Er	D
1970	40.509	41.060	122.141	129.21	-7.62
1971	35.253	38.095	144.724	129.21	12.67
1972	44.829	40.522	134.444	129.21	9.54
1973	49.231	44.182	133.075	132.22	5.90
1974	71.748	83.823	157.175	141.19	3.91
1975	62.98	65.090	134.444	139.61	-7.28
1976	69.939	74.961	164.949	139.60	20.33
1977	76.016	83.129	175.574	146.28	22.18
1978	77.818	73.100	134.383	144.570	-5.47
1979	87.056	98.045	159.470	142.85	5.63
1980	86.494	91.171	155.607	142.54	8.39
1981	77.014	85.967	136.234	144.95	-17.67
平均	64.91	68.26	146.02	138.63	

4.3.1　穿越潘塔纳尔湿地的水流特性

离开普拉纳尔多高原河水的流出河道在潘塔纳尔湿地上呈扇形分布，各样的河流穿过潘塔纳尔湿地形成了巴拉圭河流。它沿着流域的西部边缘流淌,穿越潘塔纳尔湿地的主要支流有库亚巴河、圣劳伦科河、皮基里河、塔库阿里河、内格罗河和米兰达河。

当这些河流进入潘塔纳尔湿地的时候,由于河流的坡度骤然变小,流量急剧减少,由此引起泥沙在河床上沉积,河水冲刷减弱,导致河道比上游窄。在洪水期,潘塔纳尔湿地下游河流的泄洪能力要小于上游,导致河水大量外溢到外部河道,而且洪水越大溢出的越多。然而,潘塔纳尔湿地平原有许多在洪水期间被河水充满的洼地,这些洼地形成的一个个湖泊构成了一道美丽的风景线,水位上升时这些湖泊联成一片,水位下落时河道中湖泊蓄积河水。这样,大部分从上游流来的水是因为遇到洼地才得以存储,而与流经潘塔纳尔湿地地区河流的主要河道并无直接联系。

若在很长一段时期内,河道中的水都不能溢出河岸,也没有降雨,存留在洼地中的水量将会以蒸发和向地下渗透的方式减少。而水流从上游挟带的沉淀物和有机物会沉积在洼地的河床上,限制了向地下渗透的水量。此外,潘塔纳尔湿地地区常年高温,因此蒸发量非常大。

上述原理阐明了越往下游,水和沉积物流量趋于减少的原因(IPH,1983)。图西和根兹(1996)对巴拉圭河包括潘塔纳尔湿地的河段进行了定量研究,其中之一是位于巴朗迪梅尔加苏和圣贾奥之间的库亚巴河。在这个河段选择了两个测点,圣罗格和雷迪罗比瓜卡尔测点。表4.2给出了那些年间库亚巴河各观测站年均流量的完整记录,从中可以看出,从上游到下游平均流量趋于减少。表4.3则给出了每年30天低流量期的完整流量记录,由表4.3可以看出,从上游至下游,30天低流量值趋于增加,尤其在巴朗迪梅尔加苏和雷迪罗比瓜卡尔之间的河段。这些低流量值反映了河岸内水的流量,与看到的平均流量情况正好相反,这时的流量与溢出河岸的水的蒸发有关。

表 4.2　库亚巴河各测点年平均流量　　（单位:m³/s)

年份	巴朗迪梅尔加苏	雷迪罗比瓜卡尔	圣罗格	圣贾奥
	(1)	(2)	(3)	(4)
1971	224	206	202	197
1972	286	238	291	207
1973	323	280	269	232
1974	457	343	328	265
1975	384	324	311	250
1976	366	328	316	261

注:( )内为从上游至下游统计的测点数目。

表 4.3　一周内平均低流量　　（单位:m³/s)

年份	巴朗迪梅尔加苏	雷迪罗比瓜卡尔	圣罗格	圣贾奥
	(1)	(2)	(3)	(4)
1971	67.9	79.0	78.5	76.0
1972	79.1	88.2	89.1	89.1
1973	84.9	91.6	90.7	90.5
1974	113.4	122.4	120.6	125.9
1975	94.4	109.1	107.5	99.5
1976	98.4	118.1	117.2	112.4
1977	119.3	130.7	132.3	124.6
1978	95.5	120.7	130.4	116.7
1979	125.5	143.3	151.6	152.4
1980	120.8	141.9	151.2	145.7

注:( )内为从上游至下游统计的测点数目。

图 4.7 和图 4.8 显示了 1974 年洪水水量的减少,水文变化曲线表明各个河段流量都有很明显的减少。对位于巴朗迪梅尔加苏和圣贾奥之间的库亚巴河段 1974 年 3～4 月流量分析表明,流量减少了 62%。洪水期间,河水泛滥,洪水水量随流经距离的增加而减少;在旱季,河水不会溢出河岸,水量随流经距离的增加而增加,因为在流经洪水淹没区时不会有蒸发,并会得到地表径流的补充,尽管在有些河段这种补充量很少。

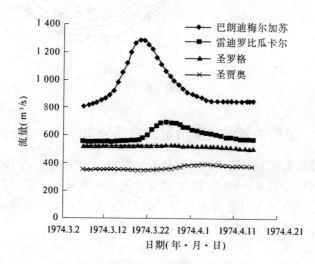

图 4.7 库亚巴(Cuiabá)河水文示意

图 4.7 和图 4.8 清楚地显示了当水从普拉纳尔多高原流至潘塔纳尔湿地冲积平原时,水的储蓄效应导致水文图曲线呈衰减趋势。这些水文学数据意味着,如果贯穿潘塔纳尔湿地河流的水运要得到改善,其下游流量必须增加,但同时要缩小洪泛区面积其代价就是造成这里生态环境的改变。

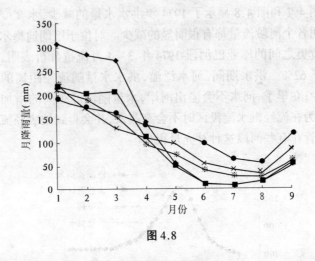

图 4.8

4.3.2　潘塔纳尔湿地降雨量的空间分布

　　巴拉圭河上游流域的降雨数据分析表明,湿季通常从 10 月份持续到第二年 4 月份,数值在不断变化。在流域的上游,湿季从 10 月份到次年 3 月份降雨量呈下降趋势(见图 4.9)。迹象表明,湿季降雨呈东西向分布,而且降雨量变化很大。

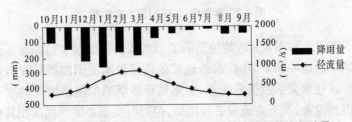

图 4.9　巴拉圭河在卡塞雷斯(Cáceres)的月均降雨量及径流量

　　图4.9和图4.10显示了从卡塞雷斯到圣弗朗西斯科在降雨量和平均流量最大月份的变化。在卡塞雷斯,3月份平均流量最大,处于湿季的尾期;而在圣弗朗西斯科,平均流量最大是在4、5月份,最小是在12月、1月和2月。在波德罗穆尔丁霍(见图4.11),平均流量最大是在6、7月,与上游降雨规律完全不符。在卡塞雷斯所观测到的情形,巴拉圭河流域的其他支流也普遍存在着,比如库亚巴河。

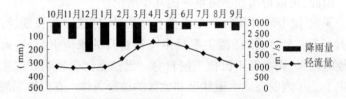

图4.10　巴拉圭河在圣弗朗西斯科的月均降雨量及径流量

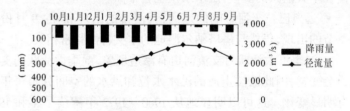

图4.11　巴拉圭河在波德罗穆尔丁霍(Porto Murtinho)的月均降雨量及径流量

　　数据表明,流过潘塔纳尔湿地冲积平原的水流很慢,因为巴拉圭河河道及其支流泄洪量小,因此造成了大规模的泛滥。

　　在普拉纳尔多高原,从10月份到次年3月份的湿季,河流蓄满或已经处于溢出状态。在降雨量低的4~9月洪水则逐渐回退,由于地下蓄水层水量和从洪泛区返回水量的补充,其总流量得以保持。在普拉纳尔多高原地区和河流注入巴拉圭河所流经的地区,河水溢向冲击平原的情况总是发生在湿季,这是当地的降雨和普拉纳尔多高原的水流造成的。而这时,巴拉圭河水上涨还不够或者还处于退水期。这种不同步要持续 2 ~ 3 个月。由于巴拉圭河水位较低,其支流的水可以很轻易倒流入巴拉圭河,而且不会引起水量陡然增加及随之而来的回流效应。

当支流开始进入退水期时,巴拉圭河的水位开始升高,并溢向洪泛平原,同时拦截其支流,使洪水长时间保留在受其影响的区域。

由此,可以得出如下最重要的几个结论:

• 巴拉圭河对其每个支流都有些影响,导致洪水长期泛滥。10 月至第二年 3 月,泛滥主要是由支流自身的水流引起的,而在其他时间里,则是源于巴拉圭河自身。巴拉圭河受影响程度主要取决于一年内的支流水道状况和地区的地形条件。在巴拉那河附近地区,因为降雨的季节特征不明显,两条河可能同时发生洪水。即使在不太活跃的湿季,洪水水位也会很高。

• 远离巴拉圭河影响的地区,其湿季的出现和 4 ~ 9 月份干旱季节的出现,仍然与潘塔纳尔湿地的水文特性紧密相关。

• 湿季不太活跃时支流河道有渗透现象,湿季太活跃的支流河道会变宽,因此巴拉圭河的洪水水位和洪水的空间分布每年都会有明显变化。这可以明显地从 1960 ~ 1972 年持续旱年和 1973年以来的湿年洪水中看出来。

4.4　这里的水文记录究竟有多大的代表性

巴拉圭河流域上游水文记录主要受自身暂时的代表性限制,流量记录尤其如此,仅有一个观测站拉达里乌从 1900 年就开始对水位进行了长时间的记录。其他的水位记录都是始于 20 世纪 60年代。

4.4.1 降雨量记录

有 6 个观测站点对降雨量作了长时间的记录(1947~1988年),但存留的记录数据是从 20 世纪 60 年代后期开始的。较早的一项研究(IPH,1983)分析了年降雨量和湿季降雨量的平均偏差与标准偏差,这些观测站点建立于 20 世纪 60 年代。所以现在研究使用的数据都是来自这 6 个站点长时间的观测记录。这些数据被分成了两部分,并相互进行了统计分析,以测试确定数据的同一性。测试结果表明,无论是平均值还是偏差值,6 个站点都有显著的差异,湿季降雨量在这两个阶段的记录中只有一个站点有明显的偏差,但这种偏差只在标准的 5% 以内时才有意义。

记录里平均 85% 的降雨是在湿季发生的,这个值比流域北部地区高,比有可能连续几个月只有很少甚至没有降雨的东部和南部地区低。图 4.12 显示了所分析的站点月降雨量的变化情况。在降雨季节性分配上,北部站点降雨比南部和东部的则更为显著。

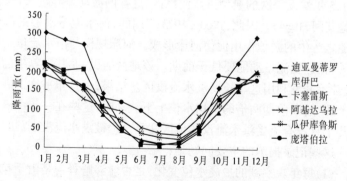

图 4.12 各站点降雨的季节变化曲线

4.4.2　流量和水位记录

对流失水量的水位记录数据进行分析,会遇到以下问题:

(1)只有一个站点有 1960 年以前的记录。

(2)河床的变化使得水位记录和比例曲线的有效性受到质疑。

(3)DNOS(维护这些站点的洪水治理的组织)在 1990 年停止了运作。部分而不是全部站点又重新开始工作,这些重新开始的站点的选取,不是出于水文工作需要,而是由成本因素决定的。

(4)大部分站点都没有在上游地区的变化曲线中,进行流出量测量。

与拉达里乌河的记录(1900～1993 年)进行比较,可以找到一种途径,以判断从 1960 年以来的记录是否具有代表性。图 4.13 给出了拉达里乌河全年记录中的最高水位,1900～1960 年间,水位年波动量最大约为 4m,而 1960～1973 年间波动量为 2m,1970～1991 年间波动量达到约 5m。对一个大多数河床都属于冲积型且每 1.5 年暴发一次的典型洪水淹没区,这样的波动差异过大(莱昂伯德艾阿,1964)。因此,1960～1973 年期间,河水流量动能的降低和随之产生的淤积作用促使河床形成。河床规模与河水流量动能相关,在这里流量动能要低于前期。该地区居民,尤其是养牛的牧民,开始开发利用这些长期洪水淹没区。结果,一旦年平均最高水位上涨,约以前期两倍的平均水位上下波动时,这些在一年中已经有几个月没有遭受洪水淹没的地区几乎全部被洪水淹没了。

这些记录揭示的主要问题是:

(1)每年观察到的最高水位变化,是否能够解释为是由于拉达里乌河河床变化引起的;

(2)是否有可能拉达里乌河的数值测量单位已经改变而没有被记录;

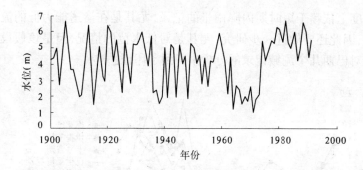

图 4.13　1900～1992 年间巴拉圭河在拉达里乌河的年最高水位

(3)每年最高水位变化,能够从多大程度上解释为是由于土地使用的改变和其他人类行为的结果;

(4)水位波动能被解释为是由于气候变化引起的吗?

既然没有其他记录可以与拉达里乌河记录的时间长度相比较,故对其他的水位和流量记录进行了分析研究,以确定这些变量的走势是否与拉达里乌河的相符。图 4.14 给出了来自几个不同地方的数据,它们没有单位,从图表中可以看出在 60 年代和 70 年代的变化很大。这就意味着拉达里乌河的河床,即使发生了变化,也并不能完全解释站点所观测到的每年最高水位为什么大幅波动。

为了回答上面列出的问题,将拉达里乌河水位变化与流域的汇流降雨量作比较。图 4.15 可以看出,一段时期内拉达里乌河的平均水位曲线和库亚巴地区降水量 3 天移动平均线曲线走势。图中给出了 60 年代期间和 1973 年之后的降雨量,尽管有较小的变化,总的还是遵循同一变化模式。变化量的差值主要是由两个变量的差值引起,并导致幅值的差异。

根据对这些记录的分析并不能否定一个假设,即拉达里乌河年最大流量的变化是由于气候变化引起的。鉴于这些研究在很大程度上依赖于短时期内降雨量的记录,尤其是在渗透能力低的流域,因此还要做进一步研究,尤其是对低水位的情况,但是该假设从对巴西几个流域记录的分析中得到了印证。

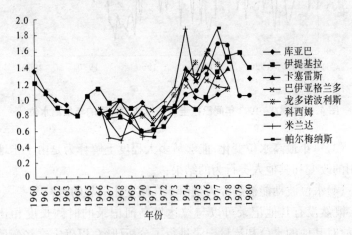

图 4.14 上游巴拉圭河流域现场实测一维流量曲线

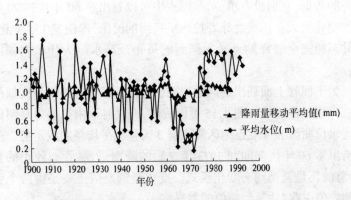

图 4.15 拉达里乌的移动平均降雨量及拉达里乌的水位(一维)的移动平均值

4.5   沉积物的产生和运输

因为当地人类活动和经济发展对环境的冲击,巴拉圭河流域上游沉积物的产生和转移受到高度重视。自 70 年代以后 10 年内,在普拉纳尔多高原各地以大豆为主的农作物种植显著增加,大大增加了土壤的侵蚀,并将大量的沉积物带入潘塔纳尔湿地。在巴拉圭河流域上游,短期降雨量的增加,造成普拉纳尔多高原地区水土流失。流失的水土沉积在流域的部分地带,并在潘塔纳尔湿地产生了大量的沉积物,由此减少了河道的沉积物运量。

在潘塔纳尔湿地地区,尽管已经建造了一些沟渠来控制洪水泛滥,但土地的使用还是受到了水文总体状况的限制。在洪水期间,洪水可能改变河道,但是一些土地所有者为了个人利益,会封堵新的河道,迫使其回到以前的老河道中,从而导致鱼类和其他水生物的大量死亡。伯格斯艾阿(1996)等描述了当水流从普拉纳尔多高原流出,穿越潘塔纳尔湿地时,水中悬浮物浓度不断降低。从源头的圣劳伦科河段的最大值 $1t/(d \cdot km^2)$,到塔库阿里河和巴拉圭河汇合处最大值减小至 $0.2t/(d \cdot km^2)$,这表明,大量沉积物沉积在潘塔纳尔湿地。作者估计左岸的支流带给巴拉圭河床的沉积物减少了 50%,而当巴拉圭河继续向前流动,预计沉积物又会减少 20% ~ 30%。

4.6   水质

该流域有一个水质监测网络,其站点扩大了对污染量的估计。到目前为止,来自生活和工业废物的污染都源于本地。在流域的大部分地区,即使有未经处理的污水,也足以被水中的含氧量自然净化。由于水量大,人口密度小,工业不够发达,因而污染的影响

很小。有时含氧量的水平会下降到接近为零,当含氧量大量减少的这种情况发生时,通常是由于如下水中自然因素作用的结果:

• 在洪水期,河水会冲刷河床,带来大量有机悬浮物。伯格斯艾阿(1996)提到,他们在收集数据期间,发现样品中经常会有树叶,而这些树叶的分解需要大量的氧气。

• 特别是在洪水发生初期,大量的植物被冲入河水中,它们需要很多的氧气来分解。

分解这些植物导致对氧气的大量需求,这样,在缺少氧气的河流,鱼类就会死亡。诸如采矿、农药使用、重新蓄水地区的污染等潜在的污染因素,正在被环境机构所监测和控制。

4.7　结论

巴拉圭河流域上游,尤其是在潘塔纳尔湿地的水文特性,既要保护环境,又要考虑到可持续发展产生的强烈影响。

在潘塔纳尔湿地,降雨量小于蒸发量,所以该地区存在雨量赤字;在普拉纳尔多高原地区,径流泛滥。当由于疏通河道和修建沟渠使河道泄洪能力增加时,潘塔纳尔湿地就和其他的湿地一样,面临威胁。广义上说,增加巴拉圭河流域上游的泄洪能力,就会减少驻留在潘塔纳尔湿地的水量,潘塔纳尔湿地就将会变为干涸地区。这种变化会在什么地方发生,怎样发生,在做出这些最终结论之前,需要做出更多的研究。本地区很微小的变化对本地区自身的影响非常有限,但多个这样微小的变化共同作用,就有可能改变该地区的气候特征。

另一方面,以上所描述的气候也强烈地影响到了潘塔纳尔湿地的居民生活,那些过去在 20 世纪 60 年代每年的 7～9 个月内都不会有洪涝期的农场,在最近的 10 年,每年只有 3～5 个月不是洪涝期,这使那些农场主不得不去修建一些沟渠,并且有一些已经建成了。但是,一些问题仍然没有答案:20 世纪 60 年代洪水泛滥地区水量较小,持续时间短,这是否属不正常情况? 在后来 25 年的水量曲线图上,不仅巴拉圭河上游洪水水位高,巴拉那河的洪水水位也非常高,这种情况会不会持续下去?

不管是气候变化,土地使用改变,或者是发展经济的需要,对于居住在可能会有这种变化发生的地区的居民而言,不管是在城市还是乡村,都有必要知道该地区洪涝的发生频率。因此应该能预测出洪水泛滥的时间和范围,以便居民能采取适当的行动来保护自己的财产和生命安全。由于洪水每年是逐渐上涨的,因此涝灾是可以给出预警的,允许如将牲畜从低处转移到高处,并提供食物供应等。

参 考 文 献

Borges, A., Semmelman, F., Bordas, M., and Simões Lopes, M. 1996. "Fluviomorfologia." In: *Hidrossedimentologia do Alto Praguay*. Instituto de Pesquisas Hidraulicas, UFRGS; Fundacão do Meio Ambiente do Meio Ambiente do Mato Grosso (FEMA/MT), Secretaria do Meio Ambiente do Mato Grosso do Sul, Ministério do Meio Ambiente(SEMA).

Hamilton, S. K., Souza, O. C., and Countinho, M. E. 1995. "Dynamics of floodplain inundation in the alluvial fan of the Taquari River (Pantanal, Brazil)." Proceedings of the International Society of Theoretical and Applied Limnology, 1995 Congress. Brazil; São Paulo.

Hamilton, S. K., Sippel, S. J., and Melack, J. M. 1996. "Inundation patterns in the Pantanal wetland of South America determined from passive microwave remote sensing." *Hydrobiologie*, January.

IPH. 1983. *Regionalizacão das Vazões do Alto Paraguai*. Instituto de Pesquisas Hidráulicas/Eletrobrás.

Leopold, L. B., Wolman, M. G., Miller, J. P. 1964. *Fluvial Processes in Geomorphology of San Francisco*. W. H. Freeman and Co.

Tucci, C. E. M., and Genz, F. 1996. "Comportamento Hidrológico." In: *Hidrossedimentologia do Alto Rio Paraguay*. Instituto de Pesquisas Hidraulicas, UFRGS; FEMA/MT; SEMA.

5　普拉塔河流域的水资源管理

（维克多·波查特）

5.1　绪论

普拉塔河流域广阔,地理和气候特征的多样性,河流流量、流域人口数量、经济的重要性,社会问题,历史发展和具有的潜能等方面,使其成为世界上值得深入研究的国际流域之一。关于它的组织机构已有多人谈到(卡努,1979;巴布瑞斯,1988;卡斯蒂洛德雷波德,1991)。然而,有一个方面需要进行更加详细的分析,因为它涉及到实际经验,这些经验不管是成功的还是失败的,都可以用在其类似的事情上。这就是它要解决的在该流域的组织体系里水资源专家们所应扮演的角色。

本文将通过对可划分为具有鲜明特点的各个阶段的组织体系近30年的历程,来展示该组织是如何逐步展开其工作的。

5.2　1967～1972年的组织:规则的差异和专家组

普拉塔河流域分布着5个国家的疆土——阿根廷、玻利维亚、巴西、巴拉圭和乌拉圭。这5个国家外交部长第一次会议于1967年2月在布宜诺斯艾利斯召开。

会议中,外交部长们发表了一个宣言,说"政府决定共同联合研究普拉塔河流域,着眼于实施跨国的、双边的和国际性的工程项目,以利于本地区的发展"。

作为第一步,他们成立了普拉塔河流域各国政府间合作委员会(以下简称委员会,CIC),其目的是为该机构制定章程。CIC 是由各国外交官所运作的一个组织,发表宣言的各国将任命他们各自的技术顾问。此外,宣言规定为实现流域整体发展的目的所进行的研究应当考虑下列与水资源相关的议题:发展和改进航运;建立新的河流港口,同时改进既有的河流港口;着眼于流域整体能源,发展水电开发研究;为生活、卫生、工业和灌溉用水,建立水资源服务机构;洪水治理和控制侵蚀;动物和植物保护。

1968 年 5 月在圣塔克鲁斯召开外交部长第二次会议期间,通过了 CIC 的章程,并授权 CIC 起草一部条约,以强化流域制度体系。与此同时,同意开展各成员国提出的有关具体项目的初步研究。在 5 个成员国共同参与的工程项目中,应当被提及的有:

A – 1 在玻利维亚境内的巴拉圭河上建设一个港口,使它与铁路网络相连(布什港口)。

A – 2 建设和使用地区水文气象站网络。

A – 3 编制流域自然资源和相关物种的目录,并分析它们的基本信息。

A – 4 研究需要解决的困难和将要开展的工程(疏浚,清除障碍物,设置信号标,设置浮标装置,等等),以实现永久通航,并确保它在巴拉圭河、巴拉那河、乌拉圭河和普拉塔河的维护工作。

……

A – 7 评估流域的鱼类资源。

关于成员国提出的具体工程项目,应当被提及的有:

B – 1 贝尔梅霍河和皮科马约河源头的管理。

B – 2 布宜诺斯艾利斯和蒙得维的亚港口的现代化研究。

B – 3 改造和启用亚松森港口。

B－4 与里奥格兰德港口体系结合的可能性研究和现代化研究。

B－5 研究桑塔露西亚河流域。

B－6 对萨尔多格兰德工程信息和工程竣工信息随时更新。

各国代表也推荐 CIC，就第一次部长级会议上表达出的统一和协调普拉塔河流域发展，研究并规划一项法规以适应其水资源使用和管理。

1969 年 4 月 23 日，在巴西举行外交部长第一次特别会议期间，各国外交部长共同签署了普拉塔河流域条约。条约的第一章的唯一段落，说："签约各方同意联合各方力量以促进普拉塔河流域的协调发展，并实现对该地区有直接和间接影响的区域物理上的统一。

"为实现该目标，将在流域范围内寻求有共同利益的领域，并促进其研究及各种项目和工程的开展，同时制定有必要的操作协议和裁决手段，包括有：

- 对航运提供便利和援助；
- 促进合理使用水资源，特别是通过管理水道和多方面平衡性发展；
- 实现保护和改善各种动物和植物的生活情况；
- ……
- 促进涉及到共同利益的其他工程的开展，特别是那些关于地区自然资源的储存量、评估和发展情况的工程；
- 进一步深入了解普拉塔河流域。"

在第一次特别会议，以及 1969 年 4 月同时进行的第三次常规会议期间，各国外交部长向政府间合作委员会提议组建一个专家组，以便于"对水资源这个主题进行更广泛的研究"，为了实现"各专家小组尽快地就研究议题的重要性和复杂性，提出各自的报告。"负责研究水资源的专家组于 1969 年 8 月 5～9 日在里约热内卢召开了会议。然而,由于工作议程没有达成一致意见,会议没有取得任何进展。阿根廷和乌拉圭的代表们坚持在圣克鲁斯建议之后对乌拉圭代表团于1968年12月呈交给政府间合作委员会的预备章程进行讨论,然而来自玻利维亚、巴西和巴拉圭的代表团则更倾向于用所谓的归纳法来开发已经一致认可的广阔地区,并阐明原始责任的要点和对其的看法。专家组向委员会提出申请,请求解释关于"在巴西利亚法案界限内的职责范围"。

各个国家也纷纷就流域发展将要用到的裁决办法,提出不同的方式。尤其是,来自阿根廷和巴西的代表团,在1970年3~4月(1992年,COMIP)会议期间通过演讲的方式,在委员会会议上提出自己的意见,继续交流各自的观点。

为了回应专家组的请求,委员会举行了一次专门会议,让代表们发表各自的观点。另外,巴西代表团继续与其他代表团的领队进行双边会谈。

这使得乌拉圭的代表们有机会为专家组第二次会议提出一个临时的议事日程。该文件建议,作为专家组的主要工作范围,应研究"广泛地,并以一种自发的方式,对涉及水资源的所有方面,特别是河道管理及其多方面的平衡发展"。为了达到该目标,专家组应当"找到涉及共同利益的区域,以进行进一步的研究,实施项目工程,并制定必要的操作协议或者裁决手段"。在确立了各任务的目标和将使用的工作方法后,议程详细说明了四个需要进行研究的基本主题:①交流水文资料和气象资料;②污染;③评估水文方面的影响;④在一国的或者多国的流域的水域开发工作。

专家组第二次水资源会议于1970年5月18~22日在巴西利亚举行。其结论是引人关注的,并且专家组将其作为议案提交给了政府间合作委员会。因为这是一个初期的并且是综合的会议,有些方面值得继续开会研究(1992年,COMIP)。

专家组认为:

在普拉塔河流域国家发展框架内,要继续交流水文和气象资料,实现观测技术标准化,设置并扩大观测站,同时考虑美洲国家组织(OAS)、国际水文组织和世界气象组织(WMO)的建议。

专家组建议国际合作委员会对流域的各国发出建议:

(1)扩大并改进他们的基本网络……

(2)为观测和交流水文数据,继续进行如下工作:

①在每一种气候地带的核心处,设置一个主要的气象站,不能只考虑它现在的经济重要性,而要着眼于网络的长远发展。

②气象站和降水站的建设与运营工作,要依据世界气象组织的规范进行。

③通过已经列于世界气象监测范畴之内的机构——巴西利亚地区气象中心和布宜诺斯艾利斯国家气象局,来交流短期和长期的气象预报。

……

(3)通过添置设备来努力建设有共同利益的站点,使得尽可能并且(或者)更容易地收集和交流水文气象信息。

(4)河流相互联通,有共享流域的国家间应达成协议,允许任何一方在一定时间一定地区范围内,使用非永久的、可移动的设备和装置进行流量观测,以更好定义边界区域的水系。

(5)在相互连通的河流(共有一大片水域),沿岸国家如有可能,可在选定的一个地区或者多个地区安装并且使用水文观测仪,各国都可使用该仪器进行观测,并定期交流观测结果。

(6)在所有连续相接的河流(无共享水域)边界部分安装水位记录仪,以图形形式连续记录该地点河流水位的变化情况;同时,在两国相邻的地方,在商定的时期内,邻国之间要相互提供观测结果的拷贝。

(7)通过流域各国专家们的联合行动,以建立标准,制定现场观察方法,观察记录统计分析技术和水域的特性判据等。

......

(9)通过相互间交流刊物,系统地披露所有被处理的数据。

(10)根据有关各方的决定,交流或者提供那些要被处理的数据,包括简单的观测数据、仪器的指示数以及设备的图形记录。

(11)尽可能地逐步交流普拉塔河流域的绘图结果和水道测量结果,以助于对系统进行动态描述。

专家组认为:

水污染控制是水资源保护使用政策中的一个必然组成部分,任何水资源开发项目都应当预先考虑如何有效控制水资源污染。

尽可能地保护地表水和地下水水质,这一点很重要。要防止受到新的污染,同时努力减轻目前的污染情况,以保证实现对它们的综合使用,其中包括提供饮用水和工业用水、灌溉用水、动物用水,保护和开发动物与植物,以及娱乐方面等。

在流域水资源预想的一些使用功能上,水污染因空间和时间而不断变化,应对其概念进行完整定义。

强烈建议在水污染控制领域开展广泛的技术、管理、法制上的经验交流活动。

专家组给政府间合作委员会提出了如下建议:

(1)立法和管理方面:

①建议各国在各自负责污染控制的机构的管理体系方面,相互交换信息,指出工作范围和采用的工作方法,以及有关的现行法制信息。

②委托专家组对普拉塔河流域各国水污染控制既有的立法和管理体系(国家的,州的,省的和市的)进行比较研究,如果可能的话,提出一个各国均能接受的共同文本。

③委托前面段落提到的专家组,对旨在防止普拉塔河流域地表水和地下水受到污染的实施程序与国际法律规程,进行审查并提出报告。

(2)技术方面：

……

②建议各国相互交流各自在控制水资源污染领域使用的技术信息、方法和工艺处理流程。

③建议各国开始建立研究中心，由研究中心来负责研究和改进对生活废水及工业废水的处理办法，同时进行人员培训并促进这一领域内专家间的相互交往和信息间的相互交流。

④委托专家组审查和定义下列准备付诸实施的技术建议：

建立统一的取样和分析方法，用于流域水污染控制项目中；

设置数目最少的一组参数，并相互交换，以利于在全球范围解决问题；

选择实验室，从而为这些项目的发展提供技术支持；

建立一定数量的取样站，特别是在每个国家的边界区域，以保证流域水体污染控制项目的跟进实施。

(3)污染控制项目：

①建议各个国家在他们各自的能力范围内，根据制度体系和管理体系，在各自范围内组织并实施有效的水污染控制项目；

②建议各个国家促进发展教育项目，以使居民能理解并重视保护流域水资源，以及充分认识到污染控制带来的好处；

③建议各国为处理生活废水和工业废水的设备建设提供必要的方便，同时采取措施提高工艺流程减少这些设备的成本；

④建议各国促进和鼓励开展研究并实施各种项目，旨在让污染水域的鱼类数量重新增加，同时在需要的区域重新植树造林，以降低或者消除水污染的风险。

专家组考虑到：

河流经济的水电开发有助于促进各国发展。

专家组建议政府间合作委员会倡导流域各国：

(1)促进开展边界地区双边联合研究，以找到最好的技术一经济解决方案,应用于这些流域的水电开发,并考虑水资源现在和未来的其他用途。

(2)在流域的非公共区域内进行水电工程建设和运营工作,不得对流域其他国家造成明显的伤害。

专家组的第三次会议分两阶段进行。第一阶段在 1971 年 6 月 29 日至 7 月 2 日期间进行,第二阶段在 1971 年 10 月 27～30 日进行。会议做出了重要的结论。

专家组认为:

各国对流经其本国领域的国际河流拥有主权,并可以采取它认为有利于本国利益的措施;

但是合法的拥有权并不意味着,对其领土的开发使用,可以导致同一个地理流域内其他国家受到明显的伤害;

同时,在使用国际河流方面已经有公认的亚松森宣言,它的第二段说:"连续的国际河流内,在没有主权共享的地段,各国在不对流域其他国家造成明显伤害的前提下,能够根据自己的需要充分利用水域";

亚松森宣言所涉及到的不是水电工程的建设阶段,而是针对这些水电工程运营时所产生的后果;

普拉塔河流域条约的第五章说:"在国际法和'睦邻友好'原则指导下,签约各国共同行动以推进这些工程项目在各国的实施";

在许多美洲国家间的文书中,已确认并重申了"睦邻友好"原则的效力,强化该原则,以管理普拉塔河流域资源整体开发的各项活动;

这个基本原则的有效应用体现在各国在充分利用其共享河流时,要承担职责,防止和避免对流域其他国家造成损害,同时忍受可能由实施这些工作所带来的小的不便之处;

这些原则的执行应当进行充分的宣传,当涉及到公众时,项目的执行结果要让公众完全满意,例如巴西的朱比亚大坝水库蓄水工程。

因此,专家组建议政府间合作委员会:

各国在连续的国际河流中,在属于自己的领土范围内开展水电开发项目时,水库工程项目的运作程序和蓄水工作,要借鉴类似巴西朱比亚大坝的实践经验,工程相关的技术数据要向公众公布,并对它们进行调整,以符合上面提到的规则和原则。

政府间合作委员会批准了以上来自专家组的各项建议后,巴西和阿根廷的代表们给予了补充,以阐明"朱比亚的实践"在那项建议中所包含的内容。而那时,观念上的差异非常大,因此有必要对其细节进行分析。在1972年3月22日召开的政府间合作委员会(CIC)会议上(第152号会议纪要),来自巴西的代表说:"实际发生的情况是:

(1)就朱比亚来说,根据波萨达斯通航情况,巴西政府单方面地采取行动,延长了水库蓄水时间,以确保河流的通航能力。在水库蓄水阶段,最小流量约为3 050m³/s。

(2)在那个阶段,巴西政府总是让工程有关方面的信息发表在布宜诺斯艾利斯和圣保罗的重要报纸上,因此如果政府间合作委员会(CIC)即使想勉强同意通过这一带有建议性的法案,那也是以后的事了。"

另一方面,阿根廷代表表示(第155号会议纪要):

……我的代表团希望对巴西大使的宣言进行补充,以向各位代表们表达一个准确的信息,说明朱比亚水库蓄水时到底发生了什么。他说:

(1)受巴西电力公司邀请,在特别友好的气氛下,阿根廷普拉塔河流域国家委员会主席奥斯卡·路易斯·拉瓦和他的技术顾问、工程学专家朱利洛·佛萨蒂,1968年8月19~28日访问了巴西费尔纳斯、埃斯特罗、朱比亚、所特索塔罗和卡皮瓦瑞—卡其瑞拉水电站。

(2)1968年8月28日访问朱比亚水电站,在以前的各次访问中,随着实验室和建设地点的完成,巴西技术人员已经向阿根廷同事通报了水库蓄水将要采取的办法。

(3)一个半月以后,1968年10月3日,奥斯卡·路易斯·拉瓦和工程师朱利洛·佛萨蒂与埃博托·韦拉瑞琪,访问了里约热内卢的巴西电力公司,并向该公司的管理者和专家们表达了对朱比亚的水库蓄水工作的关注,因为蓄水期间,该地区正在经历严重的干旱。基于在波萨达斯市所测量的三个典型年份的流量数据,他们担心如果巴拉那河在波萨达斯市的流量小于7 000m³/s,则可能会中断吃水深度为1.22~1.53m的船只通航。

(4)巴西和应邀的阿根廷工程师们经过合作研究,从多方面详尽地考虑了这个问题,在一个融洽的氛围中,巴西能源方面权威人士决定采取下面的措施:①在朱比亚填注水库期间,CESP将保证不少于3 050m³/s的流量,这将确保吃水深度为1.22~1.53m的船只在波萨达斯能持久通航;②水库蓄水时间比预期的长,要充分考虑流入量和流出量;③为了便于跟进和实施观察研究,除了通知居住于沿岸的本地居民之外,在朱比亚和波萨达斯观测到的流量数据还将每天在圣保罗和布宜诺斯艾利斯的主要报纸上公布。

(5)在1931~1959年(选定的典型干旱期)最干旱年份的10月和11月,已经证明,对吃水深度为1.53m的船只,其通航被中断的时间大约占同期干旱年份总时间的40%。基于这一事实,在采取这些措施时,巴西权威人士考虑到了前面已经提到的阿根廷技术人员所关注的有关问题和研究工作,并根据这一事实,即在天气普遍干旱的月份里,波萨达斯的流出量仍非常大,而朱比亚流出量可能会减小。

朱比亚蓄水开始于1968年11月25日,而水库在1969年1月22日达到了它正常工作水位。期间,除了1月21~22日这最后两天之外,CESP始终保持流出量大于3 050m³/s,而最后这两天例外,流量只有 2 680m³/s 和 2 770m³/s。

随后,政府间合作委员会被允许继续召集这些专家组开会,以研究前面提到的在圣克鲁斯举行的第二次内阁会议上提出的工程项目。因此,1972 年 12 月在蓬塔德尔埃斯塔举行的第五次会议上,A－7 项鱼类资源工程被启动,接着,除其他工程外,还启动了A－4 项通航工程。

5.3　双边和三边协议(1973～1983 年):基础领域工作组

1973 年,出现了一种新动力,它促进了争端的解决,同时推进了双边和三边联合工程项目的实施。1973 年 4 月 26 日,巴西政府和巴拉圭政府签署了伊泰普条约。同年 11 月 19 日阿根廷政府和乌拉圭政府签署了普拉塔河流条约,并建立了两个委员会,分别负责管理河流和领海。同年 12 月 3 日,阿根廷政府和巴拉圭政府签署协议(巴贝瑞斯,1988),创建了雅克雷塔两国实体组织。

1975 年 2 月,阿根廷政府和乌拉圭政府组建了乌拉圭河流管理委员会。在 1980 年,巴西政府和阿根廷政府同意共享乌拉圭河共同拥有的水域,同时决定联合修建加拉比大坝工程。

这些国际条约使普拉塔河流域机构体系发生重大变化,促使巴西利亚条约所建立的组织,与前面所提到的两国委员会和实体联合。在 1973 年以前成立的组织中增加了一些组织:如萨尔多格兰德联合技术委员会(由乌拉圭和阿根廷共同建立,以实施 1946年确定的联合工程)以及普拉塔河阿根廷—巴拉圭联合委员会(负责管理共享水域和 1971 年确定的科普斯克瑞斯蒂工程)。

1979 年 10 月 19 日,阿根廷政府、巴西政府和巴拉圭政府签署了科普斯和伊泰普三方协定,其目的是建立规范以协调巴西和巴拉圭在巴拉那河上的伊泰普项目及阿根廷和巴拉圭科普斯项目的建设。

这个协定是两次以技术为主题的会议结果,这两次会议分别于1977年9月22～23日和1977年11月17～18日在亚松森举行。三国代表还召开了两次会议,一次与外交有关,1978年3月14～15日举行;另一次以谈判为主,在4月27～28日举行,完全是技术问题。可以说,该协定具有重要的历史价值,因为它结束了有关巴拉那河能源利用问题的争论。

在这个双边和三边活动开展的同时,在政府间合作委员会范围内的工作仍在继续进行。1975年5月在科恰班巴举行的第七次内阁会议中,决定将政府间合作委员会进入到基础工作领域分组行动,以响应"第2号水资源和其他自然资源",同时组成了为"A-4通航"、"A-7鱼类资源"和"水资源"项目服务的专家组。

基础领域2的工作组(WGBA2)于1976年11月2～11日召开了会议,并提出了许多建议,其中,要注意有关水资源污染问题的大量专业术语。1977年10月召开的一次会议中,成员们设定了应当遵循的水质质量评估参数,制定了应使用的技术手段,以及编写各项行动的大事记。

与此同时,1978年10月,政府间合作委员会召开了(WGBA2)鱼类专家小组会议,其目的是讨论"在普拉塔河流域实施项目开发以成立水生生物研究中心"。该小组制定了相应的照会期,同时建议政府间合作委员会在1979年初召开与来自于水生生物资源和渔业立法委的专家组会议,以对该工程进行规划。

1980年7月,WGBA2会议,组建了水生生物小组。该小组对多个项目进行了分析,其中包括一个水生生物研究项目。同时,该小组还向政府间合作委员会建议,制定章程,规范共同使用的方法,同时规定优先发展以下领域:①鱼类资源——对鱼类、食鱼生物和水域进行分类;②大陆架的水生生态系统;③水体质量。

1982 年 7 月,召开了基础领域 2 的工作组(WGBA2)水体质量工作小组会议,建议政府间合作委员会应当让各国加大对第十一次内阁会议(1980 年 12 月,在布宜诺斯艾利斯召开)所做出的决议的履行力度。该决议专用于以下方面:①确定将被纳入到控制方案中的水体质量参数;②采用恰当的方法进行分析或者决策;③在每一个国家选择一个或者多个参考实验室。

1978 年 4 月,政府间合作委员会要求各国成立水文气象中心,以接收和传送水文气象信息。1979 年 10 月,召开相应的专家组会议,目的是筹备一项工程,以组建普拉塔河流域水文气象数据中心。在那次会议上,专家们决定向政府间合作委员会提交建议,即政府间合作委员会应当要求美洲国家组织(OAS)更新 1969 年出版的普拉塔河流域水文和气象数据目录。

1981 年 7 月,基础领域 2 的工作组(WGBA2)工作范围,包括合作研究该流域水的特性,其与巴拉圭河洪水泛滥的关系,以减轻洪水的影响。1980 年 12 月在布宜诺斯艾利斯举行的第十一次内阁会议上,委托政府间合作委员会负责该项工作。

紧接着乌拉圭代表团提出了一项建议,把研究范围扩大到流域的其他河流,并建议政府间合作委员会提醒各国有必要建立中心,以接收和传送水文气象信息,并同意遵循为交换这种信息而制定的流程和规程,各国所提供的信息中涉及正在使用的洪水预警系统和国防组织系统的,应当向其他成员国阐述清楚。

1982 年 7 月,基础领域 2 的工作组(WGBA2)要求政府间合作委员会召开专家会议,指明各成员国应重视建立一个适当的水文气象网络,并以此作为基本指导,更新由美洲国家组织(OAS)所编制的水文和气象数据目录,同时研究各国数据库的兼容性。

5.4　流域机构系统的修订(1984～1996年):技术部分

1984年12月在召开的第十五次会议上,各国外交部长同意《蓬塔埃斯塔宣言》,由于这个宣言又召开了外交部长特别代表或者副部长特别会议,该会议的目的是分析并评估普拉塔河流域政治机构组织状况同时确认:①已取得的成绩和已完成的工作;②已经被采纳但尚未完全执行的决定;③组织系统所遇到的困难,要根据其起因和实质进行客观地分析。另外,还将分析"目前系统机构和组织是否能达到普拉塔河流域条约的预定目标和预期目的"。

政府间合作委员会组织了一个专职工作组,其目的是应对上述所说的①、②项和③项。1985年7～10月召开了一系列会议,为系统的运转编制了一个分析报告,以找到促进它重新发挥作用的条件,并在条约精神和外交部长会议决议所达到的阶段内,对已取得的成绩和已完成的工作进行仔细调查。

1985年11月18～19日,召开了外交部长特别代表或者副部长特别会议,将分析报告作为指导方针,并决定重新激发组织系统的作用,赋予它更大弹性的实际操作权,将各方的努力都集中到"水资源和其他自然资源"、"通航"、"河流和陆地的运输"以及"边境合作"4个重要主题上。

1986年4月在布宜诺斯艾利斯举行的第二次外交部长特别会议形成了No.2号决议(Ⅱ-E),它要确定以下事情:

议题:

那次内阁会议已经重新强调普拉塔河流域条约的目标和目的,并作为该领域的人民联合、合作和发展的法律文件,同意对该系统的政治机构状况进行分析和评估;

政府间合作委员会所批准的分析报告 1/85 定义了组织系统以后运转的基本标准：

①实用主义,目标是通过使用更有效的运作机制,促进成员国间的合作;

②紧密的技术合作,就前面被确定的主题,在有能力的国家组织间直接沟通;

③联合各方力量,用于优先考虑的主题,以更好地实行条约的目标;

④弹性的工作,对参与的成员国集中处理各种专门的或者部分的双边或多边协议。

审查系统目前的结构和机构组织情况,以便于 CIC 秘书处开展技术工作,以支持、促进和协调各成员国开展的互惠合作行动。

决定:

(1)为执行政府间合作委员会所批准的分析报告 1/85 中的基本标准,实用主义原则将同意该文件内容,并根据实际发展情况修改完善。

(2)根据条约条款,已达成的具体的或者部分的、双边的或者多边的协议,处于开放状态,便于其他成员国最终完成,这样对其潜能会带来更大的价值,以实现流域总体目标。

(3)对那些需要优先考虑的主题,应集中各成员国的力量共同努力,保证普拉塔河流域条约范围内的工作更有效率。需要优先考虑的事情将包含在报告 1/85 中所定义的主题中(水资源和其他自然资源,航运,河流和陆地运输的以及边境合作)。这种优先考虑并不排除条约第 1 章的唯一段落中所描述的其他议题的特点。

(4)在有能力的国家机构间,通过直接沟通的方式进行技术合作。为此,各政府应通知政府间合作委员会各领域内各国相应的负责部门。

同样,与第二次特别会议同时召开的第十六次外交部长会议上,轮值担任政府间合作委员会秘书处的国家,应任命其国内的有关组织作为相关领域的"技术部",负责特定项目,并建立水文预警系统。政府间合作委员会将委托秘书处召开各签约国所指派的技术专家特别会议。

决定还要求各国政府指定本国组织与政府间合作委员会沟通。该组织将作为技术部门,其主要目标是检测流域国际河流的水质量。

1986年4月4日,第二次特别会议对该报告审查的结果,发表了《布宜诺斯艾利斯宣言》。宣言决定,为正在进行的具体活动起草《具体行动纲领》,并根据No.2号决议(Ⅱ-E)中实用主义方式的总体优先度,确定一组特定的项目工程。

该纲领由1987年12月在圣克鲁斯举行的第十七届部长会议批准,并决定在第二年进行试运行。涉及水资源方面的项目有下列几个:

Ⅰ-1水文预警系统;

Ⅱ-1流域水域水质量控制;

Ⅲ-1区域性土壤保持规程;

Ⅲ-2土壤资源和其他自然资源区域文件库;

Ⅳ-1航道的标注;

Ⅳ-2航道质量的提高;

Ⅳ-3沿河观测站和信息联网;

Ⅳ-4促进航运发展。

对每个项目,都制定了总体战略和短期中期的目标,确定现存的条件,并制定工作计划。

水文预警系统技术部已分别于1986年10月、1987年4月、1988年6月、1990年4月和1993年4月一共召开了5次会议。1986年10月20~22日的第一次会议,研究启用水文预警系统。

为此,各国相关机构和组织应负责资料的相互交换,以实施水文预警系统中心的建设工作。组成该预警网络的各观测站点,最初分布在贝尔梅霍河、皮科马约河、巴拉圭河、巴拉那河、伊瓜苏河和乌拉圭河上,并在这些站点数据的交换上达成了一致,确定了正常、紧急和特殊条件下信息传递的周期。中心还希望得到流域不同地点水位高度和(或)流出量的预报值,并决定与之交流各种既有预报方式的结果。中心还考虑向普拉塔河流域基金会(FON-PLATA)或者一些其他的融资渠道求助以扩建或改建网络基础设施,或者促进信息在负责任的组织中传递。

1987 年 4 月 20 ~ 22 日举行了第二次会议,其目的是评估水文预警系统的运行情况,同时采取必要的措施加以改进。针对自前面会议召开以来所发生的问题,拟定了一份报告。工程现在已经进展到新观测站点的安装阶段,以及对网络的最终修改和增加可能的新站点阶段。水文预警系统的中心还向政府间协调委员会建议,工程融资应当引起各方重视以改进设备和设施,并促进国家间的技术访问和交流。

1988 年 6 月 27 ~ 28 日召开了第三次会议。会上先交流了水文预警网络的工作状况,评估了自上次会议以来的工作情况,之后,研究了如何通过普拉塔河流域基金会(FONPLATA)为系统融资的办法。会上还讨论了网络修改、洪水信息传递频率、发送预报和历史数据的交流等。会议在《具体行动纲领》的正确指导下,取得了进展。

1990 年 4 月 25 ~ 27 日召开了第四次会议。会议主题是:交流已经认可的水文信息、网络最终修改、信息传递频率、预报的提供、技术转让以及对具体工程及其融资进行分析。会议以年度进展报告和《具体行动纲领》Ⅰ.1 项目的评估而闭幕。

水体质量技术组于 1986 年 10 月、1987 年 4 月、1988 年 6 ~ 7 月、1990 年 4 月、1991 年 8 月、1992 年 3 月(两次特别会议)和 1993 年 4 月一共召开了 7 次会议。其中第一次会议于 1986 年 10 月 23

~24 日召开,推荐将要采用的措施,评估流域内国际河流水体质量,防止水污染。

在阐述了前述有关各国所执行的工程项目及涉及到的制度法规方面的各种活动后,决定由各国对各种用途质量标准的可用信息进行评估(用于人类消耗的、先前传统的处理方式、娱乐活动所直接接触到的、农业和牲口的饲养活动以及水生生物保护和发展),并将先前外交部长会议决议所批准通过的参数纳入到考虑范围。该评估将决定所要建立的一个质量评估系统各个基本方面的定义,还包含了将要测量的参数、取样的频率、取样的站点,以及信息收集和处理机制。

在 1987 年 4 月 23~24 日召开的第二次会议上,决定采用最小评估网络。在这个网络中,初级阶段每个季度取一次样品,以遵循由各代表起草的指导方针所确定的实施机制。同时,同意优先考虑工程项目融资,以便建立选定的取样站点,加强技术援助和合作。

第三次会议在 1988 年 6 月 29 日至 7 月 1 日举行。在汇报了流域内河流不同水域监控工作之后,会议决定,要继续对在前次会议中采用的最小网络实施情况进行观察,如果可能的话保持每个季度一次的取样频率,建议应将新参数纳入有效数据行,并提出了一系列采取联合行动的建议,同时讨论了紧急情况下的信息交流。

第四次会议在 1990 年 4 月 18~20 日召开,会议为规划《普拉塔河流域水质量网络操作和评估指导办法》组建了一个工作组。该项工作也是会议日程中重要的项目,并为此制定了公共指导原则,建议各国各自制定相应规划,并针对流域自身建立总体规划。

1990 年 6 月 5~8 日,工作组召开会议,就前期已确定的指导方法所做出的非常详细的建议书,进行了讨论和批准,批复了公共文书,并提交给未出席会议的巴西代表审查。

1991 年 8 月 12~13 日技术部召开特别会议,批准了指导方法，并同意将建议提交给外交部长委员会会议。在最终批准后，委员会决定将此作为联合国大会环境开发署 1992 年里约热内卢会议的献礼。

1992 年 3 月 19～20 日，在另一个特别会议上，各成员国代表团成员将在流域很多区域暴发流行的霍乱疫情作为特殊目标。会议的议程包括以下项目：采取紧急预案、检测水域霍乱病菌的方法、确定流域河流内污水排放地点、日均排放量、处理方法，在各个国家设立合格的实验室网络、各组织利用预警系统通报污染事件。

1992 年 12 月，认识到有必要"使政府间协调委员会和技术组适应地区一体化进程中出现的新形势"，部长批准为政府间合作委员会建立新的章程，使它具有如下特性：

审查、批准和实施工程项目，业已在普拉塔河流域第一章的唯一段落中所要求的研究项目、特殊项目，及与其相关的活动，并确定优先权；

更新和改革《具体行动纲领》；

遇到特殊任务时，召集技术组或者工作组举行会议⋯⋯

政府间合作委员会的结构调整后，第一次会议是水质和水文预警专家组于 1993 年 4 月 28～30 日召开的联席会议，与会代表来自各国际组织，在技术和财务方面有很强的合作能力（美洲国家组织 OAS，联合国教科文组织 UNESCO，世界卫生组织 PHO/WHO，世界气象组织 WMO，普拉塔河流域基金会 FONPLATA，IICA）。在问及前期工程参与的可能性和提供财政支持时，国际组织和地区合作机构的代表，对各自组织中相关项目的进展情况进行了汇报。

技术组分成两个工作小组，它准备了两个前期项目，以应对各国和地区的需求。一个小组负责对水质和污染控制，另一个负责水文预警。随着两个前期项目工作的开展，普拉塔河流域基金会和美洲国际开发银行（IDB），开始考虑对其提供项目融资。尽管 1993 年 4 月召开的会议与政府间协调委员会新的发展阶段不谋而合,代表们还是表达了他们对预期效果的满意,至此,技术组再也没有召开过任何会议(1996年12月),而双边和多国组织的活动却非常活跃。

上述所评述的20世纪70年代的运作模式,可以看做是以下这些运作模式的重复:1993年9月阿根廷和巴拉圭建立的皮科马约河下游流域的双边管理委员会,1995年2月阿根廷、玻利维亚和巴拉圭建立的皮科马约河流域三国开发委员会,以及1995年6月阿根廷和玻利维亚建立的贝尔梅霍河和塔里哈的格兰德河上游流域开发双边委员会。

在航运领域,巴拉圭—巴拉那河道(卡塞雷斯港—帕尔米拉港)政府间委员会(ICW)一直非常活跃,它由河道沿岸的5个成员国组成。既然这样,有必要提到的是,该河道委员会(ICW)于1991年10月被纳入普拉塔河流域条约体系中;尽管该河道委员会(ICW)的体系结构得到保持,但直到1992年12月其章程才得到外交部长会议的批准。

5.5 结论

从以上的论述可知,各专家所付出的努力值得大力赞扬。他们来自与水资源相关的不同领域,应对像普拉塔河流域这样复杂系统的挑战,他们掌握了在正常和特别情况下的河流特性,并运用这些扎实、渊博的知识,努力寻找基本问题的解决方案,找到最恰当的方式开发利用河流,保护流域质量。这种努力取得了积极的结果,比如水文预警系统持续工作了十多年,没有中断过,它每天都在时刻准备着应对特殊情况的发生,例如1992年大洪水。

此外,还应指出,专家组联合努力,编制了《普拉塔河流域水质量网络操作和评估指导方法》。

然而,必须承认,困难在不断出现,这些困难制约了很多有意义的方案和项目的实行,有的只完成了部分工作。

这些制约因素源于该流域组织制度自身。就像巴贝瑞斯所指出的,组织机构由三个层次组成(外交事务部长级会议、政府间合作委员会、专家组或技术专家),而它们的运作却不尽如人意,根本的一点就是缺乏永久性技术组织。政府间合作委员会是由外交官组成的,所接受的培训决定了他们不能深入考虑各项建议和决定的多个方面。这种情况日益明显,不得不提出科学、技术知识支持团体的需求,以便支持他们作出正确的政治决定。

尽管如此,以前的工作组和现在的技术组都不能弥补这种不足。很多时候,专家组不完全是由技术专家组成,其中还有外交官的参与,这种情况导致每次讨论都像是在谈判,渐渐背离了科学方法。

代表团经常提供大量的公文和提案,在短暂的会议时间内专家不可能仔细阅读和分析所有的事项。因为不能审查完所有提交的材料,常常会延期作出决定,或采取折中办法,将文件分配到各国进行审批,以寻求一种政治上的平衡。另一个缺陷,就是外交部长会议和政府间合作委员会所做的决议,都带有建议的性质,因此缺乏法律上的强制性(巴贝瑞斯,1998年)。若某项决议的内容不是外交部长会议力所能及的,那么各国技术组织对此项决议一般不会太理会。

缺乏专门基金作为项目运作的经费。因为一些专家是来自提供经济支持的组织,虽然有可能达到目标,但财政预算中并未包含他们开展活动所需的资金。另外一种情况是,虽已经承诺要提供资金,但由于缺乏与之相适应的项目,资金常不能真正到位。这样导致专家们只能花很短的时间来完成任务。根据巴西条约开发普拉纳河流域的活动,由于缺乏资金,现已丧失了其原有的活力,最近流域所取得的成绩主要来自双边或多边委员会或实体。

为了能实现外交部长会议的最初构想,振兴流域组织,必须寻求途径解决上述问题,然而在寻求解决问题的方案时,必须要考虑各成员国最新发展现状。首当其冲的是,流域 5 个国家中的 4 个所达成的有关协议。阿根廷、巴西、巴拉圭和乌拉圭,已经同意设立南部共同市场(Mercosur),而另外一个国家——玻利维亚,很快也会加入。

该组织,目前还没有一个清晰的整体概念。它主要在商业领域发展,尽管它对与之紧密相关的部分问题,如各成员国能源一体化等进行了分析,但是它不可能解决很多其他问题,例如流域河流的利用和保护等。

另一个问题是,多年来由国家控制的活动要实现私有化。目前普拉塔河流域的水利工程有的已经建成,其通常由国家、国有企业或双边国家组成的实体来运营,私人公司不属于合同承包方。

在阿根廷私有化进程已经开始实施,这种模式可能或多或少地会在该流域的其他国家推广实行,这意味着阿根廷国家水利设施将被私人财团控制。私有化的提案的特点还在讨论中,如雅克雷塔和萨尔托格兰德双边开发项目。

如果巴拉那河阿根廷—乌拉圭联合委员会已经研究了将科普斯克里斯蒂开发项目的建设和运营工作全部私有化的可能性,那么,贝尔梅霍河和塔里哈的格兰德河上游流域开发双边委员会,最近进行的拉斯帕瓦斯、阿拉扎亚和康巴瑞工程邀请投标工作应该预见到这些新的现实,而这种新情况在流域机构创立之初,肯定没有预见到这种情况的发生。

在航运领域,可以预想到私人的参与将会非常活跃。在圣塔菲和布宜诺斯艾利斯之间的普拉塔河流域的清淤、维护和设置浮标工作的特许权,已转让给私人财团,这在私有化方面迈出了第一步。

在水供应和卫生领域,也有不同形式的私人参与趋势。这个私有化的过程意味着国家实体的减少或者消失,其中可以找到那些负责实施水文网络的实体。在另一方面,它也意味着新角色、拥有特许权的公司和各种控制实体的参与。这种新情况也涉及到水资源方面的一些措施,是该地区所面临的新现实。显而易见,水资源重新评估已经成为一个趋势,许多老问题又遇到了新情况,如那些导致在这个地球很多领域里稀缺的因素等。在国际会议上,特别是在水资源环境国际大会(都柏林,1992 年 1 月)、联合国大会环境和开发署会议(里约热内卢,1992 年 6 月)以及国际信贷机构的工作程序中,这种重新评价已经非常必要。

如果考虑到在通信、信息收集处理和表达方面的技术进步带来的好处,普拉塔河流域体系需要的更新和修订工作,就会有很好的前景。这是一个很好的能仔细分析现存机构机制的好时机,并通过该分析,进行必要修改以提高其效率。

其将面临的挑战是非常巨大的。应支持采取正面的行动,促进流域各国以共同的"水文"一致行动。而如果以整体概念重新恢复流域工作,并考虑未来的发展需共同努力工作才是真正目的的话,就有必要看得更远,更加充满信心(泊查特,1993)。

要设想一种机制,这种机制能促进联合工作,促进各种努力互为补充,并将各种领域分散的经验聚集起来,还要考虑旨在开发流域潜能的各种规划活动,同时还要兼顾到新区域和全球的现实情况,满足需求的多样性。超越外交接触固然非常重要,因为它为解决问题打开了许多大门,但如果要将它落实到具体的行动中去,还远远不够。

技术专家总是有机会自由应对,因为他们有能力分析问题,扮演一个可能并非折中的角色,并且,他们有机会和责任对每一个具体问题仔细分析以寻找符合实际的解决方法。当他们坐在同一桌前来规划大家共同的未来时,比较而言,应该会带来利润。这样,普拉塔河流域 5 个国家的技术人员,由于他们荣幸地参与这个非凡的和重要的工作,至少在某些方面将得到回报。

参 考 文 献

Barberis, J. A. 1988. La Plata River Basin. Interregional Meeting on River and Lake Basin Development with Emphasis on the Africa Region. Addis Ababa.

Cano, G. J. 1979. *Recursos Hídricos Internacionales de la Argentina*. In: Víctor P. de Zavalía, ed. Buenos Aires.

Comisión Mixta Argentino-Paraguaya del Río Paraná (COMIP) 1992. *Aprovechamiento Energético del Río Paraná*. *Documentos y Tratados*. Buenos Aires.

del Castillo de Laborde, L. C. 1991. *El Tratado de la Cuenca del Plata*, *un Sistema en buscade su Definición*, 17 Curso de Derecho Internacional, Comité Jurídico Interamericano, OEA, Washington, D. C.

Pochat, V. 1993. *Gestión de Cuencas Internacionales*, 10 Simpósio Brasileiro de Recursos Hídricos y I Simpósio de Recursos Hídricos do Cone Sul, Gramado.

6　普拉塔河流域环境管理

(牛顿·V·克尔德罗)

6.1　绪论

　　普拉塔河流域是一片幅员辽阔,面积仅次于亚马孙河流域的河系,其自然资源对南美洲的经济和社会福利至关重要。该流域由三条主要河流组成,流域面积约为 310 万 km^2,约占南美洲陆地面积的 20%,河流最后注入大西洋。该流域约有 140 万 km^2(或45%)位于巴西境内,30%位于阿根廷,13%位于巴拉圭,7%位于玻利维亚,5%位于乌拉圭(见图 6.1)。

　　这个巨大的流域拥有丰富的自然资源,特别是水资源和土壤资源、矿床和大片的森林资源。对于流域 5 国中的任意一国来说,已开发的大部分农业和工业区域都位于该流域内,产值占国内生产总值的 80%。该流域,特别是在阿根廷和玻利维亚区域有着重要的石油和天然气资源,并有着广阔的水陆运输网,从政治上和经济上将普拉塔河流域各国连接在一起。

　　在水资源方面,普拉塔河流域包含了拉丁美洲一些最重要的大坝(例如,伊泰普、雅克雷塔和萨尔托格兰德)。这些水电站都是在过去的 30 年间建成的,装机容量已达 42 000MW,水库中蓄水量约 350 000hm^3,其中 1/3 用于发电和其他用途。该流域还包含了世界上最大的蓄水层(瓜兰尼),它位于巴拉那流域,有 120 万 km^2的水层体系。估计该蓄水层的优质水储备量为 50 000km^3,适于家庭和工业使用。

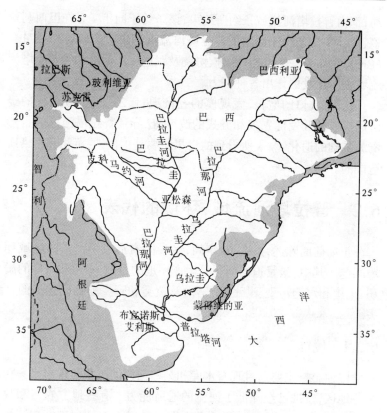

图6.1 普拉塔河流域示意

巴拉那河、巴拉圭河和乌拉圭河是天然水道,沿着该水道可以将货物运输出口和消耗。巴拉圭—巴拉那水道起源于巴西,下游流至布宜诺斯艾利斯和蒙得维的亚,形成南美洲南部锥形区一条最重要的国际航运路线。这个水道是该地区正在进行的经济一体化与合作的重要组成元素,同时也是讨论的焦点,因为流域的各种开发活动对环境有着潜在的巨大的负面影响。

自1969年以来,流域大部分开发活动和物理上的一体化活动,都由普拉塔河流域条约所约束,该条约于同年 4 月在巴西利亚签署。同时,条约还创立了普拉塔河流域国家政府间合作委员会(CIC),它作为一个机构,促进、协调及跟进多国活动和为普拉塔河流域一体化发展作出各种努力。

然而,人口的增长、大规模的经济项目、20 世纪 80 年代的经济危机以及开发优先权和方式的改变,已导致普拉塔河流域自然资源基础的退化,今天所看到的后果主要是由侵蚀、沉积和污染所造成的。

6.2　普拉塔河流域:环境的代表

正如前面陈述,过去 10 年间,多种因素造成了严重的区域环境问题。其中,最紧迫的问题是生产用地的侵蚀、水道和水库的淤积、土壤和水的污染、洪水、干旱以及鱼类和野生动物栖息地的丧失。

6.2.1　侵蚀

侵蚀影响主要通过现有水库和某些河段的沉积显现出来。在一些地区,侵蚀已经降低了河流的通航能力。有些地方农田和牧场的生产力已经丧失,一些适合重造森林的土地遭到破坏。沉积在主河流和次要流域不断增加,增加了普拉塔河的清淤费用。区域内严重的侵蚀事件都是由农业范围的扩张引起的。

6.2.2　沉积

在巴拉那和巴拉圭河流域的一些地区产生了很多沉积物。最严重的侵蚀发生在属于巴拉圭河的支流贝尔梅霍河的上游流域,它位于阿根廷和玻利维亚的安第斯山地区。另一个高侵蚀和沉积的地区是皮科马约河上游流域,该地区每年有 9 000 万 t 沉积物,沉积在查科地区宽阔的泛滥平原上,形成一个广阔的内陆三角洲。在巴西—巴拉圭河上游流域地区,大部分沉积来自上游源头,特别是上游的圣劳伦科河和塔库里河,沉积物最后都沉积在潘塔纳尔湿地。在巴拉那河流域,最大的沉积量来自伊图比亚拉和伊泰普水库对上游一带沉积岩的侵蚀,其中主要是砂岩的侵蚀。

6.2.3　污染

水污染的主要原因是农业、工业生产的巨大增长和人口增长。农业生产中使用的大部分肥料和杀虫剂由雨水冲入河道,这种有毒污染不仅威胁到依靠这些河流生存的人们的生活,还会威胁到普拉塔河的水生生物多样性。污染的另一个重要来源是未经处理的城市污水。

6.2.4　自然灾害

洪水、山崩、长期干旱以及其他一些自然原因所造成的灾害,带走了很多人的生命,带来财产损失。流域的降雨、工农业的发展、众多水坝的建成,以及巴拉圭—巴拉那水道改造工程的运输基础设施建设,使得普拉塔河流域在对抗自然灾害时显得更加脆弱。

过去的 30 年间,导致普拉塔河流域环境改变和人口增长、农业生产范围扩张,以及经济发展的大型工程项目建设,特别是涉及到能源开发项目的建议已经提出。

6.2.5　人口增长

截至 1994 年,流域人口已从 1968 年的 0.61 亿人增长到 1.16 亿人。流域 5 国总人口的约 60% 居住在该流域,同时大量人口集中在中小城市。普拉塔河流域城市人口从 60 年代初的平均 45% 增长到约 77.5%。在巴西的圣保罗州,目前 93% 的人口为城市居民。人口的不断增长和人口流动性的不断增强,使得乡下和大多贫困地区的居民移居到城市地区,形成新型大都市和一些中型城市。随着普拉塔河流域工业城市的快速增长,许多城市中心缺乏基本的经济和社会基础设施。工业区的过度集中和缺少相应的处理设施,进一步增加了有机物污染和化学污染。城市的快速增长,将带来普拉塔河流域各国未来要面临的最大的环境问题。

6.2.6　农业生产范围的扩张

在巴拉那河上游流域,由于工农业生产活动的加剧,许多先前种植咖啡和粮食作物的地区,现在改为种植大豆用于出口,或种植甘蔗用于燃料酒精的生产。巴拉圭河流域在巴西和巴拉圭境内区域,大片的森林区域被清除用于农牧业的开发。20 世纪 60 年代,巴拉圭政府为解决不断增长的就业需求和增加财政收入,鼓励国家东部地区巴拉圭河流域和巴拉那河流域扩大农业生产范围。结果,在巴拉圭东部,20 世纪 60 年代末的森林覆盖率为 45%,而到了 20 世纪 70 年代中期就缩减到 35%,20 世纪 80 年代中期又缩减到 25%,到 20 世纪 90 年代初,森林覆盖率仅为 15%(Bozzano 和 Weik,1992)。

6.2.7　能源

水利发电在不断扩张,尤其是在巴拉那河和乌拉圭河流域。已建成的或在建的 15 座水电站总容量已超过 1 000MW。截至 1996 年,流域内装机容量从 1966 年的 2 000MW 增长到 42 000MW。能源的可用带动了工业生产和整个经济活动的扩张,特别是在流域东北部的巴西。

除了这些因素,近 30 年间社会政治制度的重大变革,极大地改变了发展的优先权和发展方式,导致普拉塔河流域自然资源基础的退化。在 20 世纪 70 年代,政治舞台的特征表现为军事管制政府。这 10 年可以分为两个时期:第一个时期受到流域合作模式

的影响,表现为想要发展第二极和第三极,以扩大城市和工业的发
展。区域发展的主要项目,是水资源和运输开发,而结果却令人失
望,对石油危机和满足人口基本社会需求新的关注导致了第二个
时期强调乡镇发展的区域战略。

在 20 世纪 80 年代,经济危机导致了普拉塔河流域国家采用
新的发展优先权,对协调社会活动的各种机制进行深刻变革。外
部的负债问题和调整变革过程导致政府开始增加税收并给予贸易
出口以优先权,这造成了自然资源管理不当。20 世纪 90 年代,大
部分国家为巩固政治经济形势,开始进行政府结构的转变,努力达
到公有和私有部门之间的平衡。在经济方面,在所谓经济萧条的
10 年后,经济开始得到显著增长。在普拉塔区域,这个潮流的核
心主要集中在三个基本方面:政府机构角色转化导致了国家权力
的下放、国家经济结构的调整和国际经济的重新整合。各方都更
加希望进行区域经济合作和保持稳定发展,1995 年由阿根廷、巴
西、巴拉圭和乌拉圭建立了南方共同市场组织;在区域经济复苏
中,不断增加私有部门的参与;各方为共同利益开发巴拉圭—巴拉
那航道。这些重要因素,促进了贸易与合作,以最终实现国家的稳
定和自由。

6.3　可持续性发展活动的关键区域

在普拉塔河流域,许多特征明显的子区域、子流域和受其直接
影响的地区,面临着严峻的自然资源管理问题。其中大部分子区
域或流域由两个或是更多的国家共享:巴拉圭河上游流域、皮科马
约河流域、贝尔梅霍河流域、查科地区,以及米林泻湖(见图 6.2)。
这些子区域和子流域在下文中介绍。

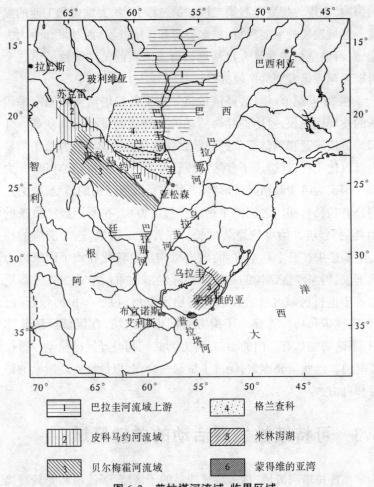

图 6.2　普拉塔河流域:临界区域

▦ 1	巴拉圭河流域上游	⠿ 4	格兰查科
▥ 2	皮科马约河流域	▨ 5	米林泻湖
▧ 3	贝尔梅霍河流域	▦ 6	蒙得维的亚湾

6.3.1　巴拉圭河上游流域

　　巴拉圭河上游流域(UPRB)作为巴拉圭河流域的一部分,位于阿巴河汇合处之上,形成巴西和巴拉圭的边界(见图 6.3)。该流域面积为 49.6 万 km^2，其中，39.6 万 km^2 的面积位于巴西的马托格罗索州和南马托格罗索州内，其余的 10 万 km^2 位于玻利维亚和巴拉圭。世界上最广阔的湿地生态系统潘塔纳尔湿地就位于该区域内。它的面积大约为 14 万 km^2，比奥地利、比利时、匈牙利和葡萄牙加起来的总面积还大。潘塔纳尔湿地受到世界保护联盟的特别重视(杜甘,1990)，并作为国家遗产区域列入巴西联邦宪法中。

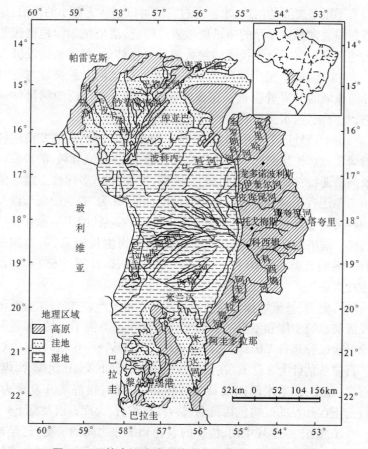

图 6.3 巴拉圭河流域上游地理区域和主要泄水系统

　　巴拉圭河上游流域(UPRB)的巴西部分,包括两个相互独立的生态系统:上游子流域(或山地)和下游子流域(或潘塔纳尔湿地),面积约为 25.6 万 km^2,海拔 200m 以上。上游子流域的水汇聚到下游,使其每年持续数月洪水泛滥。

　　潘塔纳尔湿地占据了巴西的巴拉圭河上游流域蓄水区面积的35%。这是一个非常平坦的区域,在很多地方,由于主河道改道而留下了很多废弃的河道,水流通过它们可以到达无数小的湖泊,这些湖泊通常都被漂浮的植被所覆盖。因此,潘塔纳尔湿地就像贮水池一样保留了全年径流的绝大部分。据估计,每年被淹没区为1 万 ~ 3 万 km^2。最大年降水量发生在巴拉圭河上游流域与亚马孙河流域的分界处附近。在该流域有一个分布广泛的测量站网络,对降雨、河水流量和水质进行测量。

　　由于地处南美洲中部,潘塔纳尔湿地是多种不同地方动植物的聚集点。汇集到这里的动植物分别源于亚马孙、查科、萨班那以及马塔亚特兰西亚地区,形成该地区广泛的生态多样性。潘塔纳尔湿地还有不同类型的高地和低地森林带,称为"查奎哈斯",以及物种类繁多的热带草原,也就是称为"塞拉多斯"的干草原和自然牧场。潘塔纳尔湿地适合大量的野生动物生长栖息,鱼类超过230 种,哺乳类动物 80 种,爬行类动物 50 种,以及超过 650 种的水生鸟类。

　　历史上,该流域社会经济体系基于牲畜生产,它确定了其政治经济利益的主体和主要的社会文化特征。在下游子流域,靠近科伦巴地区和乌鲁库姆地区,锰储备估计为 1 亿 t。在相同地区,铁矿石储备估计为 8 亿 t。在流域其他地方,已知的铜和泥煤、褐煤、石膏、蓝宝石、紫水晶以及黄晶沉积物,同样有很好的开发潜力。目前正在开发的矿物包括黄金、钻石、石灰石、大理石以及黏土。

　　20 世纪 70 年代中期,传统的农业和矿业之间的平衡,已经被上游子流域农业生产范围的扩张所打破。引发上游子流域环境问题的主要因素为土壤侵蚀,它主要由大豆、大米的大规模机械化生产而引起,并且下游子流域大量农用化学品的使用造成了水污染。上游子流域的土壤侵蚀估量为 $300t/(km^2 \cdot a)$,流域下游为 $40t/(km^2 \cdot a)$。过度的重型农业机械化生产紧压土壤,阻碍了雨水向下渗流,使侵蚀问题更加恶化。潘塔纳尔湿地河流入口处及河流沿岸地区土地的开垦、农业耕作不断增长带来的污染,以及毫无限制向河流排放城市生活污水和工业污水,给潘塔纳尔湿地带来很大影响。因过度捕捞和最近有毒化学药品残留液的排放,尤其是用于采集金矿的大量水银的排放,整个流域的鱼类面临着威胁。

与这些问题相关的是,一些开发项目存在潜在的影响。如有很大争议的巴拉圭—巴拉那水道工程。该项目旨在促进铁矿和锰矿从乌鲁库姆及科伦巴运出,农产品从马托格罗索州和罗丹尼亚(位于巴拉圭河上游流域之外)经巴拉圭河向外运出。后者中,每年预计要运输 500 万 t 粮食。对一些地段河流的整治和清淤所带来的负面影响有必要进行量化,例如在波斯多·圣弗朗西斯科和费切多斯莫罗斯。在这些地区的河流具有类似水库的特征,它不仅影响巴拉圭河上游流域的水文特性,还影响到洪水高峰期的泄洪道。

巴西政府对巴拉圭河上游流域的一体化发展(EDIBAP)进行了研究,这项研究得到了美洲国家组织(OAS)的支持,1978～1981年间获得的是联合国开发署的执行机构的支持(见图 6.4)。该项研究提出了一系列建议,遵循环境保护、生态平衡和合理用地的原则,开发潘塔纳尔湿地。

1991 年,巴西政府和世界银行发起了潘塔纳尔湿地工程,并与亚马孙水资源环境部(MMA)、马托格罗索州的环境秘书处和南马托格罗索州的环境和可持续发展秘书处合作。潘塔纳尔湿地的工程目标,是通过巴拉圭河流域上游保护规划(PCBAP)和环境保护紧急措施的制定与实施,以制定保护潘塔纳尔湿地措施。巴拉

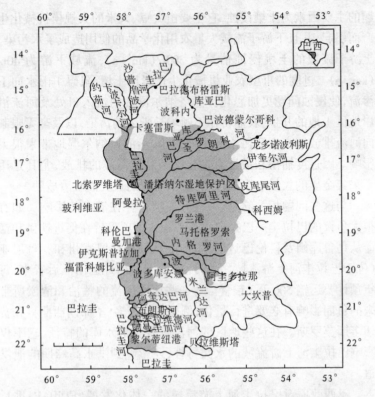

图6.4　巴拉圭河流域上游和马托格罗索州的潘塔纳尔湿地

（Edibap，1979；Project RADAMBRASIL，1982a，b）

圭河流域上游保护规划（PCBAP）包括环境分区研究，其指导原则
包含了自然资源的保护、恢复以及保存；建立地理数据库以共享物
理、生物、社会、法律和经济信息；以及设计一个实时的洪涝模型，
以防止洪水对城乡地区造成负面影响。确定的紧急行动有，对污
染行为的检查和发证、动植物开发的检查和控制、流域水质的监
测、采矿区的管理和控制、退化地区的复原、野生动植物复原中心
的创立，以及加强非官方的环境教育活动。

6.3.2 皮科马约河流域

皮科马约河流域是普拉塔河流域最复杂的子流域之一,面积 27.2 万 km²,约占普拉塔河流域总面积的 8.4%(见图 6.5)。西面 与玻利维亚的安第斯山接界,南面是贝尔梅霍河流域,北面是亚马 孙河流域和巴拉圭查科省的部分地区,东面是巴拉圭河。该流域 中,玻利维亚和巴拉圭各占 35% 的面积,阿根廷为 30%。

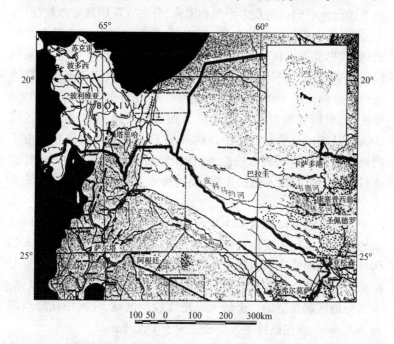

图 6.5 皮科马约河流域在阿根廷、玻利维亚及乌拉圭的分布(OAS,1984)

两个主要的部分,其一是上游流域,它几乎全部位于玻利维亚 境内,海拔 400~5 700m;另外是查科地区,它是一片广阔平原,向 东缓慢延伸到巴拉圭河。上游流域的最后 40km 是皮科马约河,它是阿根廷和玻利维亚分界线。接下来是希多埃斯梅拉达,在三个国家的交界处,又是阿根廷与巴拉圭的分界线。

皮科马约河流量变化很大。在雨季,12 月至次年 4 月,它的流量可以达到 7 000m³/s;而在旱季,5 ~ 11 月,它的流量降到 30m³/s。皮科马约河上游每年约有 9 000 万 t 沉积物被排放到查科平原,这些沉积物来自上游流域地理的侵蚀和人为造成的侵蚀,形成了距亚松森大约 280km 处的广阔湿地(埃斯特罗帕蒂诺地区)。帕蒂诺湿地中形成的众多小河和溪流,分布在从康塞普西翁(巴拉圭)附近的韦德河到弗尔莫萨(阿根廷)附近的波特罗克里克之间的地区,形成了皮科马约河内陆三角洲。20 世纪 40 年代,皮科马约河河道开始沉积,至今未中断。1968 ~ 1992 年,河流沉积物驻留点向上游移动了 150 多公里,以每年 7 ~ 10km 的速度后退。1996 年底,沉积物驻留点距离河流流入到希多埃斯梅尔拉达地区仅 60km。从三国交界点往下游 300km,皮科马约河再次出现。由于当地降雨和下游地表水的汇入,在距巴拉圭的亚松森 10km 处的皮科马约河下游流入巴拉圭河,而这种方式与皮科马约河上游水文毫无关系。

该流域的人口数为 140 万人,大约 95 万人集中在玻利维亚。该地区平均人口密度相对较低,为 7.4 人/km²,因为几乎所有人都居住在陡峭而狭窄的山谷中或是在流域东北部玻利维亚两个重要的城市——苏克雷和波多斯从事农业生产。这些城市中心以外,大部分地区都是空的。流域人口密度较低区域,在阿根廷降至不足 3 人/km²,而在巴拉圭人口密度少于 1 人/km²。

尽管如此,农业、畜牧业生产和人口中心还是有很大的扩张潜力。3 个国家拥有数百万公顷的农业和牧业用地,它们都具有很高的生产潜力,可以使用河水进行灌溉,这样就促进了该地区和三个国家的经济发展。

20 世纪 70 年代中期至 80 年代,在美洲国家组织(OAS)帮助下,三个国家进行的研究指出了明确和优先发展水利项目以防止皮科马约河上游广大地区洪水泛滥的必要性。除此之外,该项研究还制定了短期、中期和长期纲领,以调节河流的水量,为农业区居民提供安全的饮用水,修建排污、灌溉和水电设施。研究同时还建议,在对河流地理地形进行精确的调查之前,不要启动水库的建设。

为了解决皮科马约河河道不断后退的问题,阿根廷和巴拉圭在该河的关键点采取了一些紧急措施,以阻止皮科马约河进入阿根廷。阿根廷和巴拉圭联合向欧盟提出了一个请求,请求其帮助两国政府寻求解决皮科马约河在查科地区河道后退和洪水泛滥的问题。1993 年欧盟代表团造访了此地区,认可了两国提出来的技术方案,但认为它不是一个永久的解决问题的方案。

唯一可行的办法,是在玻利维亚境内皮科马约河上游建设水量调节工程,在那里存在修建水库所必要的地形和地质条件,而且水库蓄水量很大,足以控制河水排出量和沉积物含量。鉴于研究的工作量和所需的庞大资金,从最初的调研开始到融资和水库建设阶段,三个国家必须要共同参与。

1995 年 2 月 9 日,阿根廷、玻利维亚和巴拉圭政府达成共识,必须建立永久性技术裁决机制,以规范皮科马约河流域的开发活动,并由此成立了三国委员会。该委员会的主要目标是加强该流域和受其影响区域的可持续性发展,优化自然资源开发,创造就业机会,吸引投资,实现水资源合理公平的管理。

6.3.3 贝尔梅霍河流域

贝尔梅霍河流域由阿根廷和玻利维亚两个国家共享。贝尔梅霍河流域环境问题,影响到从安第斯山脉到这个河岸地区的整个普拉塔河流域、南方共同市场(Mercosur)国家以及巴拉圭—巴拉那水道、布宜诺斯艾利斯港口和普拉塔河口所进行的许多开发活动。

贝尔梅霍河流域面积为 19 万 km^2,延伸至南回归线处,93.7% 的面积在阿根廷境内,6.3% 的面积在玻利维亚境内。面积相当于莱茵河流域大小,总长为 1 200km。

贝尔梅霍河流域是唯一穿越查科平原大片地区的河流。该地区其他主要河流,如蒂曼尼河、皮科马约河和朱拉门多河河水均流入平原的地下水系统,不再保持地表水的特性。

作为一个连续的水系,贝尔梅霍河流域像一条走廊,联系了安第斯和查科平原生态系统生物圈中的各个要素。然而这里侵蚀和沉降问题很严重,据估计,近来普拉塔河中的悬浮沉积物的 80% 来自贝尔梅霍河。

目前下游和上游生态环境退化(严重侵蚀和荒漠化),造成了土地生产力低下。该流域人口估计为 120 万人,绝大部分为本土人。低水平的收入,迫使许多当地农民暂时外出谋求生计,造成了农业用地的闲置。一些人靠打猎和捕鱼为生,另一些人通过买卖手工制品获得收入。贫穷和教育水平低下,对改变流域管理形成了障碍。在当前生产生存系统下,经济利益和环境保护就很难兼得。

尽管对该区域已经研究了多年(1971～1973 年,美洲国家组织的普拉塔河流域章程;1973～1975 年,贝尔梅霍河上游流域研究),但仅仅是在近年来才开始采取行动,在该流域实施主要的发展规划。例如,在上游流域,阿根廷和玻利维亚已经同意建设一系列的多功能水资源发展项目,并与该地区的总体开发相配套,但它们对下游生物群系有潜在的影响。对该地区的经济和社会发展进行合理有序的规划以实现可持续性发展,已经成为两个政府认同的挑战性问题。为实现这一目标,1995 年 6 月 9 日,根据条约,两国成立了贝尔梅霍河上游和格兰德塔里哈河流域(贝尔梅霍河的一条支流)开发两国委员会。该两国委员会拥有国际合法地位,在技术、行政和金融事务方面享有绝对的权力,并且能以立法能力获得权利和履行义务。该两国委员会得到两国政府的财政支持,代表其行使权利,执行当前的项目计划。

1996 年 10 月,全球环境设备委员会批准了阿根廷和玻利维亚政府的请求,帮助制定贝尔梅霍河流域的战略计划。当全球环境设备委员会资助的项目正在制定时,两国政府已考虑在两国边界建设一些多功能水坝。这些水坝将改变贝尔梅霍河流域目前的水流动力特性,为城市发展和基础建设及阿根廷在下游地区的农业发展提供机会。要通盘考虑和减轻贝尔梅霍河流域在两国的这些变化所带来的影响,而不只是满足环境影响评估的最小要求,并将它作为战略行动纲领规划中(SAP)一个不可分割的部分。

6.3.4　格兰查科流域

格兰查科处于一种半干旱生态系统,面积为 71 万 km^2,流经阿根廷、玻利维亚、巴西和巴拉圭 4 个国家。农业开发活动在该生态系统中不断扩张,尤其是在巴拉圭和玻利维亚。由于土地清理、有选择性地攫取森林物种和侵蚀,部分土地已经退化。有良好的土壤和足够的水资源,再加上改良的牧场,使得半强度化的农业开发变得可能。巴拉圭查科(皮科马约河流域)中心地区门诺里特居住地和阿根廷查科河(贝尔梅霍河流域)普雷斯登特地区都是很好的范例。相似的情形发生在阿根廷和玻利维亚的山麓地带。横跨该地区的两个主要河流——贝尔梅霍河的全部与皮科马约河有显著的潜力,以提供水源用于灌溉和动物养殖开发。查科系统能够吸收水和沉积物,在洪水和沉积控制方面,起到无法估量的作用,它可以与投资上百万美元的基础建设和河道挖掘工程相媲美。该系统如何保护,对于查科地区的发展将至关重要。

查科森林拥有很多物种属于珍贵木材(雪松和紫金刚)和化学资源(白坚木和玉檀木)。药材植物通常是收入的重要来源。制药工业总是喜欢寻找有价值的物种(仅在巴拉圭,就有大约 250 种在使用)。通过管理和饲养,一些陆地、水栖和可供消遣的野生动物具有商业开发的潜力,如鳄鱼、河龟和水豚用做消遣、捕猎或是美味佳肴。查科地区具有适宜的温度、干旱、洪涝和高盐度的土壤条件,有类似气候条件的地区,有助于提高作物的产量。生物多样性研究及应用具有极大的潜力。超过 32 万 hm^2 的土地已被阿根廷和巴拉圭用做 5 个国家公园和一个研究用地。

6.3.5　米林泻湖流域

米林泻湖是巴西和乌拉圭的一片国际水域,河流和小溪织成了密集的网络,高质量的湿地中水流平缓,因而具有流域的特征。在大西洋海边乌拉圭东部的湿地,形成了候鸟在该区域的主要生态系统。它沿着海岸线伸展,由各种沼泽地、小湖和泻湖组成了复杂的体系,流入米林泻湖。东部湿地被指定为 MAB 生物圈保护区(1976 年)和拉姆萨尔条约的一个保护地点(1982 年)。

米林泻湖流域面积 62 250km², 其中 33 000km² 在乌拉圭境内,29 250km² 在巴西境内,该流域一直处于连续变化中。然而,这缺乏一个贯穿一致的中心点以及没有考虑到副业生产偏重这一重要的环境因素。自 1993 年 3 月以来,在全球环境设备委员会的支持下,乌拉圭政府正在实施《东部湿地生物多样化保持和项目(PRO-BIDES)》,其主要目标是实现该地区可持续发展和建立区域湿地管理体系。该流域的主要环境问题是,这里肥沃的湿地生产率高,生态多样化,与来自粮食和牲畜业生产者修建水坝及灌溉工程的"填湖造地"相矛盾。粮食种植和改变土地用途用于粮食和牲畜生产,给灌溉带来了压力。在这方面,私有部门和政府通过兴修基础设施,给予了大力支持。粮食生产需要使用化肥和杀虫剂,又加剧了这种矛盾。而且,该流域还处于坎蒂奥塔热电厂热污染的威胁中,而随着该电厂的扩建,这种威胁将进一步加剧。

6.4 结论

考虑到普拉塔目前和潜在的环境问题,所制定的流域可持续发展策略中必须包括环境影响的管理规划。这要求对相关数据和信息进行编辑、组织和分析;恢复和(或)减少在特定地区或子流域的某些项目活动;进行人口动态分析,加强环境教育和提高公共意识;加强公众的参与。

特定区域开发活动的规划和实施,包括设计和实施特定的投资项目工程必须放在优先位置。这些活动应该寻求,在可持续生产或生产性工作中发挥最大的能力;提高居民生活质量和生活标准;确保自然资源基础得到保持,自然资源使用的冲突实现最小化。

为达到这些目的,迫切需要巩固和发展各种制度,更好地协调国内各种组织。巩固和更好地组织流域内各种机构,赋予它们适当的职责,加强协调和制定项目工程,以开发和保持资源共享,加强对两国或多国开发工程项目环境影响的联合评估工作,以及对自然资源和生态系统共享的协调管理。

随着普拉塔河流域国家在向经济和地理一体化迈进,跨边界的水资源的可持续发展越来越重要。普拉塔河流域各国要努力找到并实施某些战略性的项目工程,这关系到流域整体利益。对由两个或多个国家共享的生态系统,需要进行特别规划,并进一步促进这些国家的一体化。边界地区的可持续发展策略应包括:①每个地区的分析研究;②提出建议,划分环境区域,确定可持续性生产区域和应该进行环境保护的区域;③规程一体化,并作为整体发展战略的一部分;④国内和双边的投资工程预行性和可行性研究。这些研究还应该包括以下几方面的分析研究和建议书制定:共享资源的合理使用;促进边界贸易;以及在健康、运输、通信和能源领域共享的基础设施和服务一体化的可能性。

　　然而,如果相关国家之间没有利益共同点,则这些国家间的开发项目成功的机会就很小。鉴于此,每个国家在工程谈判开始时必须明确定义其目标,并确定其每一步所能带来的好处,包括社会、金融、政治以及文化等方面,还要准备承担在这些方面所要付出的代价。

6.4.1　区域合作的挑战和机遇

　　普拉塔河流域所有国家都已经认识到,需要在区域的整体开发和管理上进行合作,而且他们也表达了这种合作的意愿,但单方面行动仍持续不断。例如,各国在制定国家规划,以评估用于农业发展的水和土地的潜力时(这里不包括贝尔梅霍河流域),相互之间很少或根本不协调和磋商。普拉塔河流域发展潜力仍然巨大,进行合作和联合行动的条件比任何时候都要好,这些活动旨在满足人口的需求,同时还必须维持区域环境的稳定和领域的完整。

　　在巴拉圭河、皮科马约河、贝尔梅霍河流域和米林泻湖流域开展的规划研究活动中所搜集到的信息,使实施开发活动成为可能,特别是涉及水资源管理、土壤侵蚀、水污染控制以及水生生态系统保护等的项目。

　　在规划这些区域时,各国应该特别注意,以求:

　　(1)促进并使股东更好的参与流域水资源管理;

　　(2)强化流域组织机构及其能力,以增强联邦、州(省)和地方机构管理流域的能力,包括建立适当的经济法规来加强对自然资源的管理、优化水文和沉积物监控网络、提高能力以实施许可或发证需求、在机构和组织间的信息和数据的交换和使用、促进各组织机构间联网;

　　(3)把子区域作为规划的基本单元,尤其在生态系统方面,以实现自然资源的使用管理和环境的保护;

(4)将水资源管理项目和社会、经济发展结合,在河流流域和蓄水层范围内,强调土地和水的使用与生态多样性的保持;

(5)考虑当地社团的渴望和需求,并将其作为基本的推动因素,以设定优先权和促进社会参与。

6.4.2 普拉塔河流域各国所采取的行动或初步措施

(1)促进信息交流,了解现有环境问题的严重程度和范围,以便在某些流域或方面采取应对措施。

(2)准备一份特殊资源和生态系统的明细表,包括制定规划,便于以整体的方式来管理这些资源和生态系统。普拉塔河流域包含了很多区域和河流流域,有非常合适的地理条件,用于恢复水资源的规划和管理。

(3)确定、规划和实施跨边界水资源管理项目。为此,流域各国有必要制定水资源战略规划,建立评估体系,制定行动计划,优先发展生态系统保护和水资源管理活动,协调这些发展战略和行动计划,以与其他相关国家和谐一致,实现资源开发利益的最大化。针对特定的生态系统或子区域,应该实现普拉塔河流域各国家间的合作,并遵循既有的协议。

6.4.3 在子区域,将会采取的具体行动和初步措施

6.4.3.1 巴拉圭河上游流域

(1)阐明所有现有股东在巴拉圭河上游流域中的作用,如有必要,赋予他们新角色,确保一定程度上水资源的统一管理;

(2)在多种不同情形下,对巴拉圭河上游流域、潘塔纳尔湿地、巴拉圭河下游流域之间相互作用的本质,进行定义和评估;

(3)在巴拉圭河上游流域地区,确定和促进以经济法规来支持水资源管理措施;

(4)恢复所选的已经退化的地区,作为试验性项目,以便获得

信息,便于管理。这些地区应该是各类主要问题的代表,包括减轻矿产浪费、蓄水区侵蚀和非污染源等问题。

6.4.3.2　皮科马约河流域

在大坝建设开始之前,完全了解上游流域结构变化对于洪泛平原的影响,以及大坝对下游河道最终不断增加的侵蚀作用,对水生生态、森林生态系统、其他环境元素和过程的影响。

6.4.3.3　贝尔梅霍河流域

(1)为该流域制定双边战略行动纲领,强调优先解决跨边界环境问题,并作为这些国家履行水资源和环境协议所做工作的一部分;

(2)关注跨边界环境问题,包括生物多样性和土地的退化等,并将它们纳入阿根廷和玻利维亚境内流域的发展政策、规划和纲领中;

(3)建立一个公共资讯系统,以便实施和开发两国间的主要项目。

6.4.3.4　米林泻湖流域

(1)执行由米林泻湖委员会为在该流域地势较高的地区进行最合适的农业开发而制定的措施;

(2)为了减轻粮食生产给现有土地带来的压力和保护湿地,应该考虑其他措施,如在加瓜奥河上筑坝以便为农业提供灌溉用水;

(3)加强对空气、土壤和水质的监测,以获得客观的数据。建立机制来管理灌溉系统,以便保护、保持那些特殊地区和资源。

参 考 文 献

Biswas, A. K. , Jellali, M. , Stout, G. 1993. *Water for Sustainable Development in the Twenty-first Century*, Water Resources Management Series 1. Delhi: Oxford University Press.

Biswas, A. K. 1996. "Water for the Developing World in the 21st Century: Issues and

Implications." *Hydraulic Engineering in Mexico* (in Spanish). 11(3):5 - 11.

Bozzano, B. and Weik J. H. 1992. *El Avance de la Deforestación y el Impacto Económico*. *Proyecto de Planificación del Manejo de Recursos Naturales*. Asunción: MAG/GP-GTZ.

Cordeiro, N. V. 1993. *Possíveis Projetos e Ações para o Desenvovimento Sustentável na Bacia do Prata*. I Simpósio Internacional sobre Aspectos Ambientais da Bacia do Prata. Brasil: Instituto Acqua, Foz do Iguaçu.

——1994. *Management of International River Basins*. II Congreso Latinoamericano de Manejo Integrado de Cuencas. Oficina Regional do FAO para America Latina y el Caribe. Merida, Venezuela.

——1996. *Integrated Management of Water Resources and River Basins*. Address to II Inter-American Dialogue on Water Resources Management. Buenos Aires, Argentina.

Dugan P. J. 1990. *Wetland Conservation: A Review of Current Issues and Required Actions*. Gland, Switzerland: IUCN.

Easter, K. W. , Feder, G. , Le Moigne, G. , and Duda, A. 1993. *Water Resources Management*, World Bank Policy Paper. Washington, D. C.

Le Moigne, G. , Barghouti, S. , Feder, G. , Garbus, and L. Mei Xie. 1992. *Country Experiences with Water Resources Management*: *Economics*, *Institutional*, *Technological and Environmental Issues*, World Bank Technical Paper No. 175. Washington, D. C.

OAS Plata Basin Program: *Study of Water Resources in the Upper Bermejo River Basin* (Argentina and Bolivia), 1971 - 1973; *Study of the Lower Bermejo River Basin* (Argentina), 1973 - 1975.

OAS 1984. *Integrated Regional Development Planning: Guidelines and Case Studies from OAS Experiences - The Pilcomayo River Basin Study*. Washington, D. C.

OEA 1973. *Desarrollo de los Recursos Hídricos de la Alta Cuenca del Rio Bermejo Argentina and Bolivia*. Washington, D. C.

——1977. *Uso Múltiple de la Cuenca del Rio Pilcomayo - Argentina, Bolivia and Paraguay*. Washington, D. C.

——1981. *Desenvolvimento Integrado da Bacia do Alto Paraguay (EDIBAP)*. Washington, D. C.

——1985. *Desarrollo Regional Integrado del Chaco Paraguayo*. Washington, D.C.

——1991. *Estudio Ambiental Nacional y Plan de Acción Ambiental*. Oficifia de Planeamiento y Presupuesto de la República Oriental del Uruguay, Organización de los Estados Americanos y Banco Interamericano de Desarrollo. Washington, D.C.

Ponce, V.M. 1995. *Hydrologic and Environmental Impact of the Parana-Paraguay Waterway on the Pantanal of Mato Grosso, Brasil – A Reference Study*. San Diego State University.

Programa Nacional do Meio Ambiente/Jorge Adámoli 1995. *Diagnóstico do Pantanal*. Brasília: DF.

Programa National do Meio Ambiente 1995. *Plano de Conservação da Bacia do Alto Paraguai*. Brasília: DF.

Rebouças, A.C. 1996. *Situação Atual das Pesquisas do Aquífero Gigante do MERCO-SUL*. Seminário Internacional Aquíferos do MERCOSUL. Brasil: Curitiba.

The World Bank 1990. *Brazil: National Environment Project*. Report No. 8146-BR. Washington, D.C.

7 普拉塔河流域制度体系框架

(莉莲·卡斯蒂洛·拉波尔德)

7.1 初期工作

普拉塔河流域作为一个国际关系组织有机整体的一部分,是由多种纷繁复杂又不断融合的政治观念相互作用而形成的。这些政治观念出现在 20 世纪下半叶,它们一直困扰着一些国际机构和普拉塔河流域的国家和政府。20 世纪 50 年代,在联合国和即将成立的西欧联盟的技术支持与援助下,这些政治观念开始形成体系。

20 世纪 60 年代,发展的观念占据了主导地位。根据人均国民生产总值这一衡量国家经济实力的标准,世界国家可分为发达国家和发展中国家。

如果在这一时期我们过多地研究国家的发展程度这个概念,而不去考虑各国在发展上所采取的实际方法和措施,这将毫无用处而且实际效果也会令人失望。不过,从那时候起,在国际组织和一些有影响的国家中有了一种政治观点,这种政治观点就是把一个国家的富裕程度作为各国间和平友好往来国际关系的一个前提条件。

回溯到它的起源,1954 年 11 月,美洲国家经济和社会委员会第四次特别会议上对拉丁美洲和加勒比经济委员会所提交的一个文件进行了讨论。这个文件阐述了以下几方面:各美洲国家有一个愿望,希望成立一个联合的发展和开发机构;对各国政策进行规划;选择政府优先支出的项目;鼓励税收改革和农业改革;促进国际商务合作,加强国际援助和合作。对该文件中这些内容的第一次讨论为以后建立本区域的制度奠定了基础。

1958年9月,美洲国家组织21个成员国外交部长在华盛顿召开了一次非正式会议。这次会议讨论了泛美洲国家合作,并讨论了巴西提交的一份建议书。这份建议书强调了拉丁美洲国家应在经济一体化、交通和电力增长、工业多样化、商业扩张以及大力发展教育等方面加强合作。为达成此目标,会议组建了21国专门委员会。这个专门委员会在该年度11~12月期间召开了它的第一次会议。会议期间,美国政府对这个发展规划机构提供了支持,其成就在于从金融上促进美洲国际开发银行的建立。

1959年全年,所有与组建美洲国际开发银行有关的基础协议全部完成。1960年1月,随着美国国会承诺的50亿美元到来,美洲国际开发银行的管理者召开了第一次会议。1960年9月11日,专门委员会颁布了波哥大法案,法案要求各成员国要在各自国家中致力于加强社会改革。

为了协调规划以后的工作,1960年还成立了一个三人委员会,这三个代表分别来自美洲国家组织、拉丁美洲和加勒比经济委员会及刚刚成立的美洲国际开发银行。

1961年8月,在乌拉圭蓬塔德尔伊斯塔成立了进步联盟组织,其目的在于加深在拉丁美洲国家的经济和社会发展活动。另外,它还要支持培训工作,以及对以前所确定的优先发展的研究和公共项目进行融资。为实现这些目标,美洲国家间委员会成立了。在随后的10年里,一些并非实质性的投资注入到进步联盟组织成员国,而效果好坏不一。

1965年,为了促进贫穷落后国家的经济发展,并加快资金在发展中国家的流动,联合国决定建立一个新的基金会,这就是联合国开发署。这个新的机构与联合国大会贸易与开发部的职能在某些方面是一致的。联合国大会贸易与开发部成立于 1964 年,它与联合国开发署有着共同的目标,但在实施方法和能力上存在差异。

这时,成立了支持拉丁美洲经济转型的专门机构,为其制定了宏伟发展蓝图,开展了可行性研究,确定了照会期和咨询专家,而所有这些都要依赖国际团体的技术和经济援助。

在 20 世纪 60 年代那骚动的 10 年里,还有其他观念对发展也有利,这就是一体化运动。它不仅仅是要促进本地区高速平稳发展,更重要的是要把这种发展作为一体化进程的一部分,只有这样才能更好地促进统一和联合发展。

然而,南美洲的政治条件并不支持一体化发展运动。也许在某些区域的贸易中可以得到改善,比如拉丁美洲自由贸易协会。这个协会把一些产品列入到受惠的目录中,但更多的产品没被列入,因此它对区域间的关系没有实际成效。

随着发展和一体化概念的互相融合,另一个因素可以使得这种模式变得可行,这就是某个特定地区的地理和文化。这种情况下,取水区可以集中设置,而工业区可安放在主要河流的沿岸。这样,要在这个流域已有的一些层面上制定经济发展计划,就变得很方便。这种情况用在上文中,就可以作为互不依赖的因素中不可分割的元素。而这种选择并没有改变一个事实,那就是流域地区各国并没有一个共同的发展目标。这样,在一体化的进程中,既有受益方,也会有受害方。如果有一个共同的目标,那么要达成协议,分歧并不是障碍。

根据这个观点,流域地区各国并不是免费的参与者,而是被迫加入进一体化的主人翁。流域各区如果真的实现地理上的统一来适应制定和实施联合开发项目,那么,言外之意就是发展、一体化、技术和经济援助,以及普拉塔河流域本身都是一张公共的蓝图,等待大家去描绘。

7.2　建立法治流域

1963 年 3 月 27 日,巴西代表向美洲国家委员会秘书长呈交了一封信,信中建议召开一次泛美会议,研究国际水域的开发,明确流域各国所应承担的权利和义务,及其权限和能力,并做好基础工作,准备拟定一个公约,通过这个公约来约定以上所说的各个方面。

1963 年 8 月 30 日,美洲国家仲裁委员会批准了一个纲要,这就是,《国际水域和湖泊在工业和农业中的用途》。这个文本经过各国政府的研究和广泛的探讨,公约的最终稿由该委员会于 1965 年 9 月 1 日批准通过。

既然文本在手,可以让大家讨论,第二次泛美特别委员会拟于 1965 年 11 月 30 日召开大会,但最终也没有举行。

这其中的主要原因是,针对为国际水域和湖泊在工业中的用途而建立的一个公约,巴西政府的态度前后发生了很大变化。1969 年 1 月 29 日,巴西政府向阿根廷政府提供的一份文件中指出,对一个本应是自然和自发形成的合作却想要强行使它制度化,只能带来严重和深远的负面影响,因为每一个国家如果要准备对这些建议给出答复响应,它都要从国家领土的整体上进行考虑。

因而,泛美合作议案中删除了国际水域上达成一致的议题。这是因为,要想在这个议题上达成一般的原则都根本不可能。但是对于同流域的相邻国家,仍然有机会达成某些谅解和协议。

1966 年,当普拉塔河流域的 5 个国家开始正视自己处于水域附近这一事实时,便有了最初的想法,即希望通过磋商组成某种机构,以明确他们在这个水系中的共同利益所在。

30 年前,普拉塔河流域 5 个国家,阿根廷、玻利维亚、巴西、巴拉圭和乌拉圭,每个国家对于地区开发都有着各自不同的想法,现今依然存在,这是因为每个国家都有自己不同的历史、地理、社会和政治背景。尽管如此,这并不能阻止各成员国家之间达成某些大家可以接受的共同目标。因为这些共同目标的达成是通过不同的甚至对立的观点揉合而形成的。它们绝不仅仅是从不同的角度达成统一目标。这意味着,或者换句话说,在国际政治中出现利益对立的局面是常有的事。进一步讲,这是积极的方面,在普拉塔河流域没有边界问题,或者说至少没有严重的边界问题存在。

来自社会和经济的首要需求,最紧迫的用途就是利用水资源发电;但是如果没有一个合理的水资源管理政策,不管是国家或地区的政策,水资源的规划目标不可能出台。那时候,主要是利用水流的落差进行发电,其结果是大坝对水系产生了负面影响,还有部分人担心发电对航道有影响,而没有人对由此带来的水质量以及其他相关问题表示关注。

1966 年初,就在召开普拉塔河流域国家外交部长会议前夕,阿根廷政府告知美洲国际开发银行,阿根廷为了自己的利益想要对普拉塔河流域进行统一的勘测工作。1966 年 6 月 6 日,阿根廷外交部长扎瓦那·奥提兹率先在布宜诺斯艾利斯召开会议,针对普拉塔河流域的利用形成了统一协调的规划。

随后在 1967 年 2 月 27 日举行的会议上,流域各国同意了这个规划。普拉塔河流域的综合勘测工作由各国联合开展,其目的旨在实施项目工程,这个工程只要适合本区域的发展,不管是一国,或两国,或多国完成都可以。为此组建了一个简单的国际组织来负责该项工作,它就是政府间合作委员会,地点设在阿根廷的布宜诺斯艾利斯。

从一开始就有两种不同的观点,其一是阿根廷和乌拉圭倾向于对流域进行统一和联合管理;另一个是巴西、玻利维亚和巴拉圭三国会议形成的最终议案,这个议案将与这个流域相关或不相关的工作都列入进去。阿根廷,也许包括乌拉圭,他们想表达的意图很清楚,主要工作是对水资源的管理,尽管它还不全是;而其他几方则认为,其主要工作是针对与这个流域相关地区的开发工作。

7.3 普拉塔河流域条约概述

继阿根廷布宜诺斯艾利斯会议之后,美洲国际开发银行于1967年11月10日在华盛顿特区召开了与本区域相关的国际组织会议,旨在帮助普拉塔河流域各国在协调期的发展工作。会议同意组建普拉塔河流域开发署咨询和协调委员会,它包括以下成员:①拉丁美洲一体化协会,该协会在1964年由美洲国际开发银行执行委员会创立,并在1965年组建成为专门研究拉丁美洲一体化进程的专门分支机构;②美洲国际开发银行;③美洲国家组织;④进步联盟美洲国家间委员会;⑤联合国开发署;⑥拉丁美洲和加勒比经济委员会。该咨询和协调委员会负责做好规划与提供融资,这些工作对于研究工作的完成是必需的,通过这些研究可以找到未来的项目和工程。拉丁美洲一体化协会被指定为该咨询和协调委员会的秘书处,负责管理各成员所提供的技术支持。

该咨询委员会分别于1967年11月和1968年4月召开了流域5国的专家会议。与此同时,普拉塔河流域委员会、政府间合作委员会在布宜诺斯艾利斯召开会议,商讨由玻利维亚、巴西和巴拉圭所提出的项目。

美洲国际开发银行于1968年6月提供的用于促进和协调这些工作及基础研究的资金已达到70万美元,这些工作及基础研究将使各国政府在以后的项目中获益。

前面已经提到,该咨询委员会的观念并不适用于水资源的管理。按照美洲国家组织的说法,"要起草的建议书中,其联合行动是针对与挖掘相关的区域",这个说法所考虑的是地理经济联系纽带,它把多个国家的领土包括在内。最初的建议书中有明确的目标,规定了如何利用自然资源、航运以及防洪,其言简意赅而意义深远。

1968 年 5 月 18~20 日,普拉塔河流域外交部长第二次会议在玻利维亚的圣克鲁斯德拉塞拉召开,这次会议的观念发生了重大变化。早期的建议书中,在水资源规划上所进行的合作和协调,放在了后面的位置,不再优先考虑。而重大基础设施项目的建设后来居上,就像圣克鲁斯德拉塞拉法案所列的一样。水资源管理政策上的决策总结起来就是要最大限度地利用流域的水资源,选择效用最大的工程进行建设(就像圣克鲁斯德拉塞拉法案中问题的第三段,对策的 C1 和 C4 所列的一样)。法案中所讲的这种判据和其他判据有可能被政府以需要发展某某项目的政治借口而不予理睬(就像圣克鲁斯德拉塞拉法案中最末段落中,对策的 C 所列的一样)。本法案中所列的基本原则是将来普拉塔河流域条约的指导思想,普拉塔河流域条约由政府间合作委员会制定,需要普拉塔河流域国家外交部长批准通过。然而,对于普拉塔河流域水利资源管理制度的起草工作,虽然建议列在本法案中(参考第一段中的建议部分),但目前这项工作还未展开。

最初方式的根本变化以及流域各国之间不能达成一致,导致相互作用的国际组织间在工作上的误解,并最终导致协调委员会的解体。1969 年,随着协调委员会秘书长的辞职,该协调委员会最终解体。

1969 年 4 月 22~23 日普拉塔河流域国家外交部长第一次特别委员会和第三次大会同时在巴西利亚召开,其目的在于采用普拉塔河流域条约,并旨在"无限期生效",它的名称是根据条约的第Ⅶ部分有关内容而命名的。

条约中的不同开发目标(章节Ⅰ的唯一部分第(e)节,章节Ⅱ的第一部分,章节Ⅲ的第一部分),一体化(章节Ⅰ的唯一部分第(a)(d)(f)和(g)节),水资源管理(章节Ⅰ的唯一部分第(b)(h)和

(i)节)这些看起来是相互兼容的,而在系统付诸测试时,却证明并非如此。

这个条约已经由 5 个成员国批准通过,至今仍然有效,条约将外交部长大会作为普拉塔河流域业已存在主要机构的政府间合作委员会。政府间合作委员会的条令,已经被圣克鲁斯德拉塞拉第二次大会采纳,该委员会增加了一名秘书长,办公地点设在布宜诺斯艾利斯。该条约把以前断断续续的各个阶段进行了系统化处理,并形成为一个有机的体系。

政府间合作委员会和外交部长大会都有自己的政治体系,均不包括技术支持部门,但可以获得国际社团组织的技术援助,由此设立了一些带有顾问性质的技术组。

这些技术组的零碎工作后来被统一协调起来,这是促进该条约体制化的又一项工作。

7.4　艰难的起步

圣克鲁斯德拉塞拉法案中一些有争议的观点早在制定普拉塔河流域制度时就已存在,直至现在仍未得到解决。最初的会议记录显示,根本不可能对各成员国之间的这些对立的观点和利益追根溯源。

大坝、大型桥梁、航运设施以及其他项目都已建成。把发展经济放在首位为专业机构协会参与这些工作铺平了道路。然而如何进行水资源管理的方案仍未出台。

在这 30 年间,正如前面已经提到的,人口不断增长,能源需求增加,农业生产范围不断扩大导致土壤侵蚀,沉积现象非常严重。然而仍未出台如何进行水资源管理方案。

目前,人们逐渐开始关注取水区的污染问题、持续存在的洪涝威胁、森林不断消失、原本肥沃的土地肥力不断下降等问题,最近的一项协议指出了环境变化的恶果,然而仍未出台如何进行水资源管理的方案。

普拉塔河流域条约(章节Ⅰ的唯一部分第(b)(h)和(i)节)以一个总体要求提出它其中某个目标。随着国际组织的支持以及普拉塔河流域管理制度化,该流域国家已经获得了不断向前发展的非常优惠政治条件。尽管各国在水资源管理和基础设施建设上采用的方式不同,但这些方式间存在联系,在某些情况下可以相互合作。

对流域的研究主要由美洲国家组织负责开展,进行数据资料收集和现场作业,其工作量浩大是前所未有的,这项研究课题为《普拉塔河流域自然资源基本信息收集和分析》,其研究资金来自于美洲国家组织和开发援助特别基金会。勘测内容有收集水文和天气资料,部分区域航拍,地貌和地形图、地理图、土壤和土地生产分布图,植被、生态、土地使用和森林分布图。

美洲国家组织与自然资源联合组织还进行了其他一些重要的勘测研究,例如,研究控制巴西巴拉那州西北部土壤侵蚀,该项研究于 1972 ~ 1974 年展开;1972 ~ 1974 年,在巴拉圭东北地区开展的阿魁达班项目;1970 ~ 1973 年,在阿根廷和玻利维亚贝尔梅霍河上游开展的水利资源研究和开发项目;1973 ~ 1976 年,在阿根廷和玻利维亚贝尔梅霍河下游的研究开发项目。阿根廷和巴西在普拉塔河流域政策的核心就是要在水资源管理上达成一致的适用标准。

1970 年在政府间合作委员会召开的会议上,阿根廷和巴西表达了各自对普拉塔河流域条约的解释,这在水资源管理专家组的工作中可以反映出来。阿根廷希望制定一系列水资源管理的总体规则。巴西则希望其技术上的裁决可以被接受,作为其他流域国家既有的和其他规划中水电项目的保障。正如与会代表所指出的,一个国家拥有自己的水资源,它不可能限制自己对这些资源的开发指标,除非是遇到不可克服的技术难题或受到本国法律的约束。有必要指出,他的这种观点已经写进普拉塔河流域条约的第Ⅴ章中,"以遵循国际法和睦邻友好国家的公正实践为依据,签约各方的任何联合行动在付诸实施时,其项目和工作不应当受到不公正的待遇"。

他们为这些说法提供了一些可以理解的论据,巴拉那河流域的大部分位于巴西、阿根廷和巴拉圭的领土范围内,该河流有很好的水力发电条件,如较好的落差、重要的流量、玄武岩的构造,以及河流两边筑有岸堤等。巴拉那河流不断向前延伸,在不同地段处于不同的地位,在上游,它流入巴西境内,向前进入巴西和乌拉圭边界,最后流入阿根廷境内的广阔土地。由此看来,巴拉那河具有明显的国际性质,其优良的水质不仅可用来发电,同时还会给沿途国家间带来苦涩的对峙。自1960年以来,巴西已经不遗余力地在这个流域兴建了无数的河坝,而这种情况还会延续。处于河流下游的巴拉圭和阿根廷于1970年同一时期在该河流流经两国的边界处兴建了两座重要的大坝。

乌拉圭不在巴拉那河流的流域上,而巴拉圭则采取了观望的态度。鉴于此,在关于巴拉那河流的问题上,阿根廷坚守自己的原则,独自应对巴西政府,并要求把国际水资源利用所遵循的国际通行法则作为普拉塔河流域各国共同遵循的适用法则。

尽管还存在争议,普拉塔河流域各国外交部长成功地制定了适用于普拉塔河流域各国进行水资源管理的基本原则,这就是《国际河流利用亚松森宣言》,该宣言于1971年6月得以批准通过。宣言的基本原则,简而言之,可以归结为以下几条:

(1)河流流过接壤的国家,共享河流资源,对该河道的任何使用都要事先在这些国家间达成协议;

(2)河流流过非接壤国家,这部分流域不存在国家间共享的情况,拥有它的国家可以根据自己的需要对该处河道进行利用,只要它不对流域其他国家产生明显的伤害；

(3)流域各国同意互相交换水文和气象实测资料；

(4)强调要改善河流的通航能力，并警告以后的任何工作都不得妨碍河流的航运；

(5)指出工作规划中要考虑的流域生物资源。

这里所说接壤和非接壤国际河流，其特别之处在于它们仅限于该流域的部分河段，而不包括其支流和地下水。该原则只考虑河流流经的特定区域，而忽略整体的水资源及流域，相反，它又强调，各国尽管有义务对流域其他国家不能产生明显的伤害，但在利用自己领土上的水资源时却可以任意决定。同时可以清楚地看到《亚松森宣言》的这一原则可以作为非接壤国家河流段的适用准则，这实际上是普拉塔河流域条约第Ⅴ章的重复。

针对接壤和非接壤国际河流，在亚松森宣言中有两种不同的法则。优先认同原则适用于前者，而先前的咨询适用于后者。只要确定了亚松森原则，就可以制定现实的标准，从一个标准，可以引伸出更多的协议，这些协议可以对流域的水资源进行管理。

以上已经看到，亚松森宣言尽管不是一个条约，但却明确表达了在水资源使用上对流域其他国家不能产生明显伤害的原则，这是在该流域作业所希望采用的唯一强制原则，这个原则并不是针对流域下游所有国家，而主要是针对阿根廷。该宣言还坚持，等量和合理利用淡水资源，以及先前咨询时期的规则可以作为国际通行准则用于管理流域水资源的使用。流域其他国家，尤其是巴西，却做好准备，希望条约中所规定的限制条件只是针对某些特定的场合。

这些不同的立场作为1972年斯德哥尔摩联合国大会关于环境问题的一个议题，并在那年联合国大会决议的2995号（ⅩⅩⅤⅡ）和2996号（ⅩⅩⅦ），以及随后的3129号（ⅩⅩⅤⅢ）和3281号（ⅩⅩⅠⅩ）文件中给出了国际共享水域所遵循的通行准则，其条款 3 认可了先前咨询时期的规则。

可以指出,先前的咨询原则更多的作为一种程序化的准则而不是实质意义上的准则,它未赋予流域其他国家以否决权,而要使他们获得处理事务的机会。流域国家,若有可能受到以后新建工厂的影响,相互间可以一直进行磋商,以使得其需求互相适应。而这并不意味着,如果承认了先前咨询时期的程序,流域其他国家就可以无理推迟甚至没有义务来达成协议。先前咨询实践的范畴经过了深思熟虑的探讨,法国和西班牙在拿瑙湖为此争辩所做出的裁决同意了该范畴,并认可了该程序的特点。这个程序一般需要通过各方的同意才能建立,并与解决争端的机制相联系,以简化对国际水域和国际资源的利用程序。

为在法律意义上以及形成的亚松森宣言有实质性的提高和进展,"相当程度的伤害"原则所指定活动的范围和内容要由流域各国起草决定。这样不断向前发展终于把关注方向引向了水资源管理领域,也使该文件的内容丰富多了。

在该宣言被采纳后,流域各国针对流域支流的利用制定了许多条约,每一个条约都有一个新的委员会成立,然而,每一个条约都无水资源管理的实质性规则。这些条约本应该把以下这些规则包含进去:①各成员国必须致力于水质监测工作,而这样做也就意味着承认了污染就是导致"伤害"的罪魁祸首;②监测进入到下游水流的水的质量和数量;③对诸如河流改向等特殊情况采取不同的姿态;④许多其他要考虑的情况,从保护生物资源到灌溉或运输,等等。这些基本的原则在解决争端时要优先于程序化原则,由此向该流域制度体系中引入了一个完整的制度。

水资源管理不仅仅是考虑流域国家在本国取水区的取水权力,还应阐明责任所在,而流域各国对于这些责任却不愿接受。不过,任何一部法律,无论它是国际的还是国内的,它所包含的权利和义务都是不可分割的,忽视某方的责任将意味着会忽视另外更多其他方的权利。

7.5 河道的利用

普拉塔河流域河流的主要用途是航运和水力发电。19 世纪50 年代,在条约和国家法令中已经规定,在巴拉那河、巴拉圭河和乌拉圭河上自由航行的权利赋予了河流两岸的人民和第三国。管理普拉塔河流域航运的制度体系,从上世纪建立以来,除了新增加部分内容外,其主要内容至今几乎没有变化。在国际舞台上最为重要的是流过多国的巴拉圭—巴拉那河河道,它从巴西的卡塞雷斯镇流向乌拉圭的帕尔米拉新海港。

就像在南美洲的其他国际河流流域一样,也没有通行的惯例来实现普拉塔河流域的自由航行,这种通航权利通常以条约或国家立法的方式赋予流域各国。

这个流域通航网络大约长 8 600km,有些支流由于土壤侵蚀的影响,挟带有大量的淤泥,流域各国需要为此付出巨大的努力进行清淤以保障航道的通航条件。拉普拉塔河的航道是通往普拉塔水系的入口,它由阿根廷修建完成和维护,河中设置了通航用的浮标。

普拉塔河流域的主要开发项目是水力发电项目建设,除了已经提到的巴西国内为数众多的项目外,受亚松森宣言的有利影响以及 70 年代一般容易收到来自国际组织的融资援助,流域各国开始磋商达成双边协议,以兴建最为重要的工程项目。

1971 年 6 月 16 日,阿根廷和巴拉圭达成协议共同研究如何利用巴拉那河在两国公共边界流过的水域(位于伊瓜苏河与巴拉圭河之间),为达成此目标,成立了阿根廷—巴拉圭关于巴拉那河共同参与委员会,该委员会于 1972 年 3 月 15 日开始行使权力。两国选择科珀斯克里斯蒂作为科珀斯水坝的地址,河流在这里就像在峡谷中穿行,该地也成为两国共有的企业所在地。

几乎是巧合,1973 年 4 月 26 日,在巴西和巴拉圭签署协定开发伊泰普(上游至科珀斯,而且也处于巴拉那河谷经过的地方)的同年,1973 年 12 月 3 日,阿根廷和巴拉圭也签署了类似的协定来开发雅克雷塔(在巴拉那河谷上,位置非常接近伊泰普和科珀斯工程并处于其下游)。为了准备、建设和运营这些项目,按照这些相关的协定成立了两国间组织机构。

1946 年阿根廷和乌拉圭议定开发乌拉圭河的萨尔托格兰德项目,后来没有什么进展,直到 1972 年 10 月 20 日和 1974 年 2 月 12 日签署了补充文件后,该项目最终得以完成。萨尔托格兰德项目混合技术委员会负责这个高效能项目的建设,现在还负责它的运营工作,它的第一台发电机组于 1979 年投入运营,最后一台发电机组于 1982 年投入运营,同时在坝上还建设有国际高速公路和铁路,该项目取得了经济效益和环境方面的双丰收。

在文中已经多次提到巴拉那河流经玄武岩峡谷地带的海拔从巴西境内的 222.25m 降至阿根廷波萨达斯的 73.54m,这里水流为 11.8m³/s 的中等流量,其最大流量为 1905 年的 52.6m³/s,最小流量为 1944 年的 2.9m³/s。选择水流量还是落差作为发电能力的最重要因素,对电能开发起决定作用。因此,巴拉那河特别的地理条件,非常适合在巴西境内建造众多的大坝。另外,尽管许多年前就设计了三个跨国水力发电工程项目伊泰普、科珀斯和雅克雷塔项目,但最终还是选定设在巴拉那河流经的普拉塔河起点处。

1960 年 9 月 23 日,对于在巴西境内建造雅克雷塔大坝项目可能产生的后果,阿根廷、巴拉圭和巴西发布了联合宣言;对于伊泰普和科珀斯项目,如果要达到其最大使用能力,必须要认识到伊泰普大坝的特点,也就是其运营模式及其泄出水的水位和科珀斯水库的水位标志。巴西和巴拉圭表现出不合作的态度,并向阿根廷提出了自己对伊泰普项目的规划方案,并由此引起这些国家间关于如何开发利用巴拉那河长达 12 年的争论。

关于一国有权使用水位标志的法律问题方面,既要强迫流域各国共同执行,但又要考虑到现有国际法则的惯例。上游大坝泄出的水位越低,下游蓄水水库的水位也就越低,这意味着其发电利润也就越低。对科珀斯项目尤其如此,如果以当时的利率计算,其蓄水水库的水位相差 1m,就意味着每年损失 3 200 万美元。

1977 ~ 1979 年,来自阿根廷、巴西和巴拉圭的专家与代表为寻找到一个各方均可接受并相互兼容的平衡的解决方案举行了磋商,磋商成果为三国于 1979 年 10 月 19 日达成三方协议。协议要求,科珀斯水库的水位标志不得超过海拔 105m,伊泰普 18 台机组可以用的最大流量为 1.26 万 m^3/s。根据该协议,巴拉那河的水位波动每小时不得超过 0.5m,一天之内不得超过 2m。

该协议是流域三国在巴拉那河水力发电项目开展合作的起点,伊泰普工程项目在 1996 年底已经投入满负荷运行,雅克雷塔的一个大坝已经达到了一般的运营能力,而科珀斯项目由于最新的这种要求降低了它的发电量,同时也降低了其蓄水水库水位并减小了洪水的发生,该项目拟于 1997 年开始国际招标工作。

随着这种相互兼容方式的达成,各种地区性的协议相继签订。受到上述三方协议的激励,1980 年 5 月 15 日,阿根廷和巴西对乌拉圭河在两国边界处的河段利用达成共识,并由此产生了加拉比大坝项目。该项目目前正在执行中,就像科珀斯项目一样,他们又重新对工程进行了设计,以求达到精确的成本—效益。

90 年代,新的和既有的开发项目从国有性质逐渐转化为由私人投资。据此观点,利润低但有政治吸引力的项目需要重新设计和规划,因为受到下列三个因素的影响。其一是地区国有经济要转型为市场经济,这需要增加私人投资、风险投资和利润回报;另一个因素是政治上要有信心促进跨区域经济一体化,克服传统单一经济的依赖性,促进相邻国家间密切关系;第三个因素是引入在国际领域内 1972 年斯德哥尔摩到 1992 年里奥形成的环境模式，然后通过国际金融机构的限额来加强执行力度，正如世界银行所做的那样。

这些同时发生的体系和态度的变化，导致许多基础设施项目需要重新定义，修订已经规划好的项目，以迎接新的变革潮流的到来。例如，科珀斯项目新的位置将选在伊塔库鲁比，伊塔库鲁比位于巴拉那峡谷与阿根廷和巴拉圭交界处，在巴拉那河上游，距离原先地点伊塔库阿 44km；该地点对环境的影响最小，洪泛区从 2 万 hm² 下降到 1 万 hm²，减少 50%，年发电量为 2 万 GWh。

7.6　附属机构

关于在取水区对规划、项目、工程和组织机构等的竞争，普拉塔河流域条约做出了广义综合的约定，不过，该约定对于流域国家不会只有唯一的选择，而它作为一个框架协议可以使得全球受益。

相应地，第 Ⅶ 章中说到"本条约的条款不会妨碍各签约方为实现本流域发展总体目标而达成的特定的双边或多边协议"，可见，在关于条约本身的范畴以及对第 Ⅰ 章唯一的段落中有关用词的解释上，如"操作方案和法律条令"，该说法不可否认地已经有所保留。这些条令可以为各成员所遵循，同样也可以包括第 Ⅵ 章中的协议。不久，就在 1971 年出现在水资源管理规则的基本协议的亚松森宣言中之后，流域各国开始制定专门的和侧重于双边的协议和项目。

1973 年 11 月 19 日，在蒙得维的亚，阿根廷和乌拉圭关于拉普拉塔河以及相应的河流边界签署条约，该条约解决了关于在广阔的水域上行使裁决权的有争议的局面。除了裁决权以外，条约所解决的还包括航运、渔业、河床和下层土壤、污染防治、导航、工程、科学研究、救援作业、以及河流体系的其他方面。它还建立了两个常设委员会,拉普拉塔河管理委员会和联合技术委员会,以管理邻接的河流和交叉的公共捕鱼区。

根据该协议要求成立拉普拉塔河管理委员会,1974 年 7 月 15 日的补充协议促使该委员会最终建立,其办公地点设在阿根廷的马丁加西亚岛上,这个岛位于拉普拉塔河的战略地点,它可以控制船只进出巴拉那河和乌拉圭河,因而也是阿根廷和乌拉圭争论的焦点,两国都宣称在历史上和法律上对该岛领土具有拥有权。

该委员会拥有管理和行政职能。除在淤泥、渔业、河潮和水质等项目上的研究以外,它还被各成员国指定对马丁加西亚航道上挖掘和设立浮标项目的设计、招标以及裁决工作负责。这项工作拟于 1997 年开始进行,它将是拉普拉塔河上的第一个航运通道,由流域两国共同兴建和管理。既有的航道由阿根廷修建、维护和管理,阿根廷在拉普拉塔河和巴拉那河的河岸上,兴建港口以利通航。

联合技术委员会负责拉普拉塔河邻接的河流区域,它位于乌拉圭的蒙得维的亚,自 1976 年以来一直在开展工作,能综合管理公共捕鱼区的生物资源和水系环境,设立每种鱼类的捕捞量,促进科学研究,提出在经济和环境之间平衡发展的建议,起草生物资源开发和保护规划,设定公共区域物种合理开发额度,并消除污染。不仅限于在这个公共区域内,在阿根廷更广泛的经济区内,具有最重要经济价值的鱼类就是鳕鱼。

1975 年 2 月 26 日,阿根廷和乌拉圭同意成立一个专门机构,以管理乌拉圭河流经的公共区域,该区域位于瓜莱姆河、乌拉圭河和拉普拉塔河的交汇处。这个机构对该处水域利用的管理包括有航运、工程、防止污染、河床和下层土壤资源、导航、渔业、仲裁和解决争端等。根据该机构条约第 49～57 章的规定,于 1978 年 11 月 22 日在乌拉圭的派桑杜成立了管理委员会,负责河流协议有关条令的编写。该委员会,根据其西班牙语开头的字母,称之为卡鲁

(CARU)，编写了条令的多个章节。它还进行水质量监测，在它的18 年职能期间共检测了 20 万份河水样品。由于总有一些人与政府的良苦用心相左，如果不考虑隐藏在幕后的政治集团的利益，就不可能在 1966～1975 年 10 年间完成这个协议的编写工作。

厚厚的大事记里，把很多事实铭刻在那一段岁月里，那时个别国家想独揽特权。亚松森宣言的出台主要归功于一群来自普拉塔河流域 5 个成员国高水平的专家、法官和外交官，以及国际组织的官员们，他们把本地的需求变成一个全球性的概念，并一起起草了总体原则。他们理解来自社会和政治上的压力，不断激励自己努力工作。他们还勇于接受挑战，战胜现实存在的对立局面。

尽管发电大坝以及基础工程没有在宣言中提出，但却已经在最近的 10 年里在普拉塔河流域大量建成，还有公路，以及连接各城市、人民和经济所急需的国内国际大桥等也都建成。

为完成这些工作，成立了多个专门双边委员会。这中间有跨乌拉圭河国际大桥双边委员会，该项目位于乌拉圭河流经阿根廷和乌拉圭的分界区域，一座桥连接阿根廷的乌苏伊港口城镇和乌拉圭的弗雷本托斯，另一座桥连接阿根廷的科隆和乌拉圭的派桑杜。同样的情况，巴西和阿根廷在伊瓜苏河的弗兹附近新建国际大桥；巴拉圭和阿根廷在巴拉那河上兴建的国际大桥连接了巴拉圭的恩卡纳西翁和阿根廷的波萨达斯，也都成立了各自的双边委员会。

这些国际委员会在工程竣工后就解散了，这些公众项目由各政府的官方部门管理，不再需要有常设机构来管理和处理与私有集团的关系。

最近，关于流域的两条国际支流河流，贝尔梅霍河和皮科马约河，也成立了河流管理委员会。其中，皮科马约河起源于玻利维亚河，流经玻利维亚和阿根廷边界，经过三国接壤处的埃斯梅拉达，下游流经巴拉圭和阿根廷边界，最后注入巴拉圭河。为有效管理皮科马约河,相邻三国必须联合起来,这也是克服以前关于该水域的多种双边努力没有取得任何成效的决定因素。

因此,为开发皮科马约河流域,1994年4月26日三国同意组建三国委员会。1995年2月9日,玻利维亚、阿根廷和巴拉圭三国正式成立了三国委员会,并指定了各成员国认可的执行委员会。该委员会作为一个国际组织的作用在前面提到的协议中已经指明。

几乎同时,1993年9月14日,阿根廷和巴拉圭提出了组建双边管理委员会的建议,以负责皮科马约河流经阿根廷和巴拉圭边界区域的河段。1994年8月5日该委员会成立,其主要目的是协调一些工程和项目,以结束该处河道淤积和由此产生的河水泛滥的局面。

贝尔梅霍河起源于玻利维亚,流经玻利维亚和阿根廷边界,下游处于阿根廷境内,河道最长。两国最近就该河流开发达成了多个协议,尤其是涉及河流上游部分。

1995年6月9日,阿根廷和玻利维亚达成一项协议,共同开发贝尔梅霍河上游部分和它的支流塔里哈的格兰德河。该协议促成了双边委员会的成立,这个国际机构负责管理河流有关工程项目,具体负责该地区开发项目的规划、招标、融资和协调管理工作。

1996年11月19日,在1995年6月9日所达成的协议的框架基础上,贝尔梅霍河沿岸各国签署了补充协议,以开展三项工程建设工作。工程之一是在贝尔梅霍河的支流塔里哈河上修建大坝和水库,完成配套工作,该项目地点在塔里哈河上游,距离塔里哈河与伊塔乌河汇合处17km,一个叫坎巴里的地方;另一个项目是拉斯帕瓦斯综合工程,该项目地点在贝尔梅霍河上游玻利维亚与阿根廷交界处,距离贝尔梅霍河与其支流塔里哈河汇合处50km;最后一个项目是阿拉扎亚尔大坝和水库及配套设施建设项目,该项目地点在拉斯帕瓦斯综合工程下游25km处,它还有一个额外的作用,就是为拉斯帕瓦斯综合工程提供平衡补偿。

7.7　普拉塔河流域条约体系

在引入普拉塔河流域组织机构前,首先要分析普拉塔河流域条约自身的特点。普拉塔河流域条约任命了两个主要的机构来实现它在条约的第一章中所列举的宏伟目标,这两个机构拥有一定的政治和外交能力。其中之一,外交部长大会是非常设机构,而政府间合作委员会是常设机构,要定期召开会议。而普拉塔河流域条约自身并没有设立这两个机构,只是赋予了这两个机构组织职能。实际上,条约要得到批准和认可,外交部长大会首先需要召开两次大会,在第三次大会的特别会议上才能签署。政府间合作委员会是在 1968 年圣克鲁斯德拉塞拉大会上成立的,之后它被引入到普拉塔河流域条约中来,并在条约的第三章中明确指出"政府间合作委员会是该流域的常设机构"。

该条约在第三章第一段中还指出,它承认政府间合作委员会在 1968 年圣克鲁斯德拉塞拉大会上所约定的章程,并遵循此章程来协调该委员会的工作。该章程还提议设立委员会秘书处,秘书处最后也成为了普拉塔河流域条约的另一个机构,并由此使得普拉塔河流域的国际组织机构趋于完整。条约还明确了政府间合作委员会及其秘书处设在阿根廷的布宜诺斯艾利斯。

普拉塔河流域条约并没有建立新的机构,而是利用了已有的机构:外交部长大会、政府间合作委员会和它的秘书处。自 1967 年外交部长大会第一次大会召开,截至 1996 年它有 4 个特别大会,共召开了 20 次大会,批准了 250 个决议。

大会决议对各成员国没有强制义务,但普拉塔河流域的各机构在履行自身的职责时必须遵照执行,除此之外,在批准预算、修订章程或成立新的机构时,都必须召开大会,这一点与大多数国际组织都相似。

条约把政府间合作委员会作为它的常设机构,该机构履行自己的职责,拥有处理国际事务的能力,这种能力在条约的第三章以及条约的其他地方都没有明确指出,但在该组织与阿根廷政府所签署的解决争端协议中已经指明。这样,政府间合作委员会既拥有处理国际事务的能力,又有阿根廷宪法所规定的处理地方事务的合法能力。

政府间合作委员会自从 1968 年成立以来,已经召开了 516 次会议,最近一次是 1996 年 12 月 11 日召开的。这个外交机构一直保持了普拉塔河流域条约体系的连续性,尽管不是十分有效。

1992 年,该委员会对它的章程进行了修订,增加了另一个机构,它就是代表委员会。代表委员会本质上只是政府间合作委员会的分支机构,却拥有政府间合作委员会的外交职能。驻外使官和高级外交官出席该委员会的定期会议,一般的会议由各成员国的外交人员参加。

另外一个变化是秘书处转变为执行秘书处。这种转变使得秘书处拥有行政管理权限、财政预算管理权以及人事管理权。另外,拟增加一个技术办公室,但最终也未就此达成共识,因为此举过大地扩大了秘书处的职能。

而在规划、研究、工作和获取资金援助方面,普拉塔河流域条约体系的能力非常有限。1996 年,一个现代化的水利网络项目还处于从美洲国际开发银行获取融资的阶段,类似的情况,另外一个项目也还在接受普拉塔河流域发展基金会的审查。

早在 1968 年,普拉塔河流域各国技术组就召开了多次会议,1968 年的圣克鲁斯德拉塞拉法案将工程项目划分为 A 类、B 类和 A/B 类,分别由不同的技术组负责管理,这些技术组就是后来的技术部。其在 1992 年纳入了政府间协调委员会修订的新章程中,技术部负责的主要内容有水质、洪水预警、自然资源,即土壤和航运。

最近巴西提出要求,希望也召开关于环境的会议,但它没有强求。目前,美洲国际开发银行和普拉塔河流域发展基金会所审查的项目都是由技术部召开会议来规划的。

受各成员国财政资金紧张的影响,从 1994 年起技术部没有再召开过任何会议,财政困难制约了工作的开展,要求该机构对以后的工作要精心安排。对于任何一个国际组织,要想有效工作,关键是要有履行职责、执行能力以及财政预算等。

普拉塔河流域条约各机构为长远打算,支持创立一个专门的基金会以帮助本地项目获得资金,并增强获得国际资金援助的能力。

成立普拉塔河流域发展基金会的条约于 1974 年 6 月 12 日签署,1976 年 10 月 14 日生效,其法定资本金 10 亿美元,其中启动资金为 2 000 万美元。法定资本金份额中,巴西和阿根廷各占 33%,玻利维亚、乌拉圭和巴拉圭各占 11%。以年度分期付款的方式,巴西和阿根廷在 3 年内,而玻利维亚、乌拉圭和巴拉圭在 10 年内完成余下的资本金缴纳手续。普拉塔河流域发展基金会开始对这些资金进行管理,并批准了信贷优惠政策,优先发展经济不发达地区。受此优惠政策的影响,84% 的贷款给予了玻利维亚、乌拉圭和巴拉圭。普拉塔河流域发展基金会对这些难得的资金一直精心管理,现在已经批准了 3 300 亿美元的贷款,其中 1 670 亿已经支出。

1996 年,召开了以阿根廷和巴西为首的各成员国磋商会议,对组建普拉塔河流域发展基金会协议的基本框架进行修订。而美洲国际开发银行好几年前就建议要进行此项修订工作,这方面的咨询服务,只要各成员国需要,它就会提供。根据外交部长大会批准的决议,该项实质性的修订工作包含:①新增成员国,流域以内或以外的都可以;②资金可以自由申请,对该项资金的使用拥有否决权;③融资不仅仅限于在普拉塔河流域地区使用,还要扩大到流域各国全部领土;④贷款政策没有限制;⑤现代化管理和现代银行业运作方式。

即将发生的转型,尽管外交部长会要废除普拉塔河流域专门用于基础建设工程的融资体系,但这将对该地区的经济产生积极影响。各成员国并不想放弃普拉塔河流域项目的优惠贷款,而一个更为强大的融资机构对本地工程项目更加有利,与这些项目或者是流域的基础设施,或者与流域本身没有关系,而只是地区的需要。

巴拉圭—巴拉那河是一个天然的运输走廊,自北向南,从南美的中心出发,最终在普拉塔河附近注入大西洋。这个天然的河道从16世纪起西班牙舰队就航行过,而位于巴拉圭河河岸的亚松森市自1537年以来就是殖民统治时期远征军出征聚集的中心地点。

1988年,受巴西的马托格罗索州农业发展、巴西和玻利维亚采矿业发展,以及巴拉圭经济发展的影响,各国在巴西的坎普召开的第一次会议对改善巴拉圭—巴拉那河既有河道条件表现出了兴趣。

巴拉圭—巴拉那河,不仅仅是因为其本身的条件,它还受多种因素的影响,使得其河道未能充分利用,而且效率低下。现在进行的改造工作要保证河道全年的最低深度,对困难地带进行结构治理,河道上设置可以昼夜使用的航标信号。

巴拉圭河和巴拉那河流经的国家有巴西、巴拉圭和阿根廷,仅有很小的地域在玻利维亚境内。该流域由塔门果河道与巴拉圭相接;这两条河都不经过乌拉圭,因而,建在乌拉圭河河岸的新帕尔米拉港就被选作为该河道的终点。这样,普拉塔河流域的5个国家开始为该项目建立新的机构,其资金来自美洲国际开发银行和普拉塔河流域发展基金会。

为了建设该项目,建立了政府间河道委员会,1991年它成为普拉塔河流域体系中的又一机构。时至今日,政府间河道委员会最重要的成绩就是它创建了河道运输协议,该协议于1992年由各成员国批准通过,1995 年 2 月 13 日生效。河道运输协议有 8 个规则,协议是河道使用者遵循的共同航运准则,适应于流域内的 5 个国家。

1996 年 12 月,巴拉圭—巴拉那河河道改造工程项目的可行性研究和环境评估报告提交给各成员国,后续工程还处于决策阶段。

由于设立了巴拉圭—巴拉那河河道委员会,普拉塔河流域制度体系与最后一环终于得以链接。理论上讲,所有的机构都应该由政府间合作委员会来协调,但实际并非如此。就普拉塔河流域发展基金会和河道委员会而言,它们不仅拥有自治权,而且与政府间合作委员会几乎没有任何联系。

可以想象,前面已经提到的双边或三边委员会应该与普拉塔河流域制度体系框架有非正式或灵活的关系,因为它们都与同一片水域相关。这件事还有许多工作要做,这样才能把很多零碎的部分统一完整起来。

各个国际组织的悲剧,或者说无效率,在于它们的众多的职能中往往存在冲突,而这些冲突常常出现在一个有机组成的协议中;悲剧的另一点就是这些国际组织的能力极其有限。其包括个人能力有限、决策水平有限、人员有限、预算有限。因此,没有人会对它们只取得了有限的成绩表示惊讶。

对于普拉塔河流域制度体系,现在面临着挑战和变革。想要得到理想的变革结果,必须要进行政治决策。可以设想,这些决策也许"会"给出,但是 5 个成员国的目标想要兼容统一,那是根本不可能的事。

作为决策阶段的第一步,政府间合作委员会起草并批准了一个文件,该文件称为重组政府间合作委员会——决议第二号(Ⅳ - E)。作为起点,它承认,如果有人认为南方共同市场的一体化进程已使普拉塔河流域的体系变得毫无必要,或者认为它的目标与自由贸易区所要达到的目的不谋而合,那么这样的想法过于简单。

该文件分为6部分,前言部分将普拉塔河流域条约作为一个系统化的和程序化的工具(第5段),它承认该条约不包括水资源管理的指导原则,但是它的制度框架可以允许在水资源管理的模式上达成协议(第6段)。第二章介绍了条约所要求建立的机构和以后要增加的机构。第三章讲述体系的现状,以及它在水利工程和基础设施建设上所取得的成绩,尽管在水资源管理上还没有一个多边相互合作的机构(第12、13段);政府间合作委员会由于一直没有进行更新来应对新的威胁和需求,它在最后阶段已经逐渐变弱(第15段)。不过,在为普拉塔河流域各国建立公共政策时,普拉塔河流域体系还可以起到一定作用(第16段),为达此目标,其作用很有必要:①重新制定目标;②修改结构体系;③设立基金会(第17段)。第四部分定义了体系的目标,其中考虑到了各国的经济利益,并参照了1992年1月26～31日在都柏林召开的都伯林会议关于水和环境的原则,这个原则在莫雷利亚宣言中也提到,曾被1996年3月27～29日在墨西哥莫雷利亚召开的水流域组织会议所采纳。其目标包括:①水资源保持和管理;②地域统一;③资料和信息系统化;④保护环境;⑤政策与立法和谐(第18段)。第五章提出了普拉塔河流域未来的组成机构。该机构保留外交部长委员会作为它的高级机构,并成立普拉塔河流域委员会以取代政府间合作委员会;新的委员会设有工程部,这也是它对目前缺乏效率的体制的真正变革。以后要设立秘书长,该职位的人选必须要有相当影响力并支持新委员会和技术部的工作。第六章是谋求各种融资渠道,这是验证每个国际组织政治能力的真实测试。除了来自各成员国所提供的资金外,还要考虑到水电站建设资金的援助具有双边性,以及国际金融机构对某些特定项目的支持。

该文件将于1997年提交给外交部长会议进行讨论和批准。

7.8　水资源规划

　　规划,一般来说,就是采取各种可用的措施,尽可能最有效地利用现有资源。水资源规划要求对资源和措施两个因素深思熟虑。再加上,由于水资源在很多方面都显得脆弱无比,如质量、数量、供应有限,管理复杂和需求不断增加等,因此在进行水资源规划时,务必多加小心,端正态度。

　　通常在考虑经济发展时,可以用到规划,但在发展中国家进行水资源规划,概念有本质的不同。在发达国家中,水资源规划是为了获得效率及其增长;而在发展中国家,除此目的以外,它还意味着社会和文化变革。这种变革既是发展的前提条件,同时也是发展的必然结果。在这种情形下,规划要介入确定的政治活动的目标中,发展中的经济领域和国家允许私人投资。结果,公共行业不可避免地受到了影响,这也提醒大家注意,为方便各级政府部门进行管理,规划和决策权必须赋予同一个机构。

　　另一个要考虑的条件是土地使用和其对水资源产生的影响,两者之间有紧密的内在联系。现在,土地使用和水资源规划绝不可以分开来看,它们都应该属于任何不同水平上同一层次的两部分。另一方面,发达经济国家和发展中经济国家所持观点不一致,因为各个不同的水资源使用者不可能都有能力提供这些水资源管理所必需的财力。为了在全球经济竞争与自然资源环境的有效管理带来的长期利弊之间找到平衡,需要有更多的知识和理性。这种情形,在不发达国家中尤其重要,公共行业在这方面也有不可推卸的责任。

　　应该知道,要达成上述目标,规划活动中最重要的方面包括劳动力供应、能源、运输、农业、畜牧业、工业应用、采矿、洪水控制、旅游和娱乐等。有效规划目标就是要使这些必需品在社会、经济和环境上产生尽可能小的影响。这意味着,政策的制定要以详实的数据为基础,因此要收集的数据有水文的、气象的、经济的和技术的,而且都要经过处理和评估。为此,各规划机构在国际和国内领域都有重大意义。在国内管理上,各联邦国家都有一套复杂的立法体系,这些体系值得仔细分析。尽管如此,在不同阶段对国内和国际机构所制定的规则进行协调,这是水资源政策制定的一项有意义的工作。

因此,在这点上,那些拥有知识和经验的人们应该做出自己的贡献,提出合理的建议。

第三部分 圣弗朗西斯科河流域

8　圣弗朗西斯科河: 东北部的生命线

（拉里·D·辛普森）

8.1　绪论

　　圣弗朗西斯科河起源于巴西中部米纳斯吉达斯州和戈亚斯州之间的地区,由中部高原和山地雨水汇集而成,这里将圣弗朗西斯科河与它西北部的托坎廷斯河和亚马孙河流域分割开(见图8.1)。圣弗朗西斯科河发源于米纳斯吉达斯州海拔约1 600m高的卡拉斯特拉山,向东北蜿蜒流经2 700km,穿越巴西东北部半干旱地区、大部分干旱地区(见图8.2 巴西东北部干旱区分布图)。圣弗朗西斯科河为该地区工业提供了所需的水电能源,为水果和蔬菜种植业提供了水源,还提供了货物的运输和服务;圣弗朗西斯科河渔业所生产的鱼类,因味道鲜美、质地优良而享有盛名,同时它还是世界上独一无二的养殖基地。据说在上世纪,一些黑色的巴西小精灵就住在这条河上,他们在船头立起了著名的卡红卡女神像,这些船在圣弗朗西斯科河上游弋,以驱赶那些坏精灵。该地区一些轻快的音乐,就源于这条河上人们所演唱的歌曲。这条河对于该地区未来的发展至关重要,而它同时也带来了潜在的冲突,对于巴西的东北部来说,这条河是生命之源,而各种发展所产生的需求导致了对这种稀缺资源的争夺。对该河流的需求,不仅仅来自河流沿岸各州,还来自东北部半干旱地区的其他州,这些州虽然不在圣弗朗西斯科河边,但他们早就渴望拥有这条河的水资源,并在75年前就提出了河流改道引向东部和北部的建议。由于改道激起的情感、环境、政治和经济等诸多方面的斗争才刚刚开始。因此,在下个世纪,这条河流将是研究、开发和矛盾的焦点,这需要国家提供最好的技术专家和精明的政治家来解决这些矛盾。这样复杂的系统需要应用计算机和水文气象学的最新信息技术,使决策者和外交官获得必要的信息与手段,以便在对这条河流资源使用的竞争中达成协议,开发资源和制定优先发展项目,而在这些竞争中,争夺的成分更多。既要满足这个河流系统多种不同的用途,实现可持续发展和环境保护,又要面临如此挑战,未来的思想家和决策者更要殚精竭虑,找出对策。还有同样重要的挑战,那就是在满足这些需求时,不能威胁和破坏河流独有的生态系统,不能对这稀有和价值连城的水域造成污染,这需要互相让步、精心规划、政治和经济合作,并付出大量的时间、精力和资金。

图 8.1　圣弗朗西斯科河流域在巴西地图上的位置

圣弗朗西斯科河流域干旱地区
圣弗朗西斯科河流域开发和规划公司
比例1:10 000 000

□ 干旱区
▨ 圣弗朗西斯科河流域开发和规则范围

图8.2　巴西东北部干旱区分布图

8.2　地理和气候

　　圣弗朗西斯科河流域面积为 64 万 km^2,起于中部地区米纳斯吉达斯州南部高海拔的卡拉斯特拉山,止于大西洋的入海口,并作为阿拉戈斯州与塞尔希培州的分界线。圣弗朗西斯科河长年流淌,四季不断,它在米纳斯吉达斯州和巴伊亚州西部地区的主要支流也是如此。该河流跨越从湿润至干旱不同的气候带。河水的主要来源地是源头湿润和半湿润的地区,只有在雨季的时候,在干旱和半干旱地带的间歇河带来的洪水,才增加了圣弗朗西斯科河河水的流量。尽管这些支流带来了好处,而带来的问题更多,如洪水、侵蚀和沉积等。圣弗朗西斯科河流全线,还有大量的基础设施改造工作要做,主要目的是要进行水力发电。假如河流所有的水量都用于灌溉两岸肥沃的土地,那么圣弗朗西斯科河流域的农业生产潜力将巨大无比。圣弗朗西斯科河还有潜能,它为巴西的这片区域提供航运服务和额外的能源。然而这些工作并不相互排斥,只是它需要有大量的协调和优化工作,以实现该河流有限价值的最优综合利用和管理。解决这个问题需要开发技术信息和决策工具,并解决更多政治和经济性质的问题。

圣弗朗西斯科河流域一般分为四个不同的子流域:上游、中游、中下游和下游。每个子流域呈现不同的地理和气候特征(见图8.3)。

8.2.1　上游流域

上游流域位于整个流域的最南端,主要在米纳斯吉达斯州内。该地区山川起伏,高原林立,还有高海拔平坦的山地。这里的气候特征接近于亚热带,也可以划归为湿润地带。这个子流域年平均降雨量约为1 250mm,最大年均降雨量出现在该子流域的西部,为1 400mm;最小年均降雨量出现在该子流域的北部,为1 000mm。该子流域的月均最低温度出现在冬季,为18℃;最高月均温度出现在夏季,为23℃。米纳斯吉达斯州首府——贝洛奥里藏特,就位于该子流域内,它拥有发达的工业和商业中心,还有随之产生的大量垃圾,这些垃圾最终都进入到了圣弗朗西斯科河流的水域中。化工业是贝洛奥里藏特和子流域最南端贝蒂姆的主要经济支柱。矿藏开采、建筑材料生产,在该地区占据了主导地位。该地区平均海拔为1 000~1 300m,西面是高海拔的平坦山地,中部和东南部

图8.3 圣弗朗西斯科河流域划分

为起伏的山丘。这里是典型的热带大草原,土壤肥沃,有很大的农业开发潜力。在可灌溉的地方,正在大规模种植水果,而这在该区域北面靠近加劳布和戈里图布的地方也特别盛行,在那里私人和联邦政府共同配备灌溉设施,以便开发水果高产区域,这些水果出口到国际市场和巴西人口密集的地区。在西部高海拔山地以大豆种植和畜牧业为主,在可灌溉的地方,有的逐渐转为以生产更高价值的粮食作物为主。这里还培植了大量的桉树林,为造纸业所用;生产了大量的焦炭,用于钢铁冶炼业。区域内的河流都是常年有水的四季河,它是该流域其他部分流量的主要来源。该处河段的主要基础设施建设有河流改道工程及大型的特雷斯玛丽亚斯大坝和水库建设工程,这些设施主要用于水力发电和河水流量的调节以控制后续河道中洪水的流量。大部分城市人口都集中在该河段的大都市贝洛奥里藏特地区。该河段还有其他的一些城市,但仅贝洛奥里藏特现有和潜在的污染、经济实力和人口都远远超过了其他城市。这里的中等城市有帕多斯达米那斯、贾努亚里亚、贝蒂姆和其他。据 1994 年人口普查,该地区人口达 700 万人,约占圣弗朗西斯科河流域总人口的一半以上。

8.2.2　中游子流域

中游子流域位于米纳斯吉达斯州和巴伊亚州,可分为两个不同特征的区域。在这个子流域的左面,即西部,上游高海拔地区山地的雨水由东流入该区域。区域内支流河流都是四季河,主要的河流有科伦特河和格兰德河。该子流域的上部和左面是典型的热带大草原,其他地方以落叶矮灌木林和半干旱植被为主。这里的土壤非常适于农业生产,历史上都有私人的和公用的灌溉设施。在这个子流域南部的左面,受四季河的影响很大,在米纳斯吉达斯州和巴伊亚州的这些支流河流上建有很多灌溉设施;在右面,或东部,巴伊亚州的河流呈现间歇性或季节性,因此很少得到开发。这里的植被以落叶矮灌木林和半干旱植被为主。这里的可用地表水和地下水主要用于牛和山羊的养殖,而限制基础农业和灌溉农业。圣弗朗西斯科河在这个子流域,直到下游或最北部才有大坝和水库。这个子流域的下游,建有索布拉丁霍水库,在这个子流域的土地和土壤,对巴西东北部的农业灌溉来说有很好的开发潜力。大量的太阳能辐射、中到高温和优质的土壤,使该地区具有很大的潜能可以开发,如高价值的水果、蔬菜、咖啡作物,以及大豆和粮食作物等。这些潜力的开发可以大力促进本地区的经济发展,同时可以为世界上粮食产量很低的地方提供食物来源。这里的平均年降水量约为900mm,夏季平均温度为25℃,冬季平均温度为23℃。人口主要集中在农村,与上游相比,这里人口分布相对稀少,主要以农业生产为主,用河水来灌溉、运输和供应水源。由于没有大型都市地区所有的工业收入,该地区经济收入很低,这里的人均收入比上游地区要低很多。根据人口教育和行动协会(IPEA)1993年统计,这里大约有50%的家庭生活在贫困之中。解决这一问题的主要途径有增加教育、职业培训、就业和经济开发的机会。这需要对该地区的水供应进行明智和持续的管理,以支持该地区的经济发展。

8.2.3 中下游子流域

中下游子流域地处该流域的中下游地带,位于巴伊亚州和伯南布哥州内,圣弗朗西斯科河在这里是该两个州的分界线,并为著名的水果和蔬菜种植基地皮得罗利亚及朱阿泽罗地区提供河水灌溉。位于皮得罗利亚和朱阿泽罗地区的联邦与私人灌溉项目沿农业工业区分布,代表了巴西国内在灌溉农业方面典型的成功经验。这里的水果和蔬菜销往巴西全境,并出口到许多国家。该地区的开发起初受到联邦政府资助的灌溉项目的重大影响,并为后来的私人投资提供了基础。联邦政府在这方面的工作主要由一个公共公司负责,它就是圣弗朗西斯科河流域开发公司(CODEVASF)。前面已经说到,在很多大型灌溉工程中,如果联邦参与往往会带来低效率和浪费问题,但在这个农业工业非常成功的企业区,如果没有联邦政府的先期投入,是不可能成功的。联邦政府在这些工作上的成功,为这种成功经验的推广提供了可能。圣弗朗西斯科河流域开发公司(CODEVASF)目前在中部流域巴伊亚州靠近巴雷拉斯和布耶苏达那帕市的工作,也存在同样的潜力来为主要的私人投资提供基础。在该区域内提供就业机会,应该与在皮得罗利亚和朱阿泽罗地区贫困的减少具有同样的作用。据估计,每公顷土地可以提供 5 个人的就业机会,这也是因为有了灌溉才有的结果,这样也促进了该地区高价值灌溉农业的大力发展,以及相应食品的加工业和运输的发展,并繁荣了市场。

该子流域包含了圣弗朗西斯科河上大部分的水电开发项目,主要的大坝和水库有索布拉丁霍、伊台帕里加、保罗阿方索和辛国,它们为巴西的东北部地区提供了水电能源。该流域下游的河流落差较大,为水电开发提供了巨大的潜能。尽管如此,它们还不能完全满足圣弗朗西斯河流域对能源的需求,但是它们已经提供了绝大部分的能源,并为将来的可再生电能提供了一个稳定的生产基地。

这个子流域的河流最初很难通航至上游地区。由于存在这些蓄水和水电设施,通过调节水量为通航提供了可能,但需要进行充分的协调和管理,以实现水道的多重用途。这个地段主要受到水电开发的影响,但不包括索布拉丁霍水库,而在最初由于落差和激流的影响,商业化航运也无法开展。

就在这个子流域,距离索布拉丁霍水库下游不远处的河道改道工程在这里开始实施,以将水引入东北部的塞阿拉州、北里奥格兰德州和帕拉伊巴州。

· 这一项目已经通过各种形式讨论了多次,但却总是遭到政治上的反对,以及经济和融资上的困难。在对该项目建议书进行大幅缩减之后的两年前它又重新被提出,这次它在技术和经济上都是可行的,但它仍然遭到了流域各州政治上的反对。最近,联邦立法委属下的一个委员会对该建议书进行了重新审查,并将它作为整个流域总体潜能开发主要研究的一部分。

在这个子流域内,所有从左面和右面来的支流都是季节性的,它们对河流总体流量的贡献很小。

该子流域主要的城市人口集中在巴伊亚州的朱阿泽罗市、皮得罗利亚市和伯南布哥州的保罗阿方索市。其他的人口主要在农村,以农业和牲畜养殖为生。

植被以落叶矮灌木林为主,土壤贫瘠,缺乏生产力,而皮得罗利亚和朱阿泽罗的农业例外。这个子流域绝大部分的地区仅适宜于有限的牲畜养殖。圣弗朗西斯科河流域这里的矿物生产在历史上就很有限,而且也不是它的主要经济支柱。这里的平均年降水量约为500mm,夏季平均温度为27℃,冬季平均温度为24℃。稳定的温度和几乎一直持续不断的太阳辐射,为这里的农业生产提供了很好的天气条件,只要有优质的土壤和水源,并使它们得到妥善管理,就能发挥农业生产的巨大作用。

8.2.4 下游子流域

圣弗朗西斯科河流域的下游子流域包括了巴伊亚州、阿拉戈斯州、塞尔希培州和伯南布哥州,并作为塞尔希培州和阿拉戈斯州的分界线。流域内以热带大草原和大西洋灌木为主,在热带大草原和上部干旱地区的落叶矮灌木林之间存在一个过渡带。下游子流域的河流在历史上可以通航,它主要用来运输甘蔗、其他农产品和建筑材料。但由于在上游修建水电设施对河水流量的控制,以及圣弗朗西斯科航运公司(FRANAVE)的逐渐衰落,这条河流的商业航运用途也逐渐消失。这个下游子流域的下游地带拥有很多重要的沿海三角洲和海滨湿地。有些地方通过填海造田和新修灌溉设施,已被开发成农业生产区。在下游湿地大西洋灌木覆盖的区域,气候湿润,而在上部半干旱区域,植被以落叶矮灌木林为主。年降水量在沿海地区为1 300mm,而在该区域的上部为500mm。该地区人口主要集中在一些小型城镇和农村地区,人均收入较低,大部分人口还处于贫困和极度贫困之中。河流下游河段历史上曾用于运输农产品至沿海市场,渔业是该地区的重要经济来源。沿海三角洲和海滨湿地的生态系统是这里的主要财富,但它还没有完全被鉴定和得到很好的保护。三角洲南面的海滨地区,是海龟的栖息地,而它们正面临濒临灭绝的危险。

8.3　原著民

据 1988 年统计,圣弗朗西斯河流域原著民人口估计为 2.6 万人,约占该流域农村人口的 0.6%。这些原著民人口中,约有 74%,即 19 495 人居住在中游和下游地区的伯南布哥州、阿拉戈斯州和塞尔希培州,主要是农业人口,依靠土地维持生计。其中大部分人从事牲畜养殖、旱作农业或木刻工艺品生产。伯南布哥州的很多人受到了诸如伊台帕里加工程项目的严重影响,减轻这些影响和改善其生存条件的工作还要继续完成。流域其他地方的原著民人口,约占该流域农村人口的 0.2%,生活状况与该流域中大部分贫困农村人口的生活状况没有太大的差异。

8.4　河流的水文特性

圣弗朗西斯科河在水流入口处的年平均流量超过 940 亿 m^3,圣弗朗西斯科河及其主要支流的流量见表 8.1 和表 8.2。上游和中游的自然流量低于一年四季流动的主要支流的流量,平均为 2 100～2 800m^3/s,下游入口处的流量约为 3 000m^3/s,最大自然流量出现在 3 月份,在靠近中游和中下游交界的朱阿泽罗平均约为 12 950m^3/s 的流量和在保达阿库卡的水流入口处为 12 967m^3/s 的流量;最小的自然流量出现在 9 月份,在以上两地分别为 671m^3/s 和 842m^3/s。河流现今的情况,河水的自然流量受到大量的水电开发项目的巨大调节作用,以便进行水力发电和防洪。

表 8.1　圣弗朗西斯科河流域主要河流特性值

河流	圣弗朗西斯科河岸坡	测点	登记时段	长度（km）	流域面积（km²）	年均流量（m³/s）	特定平均流量（m³/s）
圣弗朗西斯科河	—	特雷斯玛丽亚斯	38~82	2 221	49 750	707	14.21
达斯韦哈斯河	右:Direita	皮拉伯拉	38~81	2 050	61 880	768	12.41
圣弗朗西斯科河	—	瓦尔泽达帕尔马	38~75	2 025	25 940	292	11.25
伊基台河	Direita	巴拉多伊基台	63~78		90 990	1 015	11.15
圣弗朗西斯科河	—	伊基台	67~75	2 001	6 811	46	6.75
巴拉卡图河	左:Esquerda	曼台加	59~81		107 070	1 132	10.57
圣弗朗西斯科河	—	阿尔格雷港	52~75	1 926	41 709	436	10.45
乌鲁奎亚河	Esquerda	圣罗马奥	53~81	1 893	153 702	1 520	9.89
圣弗朗西斯科河	—	巴拉达埃斯库罗	55~75	1 866	24 658	251	10.18
圣弗朗西斯科河	—	圣弗朗西斯科	43~81	1 830	182 537	2 082	10.40
圣弗朗西斯科河	—	雅鲁阿尼亚	34~70	1 750	191 700	2 168	11.31
圣弗朗西斯科河	—	曼加	32~81	1 645	200 789	2 050	10.21
大韦尔迪河	Direita	波卡达卡廷加	72~75	1 525	30 174	19	0.62
卡林汉斯河	Esquerda	尤文尼亚	64~78	1 586	15 832	150	9.47
圣弗朗西斯科河	—	卡佩汉哈	27~81	1 586	251 209	2 207	8.79
科伦特河	Esquerda	诺弗	77~84	1 447	3 120	251	8.07
圣弗朗西斯科河	—	莫尔帕拉	47~79	1 234	344 800	2 421	7.02
格兰德河	Esquerda	伯基亚罗	33~79	1 178	(65 900)	262	3.98
圣弗朗西斯科河	—	巴拉	25~77	1 178	421 400	2 652	6.29
圣弗朗西斯科河	—	朱阿泽罗	29~79	759	510 800	2 731	5.35
圣弗朗西斯科河	—	保达阿库卡	26~79	171	608 900	3 001	4.93
圣弗朗西斯科河	—	特莱普	38~79		622 600	2 980	4.79

注：长度指河流从源头到海洋的距离或从圣弗朗西斯科河上测点至海洋的距离。

表 8.2　圣弗朗西斯科河流域月平均流量

河流	测站	登记时段		1月	2月	3月	4月	5月	6月	7月	8月	9月	10月	11月	12月	年	流域面积(km²)	无数据月份数量
圣弗朗西斯科河	皮拉伯拉	38~81	均值	1 423	1 318	1 168	886	594	512	440	389	382	464	736	1 165	768	61 880	38
			最大值	4 006	3 134	3 096	2 068	1 745	1 515	857	920	786	971	1 782	2 062	1 647		
			最小值	430	545	440	321	202	154	151	142	141	142	208	467	415		
圣弗朗西斯科河	巴拉多伊基台(蒙坦特)	63~78	均值	1 909	1 580	1 250	945	655	630	626	611	631	844	1 241	1 414	1 015	90 990	04
			最大值	3 919	2 842	3 584	1 578	1 017	928	869	920	857	1 133	2 261	2 017	1 483		
			最小值	687	830	494	394	373	296	288	292	255	470	534	557	683		
圣弗朗西斯科河	卡基奥拉(曼台拉)	59~81	均值	2 225	1 849	1 647	1 130	773	705	645	603	598	792	1 310	1 419	1 132	107 070	16
			最大值	4 419	3 384	3 928	1 949	1 256	1 301	984	946	996	1 181	2 854	4 211	1 574		
			最小值	871	919	607	462	380	306	264	223	198	282	406	576	755		
圣弗朗西斯科河	圣罗马奥	53~81	均值	3 022	2 618	2 307	1 642	1 022	882	812	712	680	980	1 638	2 385	5201	53 702	38
			最大值	6 024	6 887	4 873	4 049	1 846	1 642	1 396	1 250	1 170	1 572	4 015	4 842	2 614		
			最小值	1 017	1 127	896	613	459	380	295	233	186	301	501	699	944		
圣弗朗西斯科河	圣弗朗西斯科	43~81	均值	3 995	3 417	3 366	2 442	1 409	1 139	960	812	750	954	1 976	3 208	2 082	182 637	71
			最大值	9 689	8 446	7 484	7 814	2 706	1 936	1 510	1 314	1 373	1 586	4 794	7 870	3 492		
			最小值	1 104	1 269	1 098	882	701	557	438	369	300	331	603	972	1 344		
圣弗朗西斯科河	雅鲁阿尼亚	34~70	均值	4 321	3 985	3 574	2 614	1 553	1 164	981	797	703	955	1 921	3 459	2 168	191 700	03
			最大值	8 002	8 817	7 912	7 070	5 222	349	1 903	1 520	1 273	2 006	3 492	5 954	3 781		
			最小值	1 791	1 463	1 420	1 101	614	498	417	324	260	262	493	880	1 230		
圣弗朗西斯科河	培德拉德	72~81	均值	3 723	3 306	2 810	2 531	1 523	1 366	1 179	1 053	1 000	1 377	2 423	2 791	1 981	191 063	11
	玛瑙亚达老鲁特		最大值	6 924	7 814	5 524	3 413	2 154	2 077	1 560	1 403	1 442	1 794	4 454	3 573	2 937		

续表 8.2

河流	测站	登记时段		1月	2月	3月	4月	5月	6月	7月	8月	9月	10月	11月	12月	年	流域面积 (km²)	无数据月份数量
圣弗朗西斯科河	曼加	32～81	最小值	1 222	1 434	1 202	1 013	1 083	903	879	733	707	1 088	1 320	1 541	1 454		
			均值	4 087	3 678	3 283	2 554	1 428	1 073	880	722	674	902	1 837	3 259	2 050		
			最大值	8 820	10 024	6 913	7 881	3 471	2 048	1 586	1 230	1 128	1 659	4 262	6 226	3 737	200 789	84
圣弗朗西斯科河	卡林汉哈	27～81	最小值	1 180	1 335	1 210	844	712	573	425	346	332	303	481	1 037	1 188		
			均值	4 286	4 179	3 630	2 803	1 640	1 228	1 040	683	797	904	1 900	3 421	2 207		
			最大值	8 883	10 207	7 532	8 163	4 347	2 312	1 807	559	1 544	1 754	3 786	6 827	4 079	251 209	22
圣弗朗西斯科河	波恩那苏斯	77～84	最小值	1 241	1 405	1 274	910	691	598	508	413	379	385	607	1 120	1 246		
			均值	4 888	5 814	4 549	3 742	2 149	1 794	1 521	1 342	1 285	1 552	2 293	3 611	2 878		
			最大值	6 351	10 045	8 196	5 421	3 679	2 331	1 996	1 659	1 544	1 943	4 019	6 205	4 035	273 750	
—	达拉帕斯(帕拉廷加)		均值	2 947	2 130	1 382	1 540	1 265	1 104	957	789	777	1 290	1 480	1 431	1 688		
圣弗朗西斯科河	莫尔帕拉	45～79	均值	4 252	4 510	4 198	3 206	1 826	1 422	1 229	1 082	1 007	1 161	1 917	3 324	2 421		
			最大值	9 068	11 207	12 327	7 578	3 675	2 454	1 929	1 722	1 741	1 875	3 486	5 476	4 328	344 800	10
			最小值	1 710	1 609	1 536	1 131	904	783	702	617	555	532	749	1 249	1 513		
圣弗朗西斯科河	巴拉	25～77	均值	4 737	4 781	4 423	3 709	2 286	1 641	1 404	1 243	1 137	1 271	2 052	3 630	2 652		
			最大值	8 690	8 949	10 747	12 717	8 425	4 156	3 079	2 556	2 165	1 926	3 669	6 128	4 655	421 400	19
			最小值	1 694	1 811	1 825	1 366	1 152	975	817	740	680	696	865	1 477	1 726		
圣弗朗西斯科河	朱阿泽罗	29～79	均值	4 462	4 874	4 708	3 937	2 510	1 720	1 461	1 292	1 165	1 265	1 971	3 413	2 731		
			最大值	7 843	9 981	12 950	8 840	8 744	3 937	2 589	2 129	2 436	2 393	3 518	5 590	4 798	510 800	09
			最小值	1 527	1 505	1 356	1 534	1 235	1 018	895	793	671	639	877	1 349	1 694		

续表 8.2

河流	测站	登记时段		1月	2月	3月	4月	5月	6月	7月	8月	9月	10月	11月	12月	年	流域面积 (km²)	无数据月份数量
圣弗朗西斯科河	波得罗利亚	77~79	均值	3 133	4 009	5 762	4 397	2 315	1 816	1 581	1 595	1 727	1 869	2 341	2 269	2 692	586 700	—
			最大值	4 329	6 939	12 364	9 549	2 701	2 207	1 809	1 803	2 071	2 059	3 043	2 608	4 290		
			最小值	1 480	1 599	1 650	1 761	1 860	1 526	1 447	1 441	1 522	1 752	1 647	1 599	1 835		
圣弗朗西斯科河	保达阿库卡	26~79	均值	4 714	5 290	5 371	4 632	3 038	2 018	1 680	1 475	1 347	1 377	1 944	3 407	3 001	608 900	11
			最大值	8 060	11 502	12 967	9 371	9 865	5 039	3 023	2 442	2 457	2 667	3 320	5 723	5 303		
			最小值	1 422	1 638	1 772	1 764	1 419	1 073	924	842	760	725	899	1 461	1 721		
圣弗朗西斯科河	特莱普	38~79	均值	4 534	5 224	5 400	4 646	2 941	1 990	1 662	1 461	1 313	1 339	1 882	3 311	2 980	622 600	07
			最大值	7 825	12 152	13 743	9 384	10 205	5 101	2 901	2 308	1 927	1 964	3 382	5 529	5 244		
			最小值	1 487	1 705	1 705	1 750	1 501	1 108	941	804	690	644	795	1 333	1 768		
圣弗朗西斯科河	伊伯里亚马	77~80	均值	4 557	7 568	6 004	3 347	2 157	1 898	1 598	1 388	1 319	1 619	2 116	3 200	2 951	322 600	03
			最大值	5 613	11 914	11 589	4 965	2 673	2 369	1 803	1 587	1 618	1 778	2 889	4 073	4 230		
			最小值	3 070	3 763	1 600	1 652	1 487	1 271	1 125	936	924	1 462	1 635	2 563	1 674		
圣弗朗西斯科河	特雷斯玛丽亚斯	38~62	均值	1 508	1 417	1 194	776	463	350	287	231	216	296	616	1 153	707	49 750	01
			最大值	3 245	3 857	2 952	1 499	818	581	455	353	369	587	1 518	2 291	1 147		
			最小值	259	200	331	202	130	158	116	93	93	108	234	137	320		
达斯韦哈斯河	瓦尔泽斯达帕尔马	38~75	均值	631	486	437	265	172	133	112	93	89	146	318	600	292	25 940	13
			最大值	1 756	973	1 118	646	394	262	215	181	157	301	664	1 411	544		
			最小值	159	115	131	101	61	71	52	43	51	57	89	122	142		
伊基台河	伊基台	67~75	均值	89	71	69	32	14	10	9	8	7	31	91	119	46	6 811	01
			最大值	181	153	169	46	23	18	16	14	14	61	201	255	57		
			最小值	29	13	21	12	5	4	5	5	5	11	30	42	37		

续表 8.2

河流	测站	登记时段		1月	2月	3月	4月	5月	6月	7月	8月	9月	10月	11月	12月	年	流域面积(km²)	无数据月份整数量
巴拉卡图河	阿莱格雷港	52~75	均值	921	849	774	485	284	213	167	134	109	178	406	691	436	41 709	30
			最大值	2 050	1 856	2 070	1 408	623	433	342	269	233	309	801	1 727	857		
			最小值	186	167	220	147	83	81	62	55	61	68	127	160	267		
乌鲁奎亚河	巴拉达统依梅罗	55~75	均值	460	439	448	306	150	99	80	63	53	128	315	490	251	24 658	19
			最大值	927	969	849	559	278	157	122	109	99	277	554	826	325		
			最小值	137	125	129	122	54	51	43	35	37	31	96	185	169		
大韦尔迪诺河	波卡大卡廷加 波卡达利加	72~75	均值	57	24	19	30	9	5	4	3	3	7	24	43	19	30 474	—
			最大值	77	36	37	52	10	7	5	5	4	8	31	63	25		
			最小值	40	14	6	17	7	4	3	3	2	4	18	16	14		
卡林汉哈河	尤文利亚	64~78	均值	178	181	181	163	134	123	118	112	109	128	172	205	150	15 832	03
			最大值	278	284	293	214	159	151	136	130	127	155	239	286	181		
			最小值	122	128	112	109	109	102	100	88	97	109	126	151	125		
科伦特河	诺弗港	77~84	均值	312	342	295	291	233	218	206	198	193	213	245	277	251	31 120	—
			最大值	375	549	344	356	256	250	230	220	208	242	321	340	291		
			最小值	228	225	169	190	184	166	157	152	150	176	183	207	187		
格兰德河	伯基亚罗	33~79	均值	325	339	336	310	254	220	209	200	193	208	251	307	262	65 900	08
			最大值	571	671	604	572	376	305	281	267	262	266	341	464	368		
			最小值	235	242	224	214	188	168	165	160	165	171	181	229	128		
帕伊乌乌河	雅兹戈	64~75	均值	3	13	48	74	35	8	4	2	0.6	0.1	0.3	0.2	15	6 170	06
			最大值	15	56	151	348	148	25	13	6	3	0.7	2.0	1	53		
			最小值	0	0.4	1	0.3	0.2	0	0	0	0	0	0	0	1.0		

除了河水的干流,还有许多主要支流汇入以增加流量,有达斯韦哈斯河(平均流量为 292m³/s)、巴拉卡图河(平均流量为436m³/s)、乌鲁奎亚河(平均流量为 251m³/s)。河流总流量的70%来自上游子流域,在曼加观测站,流过上游子流域下边界的流量为2 050m³/s。

在中部流域,河流的流量主要来自两条支流,即平均流量为251m³/s的科伦特河和平均流量为 262m³/s 的格兰德河。不包括达斯韦哈斯河在内,圣弗朗西斯科河的主要支流都是从左边或西面汇入,这些河水绝大部分来自山地的降雨。

8.5　组织机构和政治状况

就像前面所提到的,圣弗朗西斯科河流经巴西东北部 5 个不同的州,实际上还应包括巴西利亚联邦地区,因为它源头的一条支流从联邦区流出。这些州中,水资源领域组织机构的水平参差不齐,巴伊亚州和米纳斯吉达斯州处于领先地位。

米纳斯吉达斯州有一个机构,这个机构就是水资源部,属于矿藏、水和能源秘书处的分部,专门负责水资源规划和管理。米纳斯吉达斯州已经开始了水资源管理总规划编制的合作过程,现在已经到了水资源法的制定阶段。水资源法将保证人们享有水资源的权利,以及对水资源进行管理和治理。各种其他的机构也一直在积极推进水资源的开发和利用,其中包括米纳斯农村组织。

1995 年巴伊亚州通过了一项综合水资源法律,在水资源秘书处内部设立了水资源最高管理处。这部法律明确指出了这个州在水资源上的政策,将保证人们享有水资源的权利,颁发基础设施建设许可证,保证水坝安全和对水资源征税。这部法律在巴西是一部最综合的法律。巴伊亚州还完成了该州内主要河流流域总规划的编制工作,并已经开始了在该州内享有最高优先权的水资源管理项目开发。

伯南布哥州最近在科学技术和环境秘书处内部成立了一个理事会,该机构已经开始了本州水资源管理总规划的编制,以及综合水资源法的制定。在制定综合的计算机水资源数据库方面进展情况非常好。

阿拉戈斯州与塞尔希培州,还处于水资源职责的起草和规划编制及组织结构筹备阶段,以更好地管理水资源。

圣弗朗西斯河流域主要的联邦负责机构有:圣弗朗西斯河流域水文联合研究执行委员会(CEEICASF);圣弗朗西斯科河开发公司(CODEVASF);圣弗朗西斯科水电公司(CHESF),它是该流域主要的能源结构;东北地区发展总署(SUDENE),这个组织成立的目的是为了对东北部地区进行综合规划。

圣弗朗西斯科河开发公司组织成立的目的,是为了在圣弗朗西斯科河流域进行经济开发。在历史上,该地区的经济活动主要是从事本地区的灌溉农业开发和农业经营。它其中有一些成功项目,如皮得罗利亚和朱阿泽罗地区尼霍科霍工程中高价值作物成功的种植。其中包括一些不太成功的小型工程,因为这里的灌溉工程还值得商榷,而且种植模式一直是以低价值作物和自给自足的农业为主。近年来,在圣弗朗西斯科河开发公司的工程项目中,发起了一项运动,以促进水资源使用自治地区更广泛的参与。该自治地区承担了水资源工程项目的使用和维护工作,并设定和收取水资源使用者一定的费用,以维持这些项目的运转。这项举措促进了权力的下放,提高了工程的维护水平,增加了水费的收取率,让水资源使用者更加清楚这些工程的使用和维护的真正成本。圣弗朗西斯科河开发公司多年来致力于公司自身的发展,以成为一个开发和运营机构。然而,由立法委指派的一个特别委员会对圣弗朗西斯科河未来进行评价和分析后指出,圣弗朗西斯科河开发公司应该逐渐转变角色,以促进和协调为主,将权力更多地赋予用户组织和私人部门。这种转变将极大地刺激流域内私有成分比例的增加。圣弗朗西斯科河开发公司在每个子流域都无处不在，并成为发展各种经济成分的焦点。它在开发使用地理信息系统（GIS）方面取得了极大的进步，该系统用来分析流域灌溉区域内的土壤、种植模式、河流地貌和土地使用等。该系统为从潜能开发、环境保护、沼泽地造田运动、水污染控制和航运等方面对整个流域进行整体分析提供了基础。另外，还需要大量的额外工作将这些功能添加到数据库中，以提高规划的可靠性，未来将会获得长期回报。圣弗朗西斯科河开发公司还成功地对培训领域进行了改造，负责向项目开展地区的小农场和年轻人提供支持，包括在弗摩索A和H工程中建立的职业培训中心（该中心靠近巴伊亚州的蓬耶苏达拉帕）和设立一个非常成功的周转基金以帮助小农场生产高价值的水果作物和学习水果种植技术，以及新的适用于本地灌溉的技术。圣弗朗西斯科河开发公司（CODEVASF）有它的成功之处，也有它的问题，但它在圣弗朗西斯河流域所开展的活动中，所取得的成绩总体是非常积极的。

东北地区发展总署于1959年成立，它的职责范围非常广泛，其中包括协调流域内（这个流域范围包含了圣弗朗西斯河流域的干旱区），各种正在实施的活动和投资。随着多个定居点、土地分布和农业工业现代化的新章程及融资机制的建立，这些活动在20世纪70年代中期达到了高潮。随着联邦政府为东北部农村地区多个新章程的制定，这一趋势继续保持，并在20世纪80年代得以延续。而随着东北地区各州规划和开发能力的增强，东北地区发展总署在流域综合规划方面的影响正在逐渐消失。

8.6　圣弗朗西斯科河水电能源

圣弗朗西斯科水电公司（CHESF）负责水电生产开发、运营和维护,以及整个东北部地区能源的分配。在圣弗朗西斯河流域,它负责运营的电厂装机容量约为 7 800MW;在流域的支流上,装机容量约 2 500MW 的项目正在建设中,将来流域总装机容量将达到 26 000MW。圣弗朗西斯科水电公司与各州的电力公司紧密合作,在有些情况下,它将工作交由各州总负责,如特雷斯玛丽亚斯发电厂,就交给米纳斯吉达斯州电力公司(CEMIG)负责。前面已经阐述,圣弗朗西斯科河流域的大部分水电生产都处于中游子流域。这里的河段落差非常适于修建水电设施,同时河流在这里的水流量带来稳定的能量来源。然而,在这里安装水力发电系统,也不是没有问题。伊台帕里加水电工程,就位于原著民的居住地,工程的建设和运营没有一个好的规划来减轻工程对原著民生活的影响。为经济需要而将这里刚建成的设施投入使用,导致了居民的大量动迁,但并没有安排足够的地方来安置他们。因此,居民的动迁工作要暂缓执行,并且要使居民满意,而这些对居民权利毫无顾及的行为却无人理睬。无视公众经济的强大需求的行为将对这些主要能源开发项目的成功建设带来负面影响。人们由此怀疑,这个庞大的联邦政府机构是否有能力,以一种社会和环境都能接受的方式进行水电开发。另外,这个机构在接受流域水资源多种用途概念时却表现得非常迟钝,它还在继续使用它的设施,而不考虑对流域水资源的多种用途进行综合管理。未来圣弗朗西斯科河流域的优化使用,在统一管理的问题上,其态度和政策要有大的改变。

流域现在和将来对电能的需求,仍然会超过现有可用的能源储量。据估计,在未来 10 年里,电能的需求会增长一倍。而现在的水电开发地点,都已经选在河流的最好地点,可以想见,在这条河流上继续开发水电能源将会不断恶化对水供应的争夺,影响沿岸环境,和严重影响到既有土地的使用。你将会看到,巴西政府在选择优先发展的任何一个项目时所做出的决策,都将遇到大股东和非政府组织的越来越多的反对。农业灌溉、工业和都市对能源的需求在不断增加,这将面临着要牺牲水资源的一些其他用途,而去满足这些需求,而同时还有来自环保和保持水资源自身用途愈来愈大的压力,如渔业和航运等。在恢复和保护与该河流相关的主要依靠洪水的海滨三角洲和海滨湿地时,也将会面临越来越多的压力。

8.7 航运

从历史上看,圣弗朗西斯科河在一年的部分时间内,从米纳斯吉达斯州的特雷斯玛丽亚斯水库至靠近卡布罗波某点之间的河段可以通航。卡布罗波位于巴伊亚州朱阿泽罗市 400km 的下游。河流下游从靠近保答阿库卡的某点至河流入海口长约 200km 的河段(见图 8.4 圣弗朗西斯科河纵剖面)可以通航。另外,在科伦特河和里奥格兰德河的主要支流上,可通航的长度分别为 75km 和350km。在敞开和封闭的货轮运输的货物主要是农产品、牲畜和建筑材料。最初的航运是由私有经济完成的。而 1903 年,巴伊亚州成立了一个公共公司,来管理巴伊亚州的航运,这个公司最终发展为现今的圣弗朗西斯科河航运公司(FRANAVE)。而近年来,该河流上的商业航运已经下降到几乎忽略不计的程度。在巴伊亚州,1994 年的运量已从 1987 年的 12 万 t 下降到 2.6 万 t,而且还在继续下滑。这个公共公司现在的作用和存在的意义有待研究。随着水电设施的建设,大坝和水库阻塞了河道,使得河流的流量降低,如果要恢复河流的通航,还需要有大量的协调工作和进行流量调整。在水力发电所需的最佳条件中,需要保持河流足够的流量,每年运送大约 450 万 t 水量,要达到这样的水平需要与圣弗朗西斯科水电公司紧密合作,实现河流流量最优化管理,对河道清淤,重建港口设施,以及在船只上大量投入。据估计,这些投资约在95 亿美元。同时,这些水路还要与广大的公路和铁路运输网络相接,将产品运至消费市场或大西洋港口。这些投资看起来很高,但这个系统能给该地区的经济发展和出口产品价值带来实质性的好处。这样,在评估一个综合运输系统的开发时,必须要考虑水道运输的多种广泛用途。

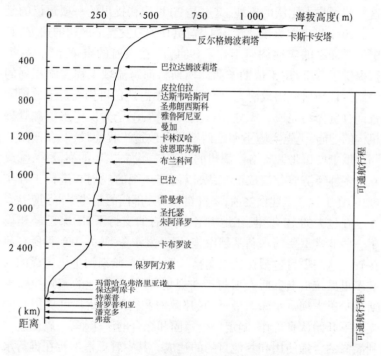

图8.4 圣弗朗西斯科河纵剖面

8.8 历史上的规划工作

圣弗朗西斯科河谷在过去的岁月里,进行了数不清的规划和开发工作。就在近期,巴西国家水电能源部(DNAEE)与圣弗朗西斯科水电公司(CHESF)还对河流的水电潜能进行了主要规划研究。

20世纪80年代,经过大量的分析,提出了河流改道工程,这项工程将圣弗朗西斯科河水引至巴西东北部的塞阿拉州、北里奥格兰德州、帕拉伊巴州和伯南布哥州等干旱地区,大量的河水输往这些州干旱而肥沃的土地,这也是20世纪初提出的一项建议的延续。1981年由国家填海造田工程部(DNOS)发起了最初的研究,其中包括详尽的实地调研工作。1984年,在政府的申请下,世界银行提供了资金,用于帮助圣弗朗西斯科河跨流域工程实施规划的编制。该项研究由政府充分利用美国填海造田机构支持下的国际咨询合资公司完成。规划项目主要包括:①全力发挥水资源管理机构的功能,优先实施圣弗朗西斯科河改道工程建设;②在塞阿拉州贾瓜里贝和北里奥格兰德州的阿泊堤,设立主要的灌溉区;③成立由多种经济成分组成的组织,以制定详细的规划和进行工程实施;④在工程开工建设之前,来自州和联邦部门的制约要得到解决。

在过去的10年里,在地方各州政府的支持下,国家已经建设了一些非常重要的水利基础设施,以开发水资源,并由项目所在地接管。这些项目包括在北里奥格兰德州皮兰哈斯河上已建成的阿曼多里贝拉贡卡贝斯大坝与正在规划、设计和实施的塞阿拉州卡斯旦哈奥大坝及水库。最近,联邦政府和塞阿拉州在世界银行的支持下开始认真工作,制定一个稳固和综合的法律框架,以促进水利灌溉的合理使用和其他目的的达成。其中管理框架旨在推行水资源可转换使用权的登记、分配和使用。拟定接管这些基础设施的各州,逐步建立强有力的组织管理结构,以便有效地使用本地的水资源和从改道工程所得到的水资源。基本建议书自提出以来,已经过多次讨论和修订,尽管它还处于研讨之中,但分歧已经大大减少。

在美洲国家组织(OAS)的帮助下,圣弗朗西斯科河流域开发公司为该河谷的开发编制了总体规划,并于1989年完成。该项研究称为圣弗朗西斯科河谷开发和规划(PLANVASF),它对各种需求和潜能进行了分析,包括农业开发、水电开发、水供应、污水处理、流域各种产品的经营,以及生产和经营所需的运输。这项综合规划为圣弗朗西斯科河谷公司正在进行的各种活动奠定了基础,它还分析了河谷的贫困问题和原著民问题。

1984年,在各州间部长委员会的工作下,提出了建立河流流域委员会的想法,以对该流域进行专门的规划研究工作。这个委员会(CEEIVASF),首先提出了将圣弗朗西斯科河流域作为一个整体水利单元的看法,但是它只是集中在技术方面。尽管它提出了将联邦政府的权力下放到各州的想法,但自身缺乏资金来源,也没有权力来实现这些想法和论断。委员会的工作继续由圣弗朗西斯科河州间议会委员会(CIPE)来完成,州间议会委员会由5个州的立法委主任组成,这5个州包括了圣弗朗西斯科河的大部分地区。另外,地方政府当局还成立了圣弗朗西斯科河城市联盟(UNIVALE),它由来自流域各城市的代表组成。这个联盟提供技术咨询服务,涉及能源生产、灌溉开发、卫生和人类居住、旅游、运输、教育和环境保护等多方面。

1995年,巴西东北部各州与国家水资源秘书处合作成立了一个团体,作为各州水资源各部门的代表,以便在包括圣弗朗西斯科河流域在内的整个东部地区加强水资源法律和组织间的相互合作。这一团体成立于北里奥格兰德州纳塔尔,并签署了纳塔尔宣言。该团体的一个主要的议题就是圣弗朗西斯科河,其中包含了跨流域工程可能产生的潜在影响。这个团体还在继续召集会议,讨论有关议题,如水资源法律和组织框架对圣弗朗西斯科河进行统一管理的联合研究行动,以及各州与联邦政府间在水资源各方面可能达成的合作领域等。

8.9　灌溉农业开发

圣弗朗西斯河流域的灌溉农业开发活动由公共经济机构和占很大成分的私有经济机构共同完成。靠近皮得罗利亚市和朱阿泽罗市,位于巴伊亚州和伯南布哥州境内的公共灌溉项目,是最早的公共灌溉开发项目,它用于该流域高价值作物的种植。这个开发项目提供了灌溉基础和市场潜能,并吸引了私有投资。这种组合促进了该地区经济的大力发展。在过去的 10 年里,圣弗朗西斯科河流域开发公司一直致力于米纳斯吉达斯州和巴伊亚州进行联邦政府灌溉项目开发,这项工作作为两个州周边地区的发展带来了核心推动力。就像在皮得罗利亚和朱阿泽罗地区所进行的工程一样,在米纳斯吉达斯州的贾伊巴和戈里图巴工程,以及在巴伊亚州的弗摩索 A 和 H 工程,已经成为活动的中心环节。围绕这些中心,许多私有灌溉项目正在开发之中。尽管这些联邦政府灌溉农业工程还不到全国灌溉工程的 10%,但它有力地刺激了私有经济持续不断的发展。联邦政府最近新提出了"新灌溉模式",建议要由公共和私有经济机构大力合作,最大限度发挥农业开发潜力。这样,一些既有的联邦工程项目,以及由公共和私有经济机构共同承担的基础设施建设的部分工作,有可能会开放和私有化,以刺激私有经济的发展。

8.10　圣弗朗西斯科河流域开发特别委员会

联邦立法委于 1995 年任命了一个特别委员会,由该委员会重新审查流域规划活动,并提出了编制实施规划的建议,以最大限度地发挥该流域的潜力。根据联邦参议院 1995 年 480 号法案,成立了圣弗朗西斯科河流域开发专门委员会,旨在对流域现在和将来的开发战略、政策、规程及优先权进行磋商。该委员会还负责扶贫工作,在社会经济发展和圣弗朗西斯科河环境保护间找到平衡,以恢复已退化的土地。这个委员会还被授权安排并开展与私有机构、公共行业机构及各种组织的磋商,以促进这个地区的可持续发展。

这个委员会于1995年11月结束了它的工作,并做出了一份最终报告,该报告建议采取行动,进一步协调该流域的发展。在这项研究过程中,委员会举行了听证会,接受陈词,并指派专门顾问收集和评估以前与这个流域相关的研究和工作,以及评估目前还在该流域起作用的机构组织的框架。这个专门委员会主要负责:

①讨论有关流域发展战略问题,尤其是在贫困地区,并要特别考虑社会经济状况和环境;

②分析这个地区环境管理和恢复建议书;

③组建论坛,讨论流域和东北部地区的经济开发潜力,其中包括对公共和私人投资潜力进行分析;

④讨论流域可持续发展新项目的潜力。

委员会的工作表达出了一个新的和坚定的信念,即希望这个流域综合各个方面保持可持续发展。这个委员会的建议最后指出:圣弗朗西斯科河流域发展机遇将为整个巴西东北部的发展带来好处,同时它拥有的潜能值得整个国家和民族给予关注并优先发展。下面的节选来自这个委员会对建议所做的总结,从中可以看出巴西联邦立法委的政策趋势。这个委员会的建议在整体上构成了未来国家在发展圣弗朗西斯科河流域所采取政策的可能框架。

8.11 参议院特别委员会报告节选

8.11.1 生产部门

(1)巴西中部在过去10年里是令人羡慕的区域,它拥有很大的粮食生产潜力。在圣弗朗西斯科河流域中部地区,可以看到生产在不断增长,但不幸的是,它仍然需要政府在信贷和针对它特有条件而开发的技术方面提供更有效的支持。新兴的基础设施阻碍了扩大生产和产品经营。鉴于此,值得提出以下建议:

①通过投资,建立一个农业石灰石项目,由巴西银行提供信贷,为期两年,以促进中北部地区巴伊亚州、皮奥伊州、马拉尼昂州和托坎廷斯州农业生产区域的扩大及生产产量的提高;

②在包括中北部地区在内的区域推广蓄水项目;

③支持中北部地区农业生产的多样性,确保区域经济和生产的可持续性发展。

因为"北方地区统一开发走廊项目"已经存在,它从属于巴西银行,并且范围有限,目的也是这里所说的提供信贷,因此建议把它的名称改为"中北部地区发展项目",并扩展其地理区域(包括巴伊亚州西部地区和托坎廷斯州所属地区,以及中部皮奥伊州和马拉尼昂州),修改它的范围和增强融资可用性,以便它不仅能履行它的原始职能,还可以作为一个有效机构为联邦政府采取行动发展中北部地区。

(2)灌溉农业明显地改变了圣弗朗西斯科河流域的现在和未来。一个曾经是以半干旱为主的地区,加上周期性的干旱和自给自足的农业生产,而今已是国内著名的蔬菜和水果生产基地,且已经成功地参与到世界市场中去。尽管如此,灌溉农业仍然受到一些阻碍和制约,限制了它的全面发展。因此,对这项行动的各个方面提出以下建议:

①金融

• 正在实施的私有项目

在巴西发展银行(BNDES)和巴西国家银行(BNB)建立信贷额度,认真分析投资和营运资金(每年开销为粮食产量的 2.5 倍),遵循在工业项目上的同样做法。

• 正在使用的私有项目

通过由巴西银行和私人网络实施的农村信用政策,创建一个专门的"灌溉成本"信贷限额,为期 12 个月;

通过签订预购合同和其他市场因素,特别是与水果生产相关的因素,实施成本信贷担保系统。

• 公共项目

继续使用外部的融资渠道,特别是美洲开发银行(IDB)和世界银行,并与这些组织的金融投资公司(如国际金融公司 IFC)保持联系,为那些可能参加这些项目的私人代理商提供融资;

在预算和融资方面,保证这些公共项目得到相应的资源,包括外部的(如日本海外互助基金会 OECF)或国内相互融资(通过巴西发展银行);

使用公共服务特许权政策(Law n°9.074/95,art. n°1,V),使得私有经济成分可以参与灌溉系统的建设和使用,这是开发灌溉区域的有效办法;

明确定义公共基础设施的投资(无偿的),例如将水引至灌溉区的主要基础设施建设。

②成本

• 为了降低东北部公共灌溉成本,应该采纳下面的指导方针:

将社会基础设施建设的职责(例如健康、教育等)转由各州和市政当局承担;

鼓励获得发电许可证的公司在电力传输和变电站建设方面相互参与,遵循在私有项目上的做法;

各级政府应承担与公路连接工程相关的责任和义务;

削减在城镇设施、机场建设、公共楼房等方面的开支,例如住房开发(灌溉者最好住在他们自己的土地上)。

③灌溉区域的管理

在灌溉区域定居要采取一个灵活方式,从灌溉开发者专门的居住区到专门的商业区,根据各个具体情况制定最佳发展规划。目前的情况,由法令规定了优先开发权,而这与旨在优化灌溉性地区生产潜力的政策不相符;

根据前期所作的可行性研究,采纳旨在恢复公共投资的严格有效的标准;

建立和采纳灌溉区或灌溉中心生产规划,以鼓励特种生产或适宜的混合生产;

鼓励在土地、劳动力和水等方面增加产量和提高生产率,以优化投资的使用。

④技术和人力资源

与私有部门共同努力,开发研究各种项目,旨在促进和普及圣弗朗西斯科河流域各种自然条件下适宜的灌溉农业技术;

在圣弗朗西斯科河流域各种经济活动中(水果生产、园艺学、家畜业、渔业、农工业等),普及人力资源培训和提高人力资源水平。

开放市场进口农产品,建立农产品新市场,改良农产品,这就意味着要引入产品质量控制,它涉及:

• 国内生产条件或进口产品方面,要实行现代化,进行疾病控制培训和流程化作业;

• 在对外商业项目中,制定计划,促进销售和推广市场信息,以支持各生产者所付出的努力。

8.11.2　基础设施

基础设施问题是圣弗朗西斯科河流域发展政策的核心问题,因为它限定了资源的合理利用和制约了经济活动的扩张,这些经济活动将会提高人民福利和促进可持续发展。但是迄今为止,这里的基础设施非常少,而且很分散。

可以理解,现在不仅要弥补已经失去的时间和持续的努力,还要采取行动与有关机构和部门一道,共同制定中期和长期解决方案。

(1)圣弗朗西斯科河流域目前的开发需要着重于电力生产。考虑到流域水资源的不同用途,现在需要重新定义优先权,电力生产部门必须紧密结合流域其他与之竞争的用途。建议结合可不限于以下几点:

①考虑在圣弗朗西斯科河流主干河道修建水电设施,协调新用途与河道调整、航运和灌溉的关系。

②促进圣弗朗西斯科水电公司(CHESF)和米纳斯吉达斯州电力公司(CEMIG)联合运行,即在特雷斯玛丽亚斯、索布拉丁霍水库和保罗阿方索瀑布范围内,调节河流,使洪水的影响降到最小,并确保航行所需的流量和有利于灌溉的项目。从短期来看,巴西国家水电能源部(DNAEE)应该要求这两个公司共同制定一个营运方案,并由其他相关利益方进行审查。

③促进弗摩索进行水力发电开发,它在皮拉伯拉上游的圣弗朗西斯科河上,这对于控制洪水和改进河流的航运条件很重要。

④应该尽快解决中下游圣弗朗西斯科河伊台帕里加的移民问题。荒谬的是,在水电站已经开始运行后,从库区搬迁移民的生活水平竟然没有得到恢复。

⑤促进尽快结束弗摩索河萨科斯(116MW)和费马伊斯河希蒂奥格兰德(19MW)水电开发项目的建设,这两条河都是圣弗朗西斯科河的支流。

⑥结束由圣弗朗西斯科水电公司负责的巴雷拉斯变电站的建设工作,并按230kW的能力投入营运,实现由电能替代巴伊亚州西北部地区400多个主要灌溉项目的用油,而这相当于灌溉了4万 hm^2 的土地。

⑦通过巴西发展银行的项目运作,在巴伊亚州西部地区实施农村供电项目,以利于灌溉、农业生产加工、发展农业工业和改善

生产者生活条件,促进区域经济收入的增长和保持。

(2)圣弗朗西斯科河流域地区运输问题已经成为产品销售的最主要的障碍。由于公路运输效率低和条件很差,有必要在一个更加现代化、节约和灵活的整体方案下,严格管理运输品的流动。鉴于此,建议如下:

①立即在圣弗朗西斯科河道落实一个真正的航道,从北至南穿过这个地区,并将巴西东北部与还没充分开发的东南部相连接。目前,公路在这个地区的商品运输量仍然占绝大部分,但费用很高。考虑到直接使用水路的成本与效益比,公路运输在合理性和经济性上都是没有效率的。花费不到 1 000 万美元投资将目前的航道改造为适合航运的水路,这是一个低成本、高效的投资。

②启动该流域多模式运输系统的改造工作,从恢复中心线(朱阿泽罗—萨而瓦多)开始,建设东北线,即皮得罗利纳—萨尔桂阿罗(PE)—米绍韦尔哈(CE)。改造工作中要特别注意铁路部分的建设。

③恢复和重建联邦公路 BR - 020/242/166 和 BR - 135,以连接生产区域和消费市场及海港。由于明确地定义为地区间一体化的角色,这个水路将会把圣弗朗西斯科置于更广阔的舞台上。

④对于河流港口的现代化、扩大和建设来说,只要没有阻碍海港现代化进程的问题存在,如与劳动力使用有关的问题,就要应用港口现代化法规,这个法规将会吸引众多更有前景的合作者进入这个领域。

⑤尽快结束皮得罗利纳机场的建设工作。并根据当地的产量和基础,在其他农业工业地区规划建设机场。

8.11.3　水资源和环境管理

目前,圣弗朗西斯科的水资源潜力还未得到合理利用,也没有需求来维持资源的可持续发展和进行环境保护。各级政府和部门所采取的行动没有得到协调,也没有能够进行合理管理,解决相互间的冲突。因此,要根据河流不同的功能,采取一种必要的措施,使这些活动间相互协调发展,确定优先权,并牢记保持地区的持续发展。根据这个报告中对这件事的探讨和立法委成立圣弗朗西斯科河流域水资源管理委员会意见,有必要提出下面这些建议:

(1)由巴西国家水电能源部(DNAEE)负责水资源使用的授权工作,通过与各州水资源管理机构签订的合同协议,将各个分散的行动进行统一。

(2)作为圣弗朗西斯科河跨流域改道项目最终评估研究的一部分,建议考虑下面的条件,包括但不限于下列条件:

①重新规范 1994 年建议的项目,因为该项目明显与河流特征、水流量和需求的比例,以及圣弗朗西斯科河流的地貌特征不相符;

②通过适当的规划和规划实施,促进半干旱东北地区流域现有水资源的最优化利用,特别是那些从河流改道项目中受益的地区,要避免发生修建设施因水量不够而变得毫无用处;

③开展项目环境影响研究,编制项目环境影响报告(EIA/RI-MA),其中要强调项目的修建对河流的影响;

④在各种论坛和联邦机构中,促进对项目环境影响研究和环境影响报告广泛的讨论,并遵循受影响地区环境立法会制定的规则;

⑤评定对汇入流域的影响(淤积、水分蒸发和盐碱化等),及经济和社会的影响;

⑥保持圣弗朗西斯科河主要河道上水力发电装机容量,特别是保罗阿方索瀑布;

⑦通过保持河流年最小深度,保持河流的通航能力;

⑧保持圣弗朗西斯科河流域 80 万 hm^2 土地的灌溉条件(采用圣弗朗西斯科河谷开发和规划机构 PLANVASF 所做的计算);

⑨着手实施大规模行动,恢复圣弗朗西斯科河的环境,如恢复沿岸的森林、生态和植被等;

⑩确定操作、组织和融资模式,包括时间表、管理方式,以及对危险和紧急情况下的运营进行评估,制定中断运营的标准。

(3)制定和执行一个广泛的圣弗朗西斯科河流域环境恢复和保持项目计划,它涉及联邦政府(主要有巴西再生资源及环保局(IBAMA)、巴西国家水电能源部和水资源秘书处)和流域各州。这个如此广泛的计划应该包括:

①建立一个信息管理和监视系统,其中包括水道;

②对圣弗朗西斯科河整个区域及其支流存在潜在影响的各种活动,发放许可证和进行控制;

③建立并应用统一的方法和标准来进行分析、评估和控制;

④对当前情况进行诊断,并跟踪河流和流域环境条件的演化过程;

⑤沿岸森林和生态的恢复项目;

⑥建立公园、保护区和环境保护区域;

⑦建立管理模式,使流域环境领域内的各种技能和义务相互联系、合为一体和推广使用;

⑧水资源使用权的授予和控制系统;

⑨对流域环境进行分区,特别注意源头和入口处。

这个综合规划的编制应该是寻求国际融资所要达到的目标,也是联邦和各州政府所希望的,它要遵循巴西东北农村发展项目(世界银行)的有关规程,可能会涉及到卫生工程(在河岸的 97 个城市中,只有 5 个城市有卫生污水处理系统)、洪水控制、渔业项目、恢复森林、公共健康和正式的环境教育。

8.11.4 流域的行政管理

鉴于各组织间的相互联系和政治活动,有必要建立一个地区委员会来协调圣弗朗西斯科河流域的各种工作,它由各个组织与机构及州政府和私企代表组成。该委员会的创建应该响应联邦政府作出的关于给予圣弗朗西斯河流域应有的期望和优先权的决定。

这个委员会的议程应该包括流域水电开发和统一运营管理的多个议题,旨在实现水资源多种用途相互协调、自然资源保护、加快灌溉项目建设、圣弗朗西斯科水道建设、将目前一些分散的农村资金和项目集中起来等。这个在决策层中已经存在的论坛,有可能最大限度地利用现有的金融资源,并使这些资源适应这个地区的特征。

这个委员会的管理模式和组织特点没有明确定义,但无论它采取怎样的模式,都应该保证其职责能顺利地履行。事实上,它应该包括多种组成部分和空间元素,这样就不至于背离可持续发展这个更大的目标。

这个委员会应该包括专门的主题委员会来处理信贷和融资,农业、家畜和农业工业,灌溉,运输,能量,环境和自然资源,社会服务和活动及其他事务。

无论在理论上还是在实际中,应该恢复圣弗朗西斯科河流域开发公司在圣弗朗西斯科河流域发展机构扮演的角色,并在大范围内开展活动。现在已经是时候,确定圣弗朗西斯科河流域开发公司作为一个半公共公司的地位,它有灵活的运作空间,其私有部门有自行决策的准则,现在它处于完全私有化的过渡阶段。

即使只考虑公共的和官方的行动,还是可以预见,圣弗朗西斯科河流域开发公司在协调流域开发所做的努力是不够的。这就是为什么要第一个提出行政管理建议,就是成立地区委员会协调该流域的各项工作。但是,一个更强大的私有经济成分的存在,对实现这个流域的目标也必不可少。

当为圣弗朗西斯河流域考虑设立一个开发机构时,应该包括更多的私有经济成分,这些私有经济成分应该与公有成分并行考虑,甚至要遵循州地方开发机构的规则,就像蒂特—巴拉那的情况一样。

从中期观点来看,这种私企的能动性将会更大地推动和增进这个流域公共和私有活动的联系。

注意动员国内社会和政治力量,例如圣弗朗西斯科 SOS 紧急救援机构、各州间可持续发展议会委员会(CIPE)、圣弗朗西斯科市政联盟以及其他机构。这些都表明圣弗朗西斯科地区发展意识在增强,这需要鼓励和加强。

本报告中所陈述的观点是委员会安排多次讨论和研究的结果,当然它仍处于初级阶段,需要进一步发展,使得体系清晰和明确。同时,要重点指出的是,这些观点是基于一致同意的原则而提出的,而不是建议或结论,这是为圣弗朗西斯科河流域的发展而研究、生活和工作的全体人员一致和坚定的信念。

8.12　总结与结论

根据圣弗朗西斯科河流域开发专门委员会的最终报告,在该流域进行的研究,从来没有反映出流域的整体概念,统一管理的思想从来就没有实施过。同一报告里还指出,也没有法制或制度框架管理和实施这个统一的管理办法。

圣弗朗西斯科河是巴西东北部最重要的资源之一,对该流域经济和文化发展的影响在于它自身的潜力,而在实施统一管理和可持续发展措施后,这种潜力将进一步得到发挥。参议院特别委员会一个重要的成就就是,通过从一大群各种不同的股东中获得关于流域未来的意见,强调参与过程。综上所述,委员会的发现表明,圣弗朗西斯科河开发活动长期处于零星的和不协调的状况,需要有一种综合协调的管理办法,这种方法需要流域权力机构的多重参与,而该机构在河流的开发和运营上有责任与权利出台关键决策。精心设定这样一个组织机构,对流域任何一个成功的不断发展的管理过程都至关重要。在某些案例中,如圣弗朗西斯科河流域几个具有自治权的组织机构单方面决定权在不断减弱,它们在修改自己的议程,以可持续发展方式考虑流域资源的多重用途。需要在管理决策过程中精心设置这个权利机构,对于包括所有股东在内,这都是一个巨大的挑战。这将要求把一些个人的议程放在一边,而集中关注流域状况、资源和人口。这个委员会的发现和建议非常全面,它为流域的未来规划提供了一个政策框架,因此有必要总结其中的一些结论,对那些准备担负起这些深远影响任务的组织还需要增加其他一些深思熟虑的想法。

(1)实施流域综合纲领的关键是建立强有力的多方参与机构,该机构要代表所有股东,享有制定决策的权利和义务以及保持金融和政治能力,长期研究解决存在的各种问题。这个过程必须谨慎展开,确保该机构不要演变成没有成效的官僚机构,或者变成为某些政治利益集团所操纵的机构。该机构必须真实地代表流域人民的利益,各种结果都应该直接对公众负责。

(2)制定法制化的和制度化的流域管理框架,现有在流域充当一定角色的机构之间的现行关系需要进行相当大的改变。这在政治上是有争议的,并且在面对一些特殊利益时,在政治上要表现出相当大的容忍,只有这样才能实现最佳的结果。

(3)这个过程需要大量的一致性,并需要各层次的积极参与,同时还要有精心策划公众信息和教育项目。该项目将包括圣弗朗西斯科河流域所有市民、私有经济、媒体、政治和政府领导在内,还有那些影响着这个流域,对现行的利益拥有决断权的官僚们。

(4)只有决策者和股东能得到这些完整而又透明的信息,才能达成共识。因此,需要建立一个综合性的和可查询的数据库,该数据库反映圣弗朗西斯科河流域的水文、气象、地理地貌、生态、社会和经济因素。如果建立的数据库不能让所有股东都信任,那么对数据的争议和依赖这些数据所做的影响分析,就会为达成共识所需的妥协投下阴影。第一步必须检查所有现有的数据,确定数据量和可信度是否还存在差距,然后再努力工作,提供可能的综合性最强的数据库,并使流域规划和谈判各方就数据库的可信度能够达成共识,以实现流域的规划和管理目标。

(5)为了恰当地评估流域各种决策的影响,需要开发一个可信的决定支持模式、操作模式和决策机制。这必须要得到历史上的水文和气象预测模型的支持,和各方所认可的数据库的支持。根据这些工具,决策者们能对不同情形下的运作和不同部门的开发进行评估,以及对流域不同的未来进行评估。

(6)水域管理方面。如控制侵蚀,重新种植植被,恢复流域的生态系统,通过对源头点和非源头点控制使污染最小,教育、改变灌溉习惯,不使用除草剂和除虫剂,控制工业垃圾的排放、收集和处理等,这些都应该成为这个流域基本战略的一部分。以上每个因素都是该流域可持续发展管理规划中一个链,所有这些链连接起来,就会最终实现目标规划。

(7)为了编制该规划,并长期保持可持续发展,必须为项目管理寻找可持续发展机制,这样项目才不会因国家的举棋不定、政府的更替或某些特殊利益的影响而不能实施。仅这个挑战就相当巨大。

(8)为圣弗朗西斯河流域可持续发展编制资源统一管理规划,这种工作不会轻松,而且是不断发展的过程。该规划必须要有对时间和结果的预期。为达此目的,需要花费大量的时间、金钱和精力,而这将给流域经济、文化和生态等方面带来无穷的收益。为圣弗朗西斯科河流域自然资源和社会资源的可持续发展和管理规划,整个巴西东北部以及巴西全国范围内提高生活条件提供了一个不可多得的机遇。

参 考 文 献

CODEVASF. 1994. *20 Anos de Sucesso*, *Companhia de Desenvolvimento do Vale do São Francisco*. Ministério da Integracao Regional, Governo Brasileiro, Brasília.

Departamento Nacional da Aguas e Energia Elétrica (DENAEE). 1983. *Diagnostico da Utilizacao do Recursos Hidricos da Bacia do Rio Sao Francisco*, Relatorio Sintese. Ministério Das Minas e Energia, Brasília, September.

PLANVASF. 1989. *Plano Diretor*, *Sintest*. Governo Brasileiro-OEA, Brasília, December.

——1989. *Programa Setorial de Energia*. Governo Brasileiro-OEA, Brasília, July.

——1989. *Programa para o Desenvolvinen to da Irrigacao*. Governo Brasileiro-OEA, Brasília, June.

——1989. *Programa de Desenvolvimento das Areas Indigenas da Região do Vale Do Sao Francisco*. Governo Brasilerio-OEA, Brasília, December.

Relatorio Final. 1995. Comissao Especial para o Desenvolvimento do Vale do Sao Francisco, Senado Federal, Governo Brasileiro, Brasília.

9　圣弗朗西斯科河水资源规划和管理政策

(保罗·A·罗马诺，E·A·卡达韦德·加西亚)

9.1　新流域规划模式的基础

在殖民统治时期，圣弗朗西斯科河流域在巴西殖民地中扮演着十分重要的角色。它不仅是探险家们探险的主要路线，而且在巴西各地区间的交通运输中起着重要的基础作用。因此，它成为众所周知的"国家团结之河"。

圣弗朗西斯科河流域在本区域甚至整个国家的政治、经济、社会文化和生态等方面的舞台上占据了重要地位。50多年来，圣弗朗西斯科河一直受到政府的关注，不仅因为它巨大的水电力能源潜力，而且还因为干旱、洪水和最近环境恶化所带来的诸多问题。但是从来还没有一个政策是针对圣弗朗西斯科河流域的和谐可持续发展，或流域自然环境的统一和合理的管理，或对自然资源的保护。

在过去的50年里，自1946年宪法要求联邦政府起草和实施全面开发圣弗朗西斯科河流域经济潜力的规划以来，各种各样的活动已经在这个地区展开。这些活动大多由联邦政府实施，以启动和指导这个流域的开发工作。

尽管它拥有优越的条件，如流域无可比拟的地理位置和圣弗朗西斯科河谷是主要的农业生产扩展区的事实，然而，这些干预没有得到正确定位,或者说还不足以指导开发工作,不能提高本地区人民的生活水平和改变区域经济状况。

总的来说,这些行政干预主要集中在某些特定区域,而不是整个流域,在时间和空间上都相当稀少,同时还受到组织制度不稳定的影响。规划不适宜,加之管理不适合区域特性和需求,这使得长期存在的社会经济问题日益僵化,并产生很多与环境有关的新问题。此外,还要提到各种经济成分过激行为产生的众多问题中的下列问题:

• 电力生产对圣弗朗西斯科河沿岸几乎没有起到作用,因为大部分灌溉项目都在使用燃油作为驱动能源。

• 由于缺乏维护和适当的条件,分段通航受到影响;

• 灌溉农业对环境产生负面影响和其他作用。

在规划和开发各种项目上,行政管理所犯的错误造成了严重后果。例如:

• 项目规划和设计太差,导致项目执行周期过长和预算成本过高;

• 行政干涉引发的问题;

• 立法错误导致财政资源过于分散,以及许多工程一哄而上。

通过增加人力资本(增强社会能力,组织和寻求在环境所能承受范围内必要和合法的变革),这种方式将着重于水资源各种需求之间的和谐一致(潜在的、期望的、限制性的和资助的机会)。不管在技术方面还是操作的可行性方面,这将是一个新的可持续的模式,它将取代旧模式,带来实惠,可以开发自然资源,同时还要保护这些自然资源。

新模式将致力于保护本地区的利益,以及对地区潜能和局限的透彻认识。生产结构要本着质量、多样化和持续的原则。战略和行动将基于伙伴关系、合作、政府权力下放、责任和全球一体化的新范例:竞争、相互作用和融合共存。所有这些原则都得到了认可,并在协调环境部水资源秘书处国家水资源政策(SRH)和水资源与法定亚马孙(MMA)之间的关系中得到进一步深化。

　　另外,区域可持续发展问题,将使环境保护与保持经济增长协调统一。这并不是简单的事,因为保护环境通常会制约经济增长。

9.2　圣弗朗西斯科河流域简要介绍

　　圣弗朗西斯科河流域位于南纬 7°~21°。因此气候特征呈现出显著的差异,降水量在 350~1 600mm,平均温度为 18~27℃。

　　集水区达 645 067km²,占巴西全国总面积的 7.5%。集水区 61.8% 的面积在东北部地区,为 389 900km²;东南部地区面积占 37.5%,为 237 045km²;其余 0.7% 的面积在中西部(戈亚斯州、联邦区),为 4 188km²。总面积中的 300 263km² 土地在巴伊亚州,占整个圣弗朗西斯河流域的 47.6% 或者占整个东北部地区的 77%,仅仅 14% 的面积在伯南布哥州、阿拉戈斯州和塞尔希培州(见图 9.1)。

　　圣弗朗西斯科河流域在东北部地区,超过一半的地方处于极其干旱地区。它被分成了 4 个典型的地理区域,其特性见表 9.1 和图 9.1。流域的气候特征由多个因素决定。地形显著地影响到了平均气温的分布,在河流上气温最高,河岸两边气温随海拔的升高不断下降。

　　从圣弗朗西斯科河的源头至皮拉波拉,海拔为 600~1 600m,属于湿润和亚湿型的气候。夏季多雨,冬季干燥,年平均降水量在 1 200~1 500mm 之间,年平均温度为 23℃左右。

　　在中游流域,从皮拉波拉至雷曼索,海拔为 400~1 000m,气候以亚湿型和半干燥为主,夏季多雨,东部高原地区年平均降水量在 600~800mm 之间。热拉尔迪戈亚斯山最西端年平均降水量为 1 400mm,年平均温度为 24℃。

图 9.1 圣弗朗西斯科河流域地理区域(主要信息来自 CODEVASF,1994)

圣弗朗西斯科河流域地形:

1.圣弗朗西斯科河上游:从发源地米纳斯吉达斯州卡纳斯特拉山的圣洛克到米纳斯吉达斯州的皮拉波拉流域区地势较高,海拔为 600~1 600m,地面坡度 0.2~0.7 m/km,年平均蒸发量 2 400m,相对湿度 76%,日照时间 2 400 小时。年内降雨较少,全年降雨量 1 200~1 900mm。区域内覆盖森林及草原,是典型的湿润气候,年平均气温 23℃。区域内米纳斯吉达斯州人口最密集区,分布在支流韦利亚斯河、帕拉河、阿巴埃特河和伊基台河。

2.圣弗朗西斯科中游:该河段从皮拉波拉市到巴伊亚州的雷曼苏,海拔为 500~1 000m。地形特点是地势落差大,蕴含水力资源,平均坡度 0.2~0.1 m/km。年平均蒸发量 2 900mm,相对湿度 60%,日照时间 3 300 小时。年降雨量 400~1 600mm。区域植被为草原—落叶矮灌木林,为典型的半干旱气候。该河段主要支流有:皮劳奥克多河、雅卡雷河、佩鲁亚苏河、卡里汉哈河、科伦蒂河、大韦尔迪河、格兰德河、帕拉米林河。

3.圣弗朗西斯科河中下游:该河段从雷曼苏到保罗阿方索,位于巴伊亚州和伯南布哥州。海拔为 200~500m,地面坡度 0.1~0.3m/km。年平均蒸发量 3 000mm,相对湿度 60%,年日照时间 2 700 小时,年降雨量 350~800 mm。区域内植被为落叶矮灌木林,为典型的半干旱气候。该河段主要支流有:帕热乌河、陶阿河、瓦尔任河和莫绍托河等。

4.圣弗朗西斯科河下游:从保罗阿方索至河口,是阿拉戈斯州与塞尔希培州的州界。该河段流经丘陵和沿海平原,海拔 0~200m。平均蒸发量 2 300mm,年均降雨量 500~1 200mm。该河段植被为落叶矮灌木林和林地,为典型的半干旱气候。圣弗朗西斯科河长 2 700km 河段,海拔相差 1 000m,流经 7 个州的长度不同,对其环境影响也不同。

表9.1　圣弗朗西斯科河流域自然特性

特性	上游(卡拉斯特拉—皮拉波拉)	中游(皮拉波拉—索布拉丁霍)	中下游(索布拉丁霍—保罗阿方索)	下游(保罗阿方索—大西洋)
海拔(m)	600 ~ 1 600	500 ~ 1 000	200 ~ 500	0 ~ 200
风速(m/s)	东南 – 3	东北 – 4	东南 – 4	东南 – 4
湿度(%)	76	60	60	73
光照(h)	2 400	3 300	2 700	2 400
浊度(0 ~ 10)	5	4	4	5
蒸发量(mm)	2 300	2 900	3 000	2 300
降水量(mm)	1 200 ~ 1 900	400 ~ 1 600	350 ~ 600	500 ~ 1 200
雨季	11 ~ 次年 4 月	11 ~ 次年 4 月	11 ~ 次年 4 月	3 ~ 9 月
植被	森林和热带高草草原	热带高草草原和矮灌木林	矮灌木林	矮灌木林和林地
气候	热带湿润	热带半干旱	热带半干旱	热带半干旱
坡度(m/km)	0.20 ~ 0.70	0.10 ~ 0.20	0.30 ~ 0.10	0.10 ~ 3.10

中下游地区,从雷曼索至保罗阿方索,海拔为 300 ~ 400m,气候以干燥和亚湿型为主。降水量极不规则,在不同的海拔高度处,降水量在 300 ~ 800mm 之间。年平均温度为 26.5℃。

下游地区,从保罗阿方索至入海口,海拔为 0 ~ 300m。气候在内陆腹地属于半干燥型,在接近入海口处为亚湿润和湿润型气候。

大型气团在春季从东北向西南移动,在秋冬季节从东向西移动。云层很稀薄,因此日照强度非常高。

由于年均温度很高,地处两个热带之间,一年绝大部分时间里没有云层的覆盖,因此造成水分蒸发量过高。在流域亚湿型地带蒸发量最大,为 2 140mm,到北端海拔较高地区,其蒸发量降至 1 300mm。

圣弗朗西斯科河流域共有 36 条支流,其中 19 条为四季河,从圣弗朗西斯科河流域分布广阔的集水区汇入到大西洋,年平均流入水量为 900 亿 m^3/s(见表9.2)。

多种因素的影响使现有地表水资源呈不规则分布,如降水在时间和空间上差异很大;在半干燥地区,气候条件十分恶劣,全年水分蒸发量非常大;还有地理方面的因素,尤其是它的植被是结晶土,其不透水性加剧了水分的流失。

表 9.2　圣弗朗西斯科河汇水盆地主要特性

河流		集水区	集水区面积(km^2)	年均流量(m^3/s)	径流模数($L/(s \cdot km^2)$)
圣弗朗西斯科河(顺流而下)		特雷斯玛丽亚斯	49 750	707	14.21
		皮拉波拉	61 880	768	12.41
		巴拉多伊吉台	90 990	1 015	11.16
		曼台拉	107 070	1 132	10.57
		圣罗茅	153 702	1 520	9.89
		圣弗朗西斯科	182 537	2 082	11.41
		亚鲁亚里亚	191 700	2 168	11.31
		曼加	200 789	2 050	10.21
		卡林汉哈	251 209	2 207	8.79
		莫帕拉	344 800	2 421	7.02
		巴拉	421 400	2 652	6.29
		朱阿泽罗	510 800	2 731	5.35
		保答阿库卡	608 900	2 847	4.68
		特莱普	622 600	2 980	4.79
左岸	帕拉卡图	波尔多阿里格雷	41.09	436	10.45
	乌鲁库伊亚	巴拉多碛斯库罗	24 658	251	10.18
	卡林汉哈	朱伦尼利亚	15.32	150	9.47
	乌科伦特	波尔多诺波	31 120	251	8.07
	格兰基河	波基伊劳	61 900	262	4.23
右岸	帕劳皮巴	波尔多梅斯吉特	10 300	140	13.59
	达斯维纳斯	瓦泽亚达帕尔玛	25 940	292	11.26
	耶吉台	耶吉台	6 811	46	6.75
	韦尔德格兰德	波卡达卡廷加	30 174	19	0.63

注:表中的集水面积随季节而不同。数据来自巴西国家水电能源部和圣弗朗西斯科河流域开发公司(1989 年)。

地质结构的多样性、地貌和气候的影响导致了土壤的多样性,并逐渐繁衍了三种主要的植物类型,形成了三种不同的区域:

• 在圣弗朗西斯科河流域的中上游,主要是红土地和灰化土,很适合于农业生产。这里还有石英砂。在山区,中性土和石质土也很常见,并覆盖有类似草原的植被。在降水最少的地方生长着灌木林。

• 在圣弗朗西斯科河中下游流域,主要是非钙质棕土、粗骨土、石质土、石英砂、黏盘土、转化土、中性土和碱化的碱土。这个地区农业潜力最小,难以灌溉。

• 在圣弗朗西斯科河的下游流域,主要是灰化土、钙钛铌矿、石质土和水生土。农业灌溉能力取决于地形和水流条件。

降水量较少,并且水又接近地表,土壤容易盐化。据估计,在干旱地区的灌溉区生产 20% ~ 30% 需要依赖地下水系维持。

可耕种的土地远远超过了可用的水量,任何一个涉及 180 万 hm^2 农田的工程项目,都必须纳入到水资源开发总体规划中,并防止各部门间的冲突(见表 9.3)。

表 9.3　圣弗朗西斯科河流域适宜灌溉农业的土壤面积　(单位:1 000hm²)

州	适宜的土壤(A)	正在研究的土壤	不适宜的土壤	总土壤(B)	A/B(%)
米纳斯吉达斯州	10 534	1 175	13 608	25 317	41.6
巴伊亚州	17 592	1 844	13 146	32 582	54.0
伯南布哥州	1 630	470	5 067	7 167	22.7
阿拉戈斯州	405	501	725	1 631	24.8
塞尔希培州	150	127	532	809	18.5
总计	30 311	4 117	33 078	67 506	44.9

注:数据来自圣弗朗西斯科河流域开发公司(1994 年)。

据圣弗朗西斯科河流域开发公司(1994 年)有关植被的数据显示,流域大约 7.3%的土地被稠密或(和)开阔的森林所覆盖(米纳斯吉达斯州西北部),或者是被季节性半落叶与落叶森林覆盖(巴伊亚州西部)。大草原或灌木林地分别占流域面积的 34%和 21%。其他受保护的生态区和保护区占 1%,重新造林工程占地 0.9%。

1996 年的数据显示,圣弗朗西斯科河流域由 436 个城镇组成,其中 82.5%的面积都在圣弗朗西斯科河流域,全部位于圣弗朗西斯科河流域并且又在干旱区的占 50.1%。据 1991 年巴西统计局(IBGE)人口普查统计,2 380 万人居住在 645 300km^2 的区域内,人口密度为 37.5 人/km^2,或流域内包含了 7 个州总人口的 53.8%。

20 世纪 60 年代,410 万人从农村迁移到城市,其中 42%定居在城市。70 年代,又有 470 万人迁入城市,其中 63%定居在城市。这些数据表明,东北部农村留住人口的能力很差,而且这种能力还在继续下滑。相比之下,这里人口呈负增长:从 60 年代的 28%降至 70 年代的 16%,到了 80 年代变成负增长。人口增长速度还将继续下降,在 2010～2020 年增长速度将会稳定在 1%的水平,那时人口总数估计为 6 060 万人。另外,人口统计学、社会和经济指标显示,需要分散城市的吸引力,降低死亡率,提高收入,增加就业率,改善区域内的基础设施和水供应,以及基本公共卫生服务。这将带来巨大的压力,因为水资源需要在各种用户、相互竞争的经济部门和战略性子区域间进行分配。因此,要采取保护措施,设定水资源使用的优先权,以确保在环境承受能力范围内对水资源进行统一管理。

农业灌溉已经得到许多政府部门的支持,为此提供了运输、能源、水利基础设施,以及大型灌溉工程建设(1950～1960 年)。表 9.4 将显示灌溉面积不断扩大的趋势,从 80 年代开始急剧增加,这可能是 1985～1986 年间实施东北灌溉工程(PROINE)的结果。那时,圣弗朗西斯科河流域的灌溉面积估计年平均增加 8 500hm^2。

表 9.4　1960～1994 年灌溉农业的发展趋势　（单位:1 000hm²）

时期	巴西灌溉面积	巴西东北部灌溉面积	流域河谷灌溉面积
至 1960 年	461.6	28.6	10.8
至 1970 年	795.8	116.0	60.2
至 1975 年	1 086.8	163.4	88.0
至 1980 年	1 481.2	261.4	144.5
至 1985 年	1 853.7	335.8	205.0
至 1990 年	2 911.7	732.5	232.6
至 1994 年	—	—	300.0
线性趋势估计	84.0	24.9	8.5

在规划和管理流域水资源时要考虑的各种复杂农业经济问题中,有灌溉区成本和效益问题。在圣弗朗西斯科河流域,灌溉 1hm² 土地要花费 8 900～11 200 美元,该指标比其他国家高。

根据 1985 年巴西统计局(IBGE)农业普查统计,在圣弗朗西斯科河流域内有 752 150 个农场,覆盖面积达 4 060 万 hm²。农业面积在不断增长,但缺乏及时的和与其相适应的服务来支持它的发展。这反而给农田面积的效用和效率带来了负面影响。

尽管在巴西农业研究院、各大专院校、圣弗朗西斯科水电公司和圣弗朗西斯科流域开发公司等一些部门已经取得了很大成绩,但在研究和开发方面仍存在诸多问题,主要是因为没有为农民提供信贷和融资,农民缺乏足够的知识和技术来改变现状,以及缺乏对农村的技术帮助。

9.3 问题

定居方式、生产结构和生产组织、生产产品与服务,以及流域各企业的经营方式等方面已经出现了诸多问题,这些问题给环境和社会带来日益严重的威胁,并且引发了用水者之间的冲突。私人和政府部门的行动不断增加,它们主要针对某些特定的方面和地区目标的实现,这样通常会与环境和本地社区发生冲突,并对它们带来伤害。

能源生产、工业和民用水、渔业、航运以及农业灌溉等,这些例子都属于水在特定方面的使用,而在圣弗朗西斯科河流域,这些用途还未得到妥善协调解决。土地资源,如矿物、土壤和植被,在开采过程中还未考虑到要遵循应有的现代规划和管理原则。

在圣弗朗西斯科河流域,水力发电是水资源的主要商业用途。然而令人不解的是,电能并没有给流域沿岸的人们带来多少好处。事实上,圣弗朗西斯科河流域中部灌溉区(1 917hm^2)只使用了水力发电的 10%,其他地方都在使用柴油。而且,灌溉能力并没有得到充分的推广;每 4hm^2 灌溉土地中,只有 1hm^2 是由政府完成的,私有部门因无法得到足够的信贷和其他必要条件而无法参与灌溉项目。

水路运输在圣弗朗西斯科已有多年的历史,那时该地区的粮食和其他农产品主要来自水运,然而情况已经不再,因为这里的私有部门缺乏生产积极性,另外还由于从皮拉波拉(MG)到朱阿泽罗(BA)和皮得罗利亚(PE)1 312km 河段及从皮兰哈斯(AL)到入海口2 008km 的河段,航道变得异常危险。

一些规划不合理的工程已造成入海口处泥沙严重淤积。以前,在低流量时期所积累的沉积物在洪水期就会带入到大海。在1943 年提交给 DNPVN 的一份报告中,福尔达多·波图加尔强调,在圣弗朗西斯科河流域中游与下游进行水电工程与灌溉工程开发时,一定要采取整体而不是局部的方法。他还警告政府,如果不这样做,下游就会产生严重问题。然而,已实施的工程并没有满足该报告中所提的要求,而是对环境产生了负面影响,在河口和入海口处带来了严重问题。

　　贝洛奥里藏特大都市地区是圣弗朗西斯科河上游面积和人口密度最大的地区。第一产业、第二产业和第三产业对贝洛奥里藏特及其周围环境所带来的负面影响是不可逆的。根据 CETEL 和 MG 实验室研究结果,例如在贝洛奥里藏特大都市地区下游的里奥达斯韦哈斯河段,水中硫酸盐、氯化物和钾的含量相当高,并且含有大量的排泄物、固化物和浑浊物。

　　不断铲除原始植被,在开发的土地上进行农业生产并用它们来生产冶炼业所需的木炭、砖和石器等,这些给圣弗朗西斯科河上游环境带来了严重的负面影响。仅土壤损失一项,估计为每年0.17mm(见表9.5)。

表9.5　圣弗朗西斯科河(据沉积观测站所记录)年平均
沉积量、年平均水土流失量和其他信息

河流,测站,时期	汇水面积 (km²)	净流出量 (m³/s)	年平均沉积量 (t/(km²·a))	年平均水土流失量 (mm/a)
圣弗朗西斯科河,安多林哈斯,1972 年 10 月至 1985 年 12 月	13.00	248	228.0	0.14
帕拉河,帕拉港,1960 年 7 月至 1961 年 6 月	11 300	145.0	44.0	0.03
帕劳皮巴,贝洛巴勒,1972 年 9 月至 1981 年 12 月	2 690	43.7	582.4	0.36

续表 9.5

河流,测站,时期	汇水面积 (km²)	净流出量 (m³/s)	年平均 沉积量 (t/(km²·a))	年平均水 土流失量 (mm/a)
印代阿,印代阿港,1977 年 10 月至 1985 年 8 月	2 260	52.1	1 031.9	0.64
圣弗朗西斯科河,位于巴雷 罗的皮拉波拉,1975 年 12 月至 1982 年 11 月	61 880	775.0	116.0	0.07
达斯韦哈斯,劳尔萨勒桥, 1975 年 12 月至 1982 年 11 月	6 292 (4 780)	75.1 (74.4)	312.1 (661.9)	0.20 (0.41)
达斯韦哈斯,洪奥里奥必卡 霍,1975 年 5 月至 1982 年 12 月	1 642	32.7	705.21	0.44
帕拉卡图,位于圣塔·罗萨 (阿雷格里港),1976 年 4 月 至 1982 年 11 月	12 915 (42 120)	171.0 (441.0)	154.4 (123.4)	0.10 (0.08)
圣弗朗西斯科河,圣罗姆 奥,(佩德拉斯达马莉亚), 1968 年 12 月至 1975 年 3 月 (1972/1975)	154 870 (191 063)	1 727.0 (1 981.0)	128.2 (92.6)	0.08 (0.06)
科伦特斯湖,桑塔马莉亚 (诺波港),1967 年 5 月至 1975 年 4 月(1972/1975)	28 720 (31 121)	214 (216)	18.7 (29.2)	0.01 (0.02)
圣弗朗西斯科河,加梅莱拉 (莫而帕拉)	309 540 (344 800)	2 582.0 (2 929)	84.5 (62.3)	0.05 (0.04)
圣弗朗西斯科河,1972 年 4 月 至 1975 年 2 月 (1978/ 1984); 皮劳阿尔卡德,(朱瓦泽 罗),1968 年 12 月至 1973 年 12 月(1967/1975)	443 100 (510 800)	2 703 (2 666)	41.5 (48.6)	0.03 (0.03)
圣弗朗西斯科河,皮德罗兰 地亚,(特莱普),1980 年 8 月至 1984 年 12 月 (1968/ 1974)	590 790 (622 520)	3 454.0 (2 905)	32.6 (30.4)	0.02 (0.02)

注:数据选自 CarValho(1994,第 245 ~ 247 页,简写本)。

在流域内的巴伊亚州,最主要的问题与大型水坝有关,以及森林砍伐建造牧场和污水未经过处理排入河流有关。在伯南布哥州,沙漠化问题十分严重,尤其是灌木林,由于森林砍伐、土地过度使用和缺乏管理使其情况更加恶化。

在阿拉戈斯州大多数问题发生在最初覆盖有大西洋雨林的区域,然而现在其中 95% 已被毁坏。这个地区人口最密集,第一产业和第二产业的经济活动主要集中在此。大型酿酒厂、燃烧甘蔗田、大量使用杀虫剂和农药,这些给环境带来严重威胁。在热带半干旱的内陆腹地,不断铲除原始植被导致土壤侵蚀和荒漠化。在塞尔希培州,许多市政当局面临的问题都涉及到污水处理,它直接影响到了公众的健康。

根据巴西再生资源及环保局(IBAMA)1989 年 9 月 20 日发布的管理条令第 715/89 – P 号,大约 10 年前就出现了表 9.6 所列圣弗朗西斯科河流域状况。该条令还定义了流域内属于联邦的河流,并指出,在圣弗朗西斯科河中下游和下游的水源用做居民生活用水,一些特定问题必须立即解决。

表 9.6　圣弗朗西斯科河河段和水质

河　　段	类别	特征
从源头至里贝奥达斯卡比巴拉斯的汇合处	特级	稍经处理或不经处理就可供家庭使用,水生群落的自然平衡保存较好
从里贝奥达斯卡比巴拉斯的汇合处至孟巴卡汇合处	1	经过简单处理即可供家庭使用,保护了水生群落,与各种改造活动相关,有灌溉植物及贴地生长的果实,自然而强大的物种(水产类)繁殖满足人类消耗
从孟巴卡汇合处至入海口	2	经常规处理即可供家庭使用,水生群落得到保护,同各种改造活动相关,灌溉植物和果树,有自然种植和集中种植的作物,用于人类消费

水应该为一种经济财富。在各种空间和时间的约束下,要拥

有相当数量和质量的水源,以便在现在和将来用做各种用途及提供给使用者,这将面临不断增加的成本所带来的压力。水资源是宝贵的,这是当今乃至未来永恒的主题。现在还缺乏必要的信息来广泛宣传水资源在经济、政治、社会和生态上的重要性,加强公众对水资源市场价值的认识,以增强水资源合理统一的保护和管理。

尤其在干旱区,饮用水缺乏,自然资源脆弱。与之形成鲜明对比的是,在东北部的大城市,30%~40%的处理水被浪费,这归咎于"水是用不尽的"文化。这样,现行河流和圣弗朗西斯科河的部分河段非常脆弱的指标,将导致潜在的和实际的冲突发生。

水供应和公共卫生变得不稳定,流域周边的人们经常感染水病。在圣弗朗西斯科河流域缺乏足够和及时的卫生健康护理,是导致经常提及的人们迁往城市的主要原因(见表9.7)。

表 9.7　圣弗朗西斯科河流域极端贫困的比率

州	40%~50%处于极端贫困		50%以上处于极端贫困	
	城镇数	%	城镇数	%
米纳斯吉达斯州	15	7.6	0	0
巴伊亚州	46	40.3	65	57.6
伯南布哥州	26	44.0	28	47.6
塞尔希培州	23	88.5	21	75.5
阿拉戈斯州	22	46.8	24	51.1

注:数据由 Peliano(1930),Araújo(1996)提供。

圣弗朗西斯河流域的渔业尽管处于严重威胁之中,但它的潜力仍然相当大。41 000 多个渔民不断增长和毫无限制的捕捞,加之不合适的渔业管理和大量干预活动(大坝的建设、铲除成片的森林、工业和民用污染、杀虫剂和采矿),已经改变了鱼群的构成和习性,尤其是洄游类的鱼种。这些改变导致了繁殖率下降,随着栖息地的摧毁,一些物种面临灭绝的威胁。

由于电量供给不足和家庭收入低,导致当地居民人均电能消费非常低。这与圣弗朗西斯科地区巨大的水电潜能形成鲜明对比。它的水电潜能估计为 10 379.2MW/a,而现在建成的和在建的只有 5 840MW/a。

9.4　目标

水资源的规划和管理政策应与可持续发展的模式和谐一致,并融入和统一到这个模式中去。这种统一要从确定规划区域开始,这就是 1996 ~ 1999 年国家发展规划和国家水资源管理政策。它们均有明确定义的目标、行动、项目、目的和战略,其目标如下:

(1)制定必要的法律、制度和技术条件,使水资源的各种用途协调一致,并要考虑到国家不同区域的经济、社会和生态条件以及水资源正变得日益稀少的状况。这个整体目标要求制度和实施有一个新的管理模式。根据这种指导原则,1996 ~ 1999 年提出如下目标:

①草拟 5 个规划,将圣弗朗西斯科河流域与其他流域相结合;

②建立地下水管理系统;

③在国家范围内为用水者进行登记;

④进行人力资源培训;

⑤普及三项教育行动;

⑥扩大和保持水文气象网络。

(2)按照当地条件和局限性,尤其在半干旱地区,以水资源潜能的统一和可持续利用为基础,增加农村地区饮用水供给量,并采取行动和实施工程项目,如加强东北部地区水利基础设施建设;在社区内建设水塔、浅水井、地下水坝和水池;钻探、安装和修复深水井。

(3)加大对地区和部门的投入,挖掘劳动力潜能,提高劳动力价值。

(4)基于不同情况下的信息和开发条件因素,组织和商讨各种培训活动(开发人力资本)及分散行动。

这样,水资源主题就拥有了广泛、完整、和谐和平衡的内涵,它包括所有部门的工程项目、议题、目标和行动,例如基本的公共卫生、农业、教育、交通、能源,尤其是社会事务等。

流域的水资源政策设定了很多目标,这些都列在了"致力于圣弗朗西斯科的生灵"这个文件中,这些目标也可以在规划和管理政策中找到。其中以下几个方面要特别提到:

(1)为圣弗朗西斯科河流域制定一个制度化和一体化的管理模式,以促使联邦政府、各州和市积极(根据各股东的职责)、及时(根据各股东的职责和要求)参与;

(2)各级政府部门、公众与私有部门和国内团体,以统一和互补的方式共同行动,找出影响河流以及支流的问题所在;

(3)考虑与其他流域的结合情况,对本流域及其支流编制一个总体规划;

(4)基于可持续发展、多用途和多用户的原则,确保圣弗朗西斯科河流改道工程的研究工作持续不断地进行下去。

巴西政府在各种国际会议,尤其是联合国大会环境与开发署的会议上,提出的建议和做出的各种努力,组成了水资源规划和管理政策目标的框架。

9.5 圣弗朗西斯科河流域的制度、法律框架和发展问题

根据法律 9.433 有关内容,1977 年 1 月 7 日成立了国家水资

源管理系统。法律规定,制定国家水资源管理规划和成立流域委员会,其目的是为了实现分散行动。

自1945年以来,联邦政府给予了圣弗朗西斯科河流特别关注,旨在利用它的自然资源,水力发电能源排在首位,然后是通过灌溉农业进行土壤和水源开发。为此,联邦政府建立了多个机构和章程,包括以下机构:

(1)圣弗朗西斯科水利发电公司(CHESF),1945年10月成立。

(2)圣弗朗西斯科河谷委员会(CVSF),1948年12月成立,用以调节河流的流量,开发水电潜力,发展农业、灌溉、工业和其他。

(3)东北地区最高管理机构(SUDENE),1959年12月成立。

(4)圣弗朗西斯科河谷区最高管理机构(SUVALE),1967年2月成立,它是内务部的从属机构。它按照世界银行和美洲开发银行的有关标准,编制整体规划,进行可行性研究,确定可行的工程项目。但它缺乏像圣弗朗西斯科河谷委员会(CVSF)所拥有的自治权,7年之后它并入了圣弗朗西斯科河谷委员会。

(5)圣弗朗西斯科山谷发展公司(CODEVASF),1974年7月成立,以响应政府为流域建立一个组织机构的需要,它负责快速高效地执行地区开发机构的各种活动,并作为政府部门与私人机构沟通的纽带。该地区发展的推动力之一就是灌溉,它由多种经济成分的单位共同参与,促进经济持续发展。

为评估流域现有开发机构的工作(或建立新的),政府建立了多个委员会(有些已经停止工作),它们有:

(1)圣弗朗西斯科河洪水控制和研究各部门部长间委员会,1979年6月成立。它接受DNOS的协调。委员会成员包括圣弗朗西斯科山谷发展公司的代表,相关的地方机构,以及米纳斯吉达斯州、巴伊亚州、伯南布哥州、阿拉戈斯州和塞尔希培州的州政府的代表。

(2)圣弗朗西斯科河流域联合研究委员会(CEEIVASF),1979

年 10 月成立。1984 年它设立了流域委员会系统,利用这一规划系统进行河流流域规划。委员会拥有很少的部门和有限的政府职能,只进行技术方面的工作,几乎不处理资金方面的事,也没有法律上的定义,独立于联邦和州的规划系统。

(3)圣弗朗西斯科开发议会间委员会(CIPE),由米纳斯吉达斯州、巴伊亚州、伯南布哥州、阿拉戈斯州和塞尔希培州等州议会主任组成。

(4)圣弗朗西斯科河谷城市联盟(Univale),由流域各城市市长组成,设立了能源、灌溉、卫生与住房、旅游与休闲、航运、教育文化和环境保护等方面的副主任。

(5)圣弗朗西斯科河流域马罗伊尔研究院(MANOEL NO-VAES),旨在制定环境、经济和社会发展策略,保护河流,促进流域的发展。该研究院由巴伊亚州贸易协会、巴伊亚州联邦大学、巴伊亚州州立大学和圣弗朗西斯河流域联合研究委员会共同创立而成。

(6)圣弗朗西斯科河谷特别委员会,是根据 1995 第 480 号文件,由联邦参议院组建而成,旨在促进该流域的政策、纲领、战略和优先开发权方面进行广泛的讨论。其目的包括:对涉及流域社会经济和环境平衡的建议书与项目进行分析;选择和选取合适的方式来管理与恢复已经破坏的环境;作为一个论坛,对东北地区经济发展潜力进行探讨,并考虑公众和私人投资;为地区考虑和选择新项目,特别要强调可持续发展。

这里还要提到圣弗朗西斯科河谷开发总体规划中(PLAN-VASF)的工程项目,该规划是 1989 年在美洲国家组织的支持下起草的,目的是指导和协调政府活动,鼓励开展私人活动。这个规划制定了拟定实施的和鼓励开展的开发活动,并优先考虑通过农业灌溉增加食品生产和原料生产,充分发挥本区域水电资源的巨大潜力;预防和控制洪水;开发交通基础设施,重点发展河道航运系统;基本的公共卫生,环境监测和保护。

政府在该流域所有的干预行动,都必须要有整体的与长期的战略和行动,并基于强有力的观测和按照总体规划进行实施。

9.6　计划和治理

现在水资源部门方面划分为使用用途和使用用户。各种行动很难统一,而且常常相互独立,也没有在可持续利用自然资源的实际操作原则上进行有效的协调。该区域迫切需要整体的规划和共同的战略,其中包括:要清除阻碍流域可持续发展和影响流域平衡增长的不利因素;巩固经济,提高竞争力,更好地适应国际市场的冲击和需求;提高经济系统的效率,注重环境质量。

联邦政府传统上的水供应,损害了水资源的更合理利用,而这种合理使用会促使政府实现更广泛的社会目标。这些与水资源相关的目标中,尤其是在东北部干旱地区,特别强调制定革新的和广泛参与的政策,如水资源秘书处执行的章程 PRO‒AGUA 中所定义和实施的那些政策。灌溉和水利基础设施工程放在优先开发的位置。在大坝、池塘、运河等项目上的投资总计已达 35 亿雷亚尔,这将增加 112 亿 m^3 的蓄水量。灌溉工程覆盖的范围为 97 万 hm^2,另外还有 1 亿雷亚尔用于水资源管理的现代化建设。还将成立多个流域委员会,并编制流域总体规划。

9.7　环境

流域既有的增长和规划模式已经证明不能实现可持续发展,并已显现出明显的破坏信号,使得自然环境更加脆弱。为扭转这种趋势,必须要改变人们和政府的态度,不能再剥夺和侵蚀自然资源,因为已经很明显,生态系统没有自我修复的能力。带给水资源的主要压力来自发电、灌溉和民用水之间的竞争。

这里仅列举众多环境问题当中的两个：

(1)通过精心规划和管理,恢复和保持河流流域的质量状态,使得可以恢复栖息地,振兴渔业,继续商业捕捞;

(2)保护自然资源和环境,如土壤和生物圈,它们因受到侵蚀作用而很快遭到破坏,这种侵蚀作用降低了农业生产用地的生产能力,并在河流中堆积了沉积物,这些沉积物随着河水流动,损坏了河道和其中的工程设备,降低了水库的使用寿命。

质量控制与监测程序对于保证人和动物的用水供应十分重要。预防措施和教育工程证明在经济上是值得的。水资源规划和管理行动目的在于阻止和控制农业活动对水造成污染;重新恢复已经退化的地区;保持和提高人们的健康状况;对某些农业地区的居民要迁移;还有其他目的,它们也很重要。

在这些区域中,规划策略旨在定义机构间的战略和伙伴关系,以便在多个时期内开展联合行动。在短期内要处理如下问题:

(1)对敏感地区进行区域划分,并对它们进行研究,以支持恢复行动,扭转水土流失和保持生态多样性;

(2)研究许多定义和描述可持续发展的不同情况,以便对那些承受着人类重压的土壤和其他土地资源进行利用与管理;

(3)根据技术特性,如易于遭受侵蚀等,对敏感地区和其他需要限制或者环境易于受到破坏的地区,进行系统化的评估。

在中期和长期受处理的问题:

(1)制定和实施重新造林工程,以恢复保护区;

(2)确定和实施改造及保护工程,以改造已经退化的地区;

(3)确定和实施环境教育工程。

9.8　卫生和健康

下面的指导原则用于制定流域基本的卫生政策：

(1)各个地方、地区、州的机构要参与到规划和管理流域的基本卫生服务；

(2)提供服务时要有一定的灵活性，以应对地理、社会、经济形势方面的巨大差异，对地方和区域的特点、潜力及机遇要给予应有的尊重；

(3)统一卫生领域内的各种活动和战略，继而与其他相关部门的活动和战略及政策统一：水资源、灌溉、健康、城镇开发、收入和就业问题、环境问题等；

(4)将该领域向私人部门开放，这样就把已有的规划和管理能力与可能的新投资结合了；

(5)加强联邦政府的调控职能，并增强市政府的执行、控制和监督职能。

9.9　能源

尽管流域拥有巨大的水电潜能，但研究表明，低收入的群体和一些经济部门，如灌溉农业，其电力供应不足。而且在有些地方，水电能源已经耗尽。

为充分发挥水电潜能，同时处理好水资源和环境质量问题，需要社区有效参与和正确考虑使用技术与科学原则，以确保经济、社会和环境的可持续发展。措施包括如下：

(1)在圣弗朗西斯科河流域和附近流域建设水利基础设施，以调节、分配水量和发电，满足地方和区域的需求；

(2)利用从其他可替代的资源生产能源，以供应灌溉项目。

9.10　交通

圣弗朗西斯科水道必须重新焕发活力。预计用于改善皮拉波拉至朱阿泽罗航道所需的资金超过 2 500 万雷亚尔,它包括在某些河段如在索布拉丁霍湖、巴拉至和朱阿泽罗河段进行挖掘和安装信号。

技术和经济的可行性研究也必须提出,以改善某些特殊河段的通航能力,例如,里奥格兰德河(350km),以吸引从巴雷亚斯地区来的货物;又如,皮得罗利亚下游地区,将实现与贯穿东北的铁路与苏亚帕港的铁路的连接。这些改进将大大减少运输费用。其他的可行性研究已经规划,以实现皮拉波拉—乌奈—马尔哈中央水道与铁路联结,为该地区的未来带来了光明的前景。

9.11　农业和灌溉

巴西的水资源政策一直以实际的工程项目开发为中心,其中有许多地方值得推敲,更多还没有完成的工程无法满足建设工期或没能达到设定的目标,它们缺乏合理规划,没有有效的资源管理。

新农业灌溉项目的一些目标已经倾向于支持与建立技术和管理指导的原则,以评估达到水资源可持续管理的需求,和达到此需求给社会、经济和环境所带来的好处。SRH/MMA 正在准备执行和协调并向它的伙伴提供指导以制定战略使命,该战略将鼓励农民和农业工业使用灌溉项目,这些灌溉项目将遵循经济、市场和环境可持续发展的标准;SRH/MMA 还制定环境标准和灌溉用水指标;鼓励参与灌溉项目的规划和管理。

新模式所期待的结果包括:灌溉区供水、使用与管理新技能和新技术;种植高质量产品;农业工业与主要产品挂钩;经营;以及其他农业开发方式,如银行贷款和对农民进行技术支持等。这些结果与其他许多部门所做的规划保持一致,这些部门有交通、教育和培训、能源、研究与发展、科学与技术、社会组织,它还与针对圣弗朗西斯科河流域及其所影响的地区的建议书保持一致。

9.12　教育

对这个部门的分析指出,在教育基础设施上,在教师的结构、能力和数量上,尤其是在学生所取得的成绩上,存在严重的和普遍的不足。在发展进程中,复读和辍学在东北部地区所造成的损失已经达到不能容忍的地步。环境教育和职业培训,是流域和受其影响的地区可持续发展所需人力资本开发的两个十分重要的途径。

其他部门的许多活动,如技术创造和推广、农业和工艺品的开发、文化遗产的保护、公共卫生基础教育、旅游开发和其他等,这些活动都与教育直接相关,还意识到对"干净的"和可持续过程、产品与服务的需求,以从中获得益处。

9.13　研究与开发,科学和技术

研究与开发,科学和技术,这些活动需要正确引导,避免那些先进却不合适的技术对环境造成"第二代"负面影响,这样它们就会渗入、影响和操纵所有的开发领域,尤其是教育和人力资本。这些行动在经济和现代化建设方面取得的成效十分显著。

水资源规划和管理应该得益于立法委所采取的行动和所制定的战略。立法委制定的国家水资源政策和联邦政府长年规划,在科学与技术领域包括以下方面:

(1)完善研究和开发财政投入结构,批准在项目上的投入,鼓励外部风险资金参与;

(2)加强基础设施建设,巩固既有的优秀研究开发中心和人力资源(社会资本),建立技术中心以推广现代实践和加强技术转让;

(3)向私有部门的研究工作和小型公司、中型公司的革新进程提供直接支持,鼓励私有部门与大专院校相互交流,这些活动旨在根据研究和开发标准对环境影响采取措施,以及对流域的自然资源和受其影响的区域进行保护和管理。

9.14 社会组织

包含在规划中,为了实现分散管理,建立伙伴关系和共同负责项目的优先发展部门及社会组织。

社区团结章程负责联邦政府在社会方面的主要行动,并与相关的部门进行合作。它以市政的方法进行工作,并遵循两条原则:

(1)给低收入人群提供食物,1994年流域内150个城镇得到这种服务;

(2)重点解决食物、住房、就业、健康和教育问题,1994年,17个城镇得到这种服务,这就是"穷人口袋"工程。

必须要注意,水资源的规划和管理政策应包括建立子流域理事会、委员会和相关机构,对此 SRH/MMA 将准备给予指导和鼓励。

9.15 建议

圣弗朗西斯科河流域规划管理政策中统一纲领的制定和实施,要强调各种联合、分散和参与性活动的必要性和重要性,这些活动要通过组织机构间和学科间的合作来实施。这一过程涉及到为统一规划管理进行的谈判磋商。

新发展模式的范例将用做流域水资源规划管理活动的参考。对该范例的探讨已经清楚地表明各个团体有效参与的必要性。这些团体组织起来,实现活动分散管理,建立伙伴关系,并改变它们的行为方式和态度。还要意识到在公众和私有部门、在各个方面和各级政府间进行全方位合作的必要性。

在宏观方面和组织管理领域内,有针对性地提出下述建议:

(1)建立并且维护最新的流域信息系统;

(2)在各级政府部门重组规划、预算和控制内部系统;

(3)改组统一的行政管理和财政系统,并纳入到联邦政府和州政府预算,使其成为规划、管理、控制和评估的工具;

(4)建立技术、科学和操作机制,对各种建议进行技术分析和预算估计,并与项目工期表统一,监督和评估项目的执行过程,减少已开工而未完成的工程数目。

流域总体规划要与各部门规划政策的法律文书、指导原则和原理相呼应,这些政策促成了自然总体规划和自然资源规划的形成;该总体规划还要与圣弗朗西斯科河流域各州的规划政策相呼应。它要在各级政府中,巩固制度和提供充足的资金,实行分散管理,开展规划活动,将行动建议付诸实施。

参 考 文 献

Ansoff, H. I., Declerch, R. P., and Hayes, R. L. 1987. *Do planejamento estratégico à administração estratégica*. São Paulo: Atlas.

Araujo, J.T. Comunicação pessoal. Facsimiles No. 196/96, 12/09/96 and No. 199/96, 20/09/96, CEEIVASF – SRH.

Brasília. Congresso, Senado Federal. 1995a. *Comissão especial para o desenvolvimento da bacia do São Francisco*, vol. 1. Brasília: Senado Federal.

——1995b. *O papel das hidrovias no desenvolvimento sustentável da Região Amazônica brasileira. Hidrovia da Bacia do São Francisco*. Brasília: Senado Federal.

Brasília. Lei No. 9.433, 8 January 1997. Institui a Política Nacional de Recursos Hídricos, cria o Sistema Nacional de Recursos Hídricos, regulamenta o inciso XIX do art. 21 da Constituição Federal. *Diário Oficial*, n. 6, p. 470 – 474, 9, January 1997.

Buarque, S. C. 1994. Roteiro metodológico para a elaboração do plano de desenvol vimento da Amazonas, mimeo.

Cadavid Garcia, E. A. 1996a. *Abastecimento de água potável e saneamento básico. Aspectos econômicos na avaliaçãio de investimentos púiblicos em pequenas comunidades do semi-árido do Nordeste*. SRH/IICA, Brazil. (Projeto de Cooperação Técnica BR/IICA – 95/004).

——1996b. *Plano diretor de bacia hidrográifica*: *conceitos*. SRH/IICA, Brasília.

——1996c. *Plano diretor de bacia hidrográfica*: *estado da arte*. SRH/MMARHAL, Brasília.

——1996d. *Plano diretor de bacia hidrogrfáfica*: *termos de referência*. SRH/ MMARHAL, Brasilia.

Campello Netto, M. S. C. 1995. *Política de recursos hídricos para o semi-árido nor destino*. Brasília: Projeto ARIDAS/Secretaria de Planejamento, Orçamento, e Coordenação da Presidência da Repúiblica. Uma estratégia de desenvolvimento sustentável para o Nordeste, February (GT Ⅱ – Recursos hídricos).

Campos, J. N. B. 1995. *Vulnerabilidade do semi-áirido às secas*, *sob o ponto de vista dos recursos hídricos*. Brasília: Projeto ARIDAS/Secretaria de Planejamento, Orçamento e Coordenação da Presidência da Repúiblica. Uma estratégia de desenvolvimento sustentável para o Nordeste, March (GT Ⅱ – Recursos hiídricos).

Carvalho, N. 1994. *Hidrossedimentologia*. CPRM, Rio de Janeiro.

Castello Branco, L. C. 1996. *CODEVASF – A agência para o deenvolvimento*, *sustentável da bacia do São Francisco*. Brasilia: CODEVASF.

Cernea, M. M. 1993. "Como os sociólogos veem o desenvolvimento sustentável." *Finanças & desenvolvimento*, v. 13, n. 4, pp. 11 – 14.

Companhia de Desenvolvimento da Bacia do São Francisco – CODEVASF. 1986. *Plano diretor para o desenvolvimento da Bacia do São Francisco – Síntesc da etapa I*. Brasília: CODEVASF/PRONI/OEA, November.

——1989a. *Plano diretor para o desenvolvimento da bacia do São Feancisco*. *Relatório Final*. Brasília: CODEVASF/SUDENE/OEA, December, pp. 113 – 125; 136 – 157.

——1989b. *Plano diretor – Síntese*. Brasília: CODEVASF/OEA, December, Brazil.

——1989c. *Programa de gestão do meio ambiente da bacia do São Francisco*. *Relatório Final*. Brasília: CODEVASF/SVDENE/OEA, September, pp. 26 – 48; 49 – 58((RTP 89/66).

——1992. *Atividades da CODEVASF na área ambiental*. *Brasília*: CODEVASF, July.

——1994. *CODEVASF – 20 Anos de sucesso*. Brasília: CODEVASF.

——1996. *Programa de desenvolvimento sustentável da Bacia do São Francisco e do semi-árido nordestino*. *Síntese*. Brasília: CODEVASF, June.

Conferençia das Naçoes Unidas Sobre o Meio Ambiente e Desenvolvimento (CNUMAD/ ECO-92) 1995. *Resolução No*. 44/228 *da Assembléia Geral da ONU* (22/12/ 89). *Agenda 21*. Brasília: Câimara dos Deputados, Coordenação de Publicações (Séria ação parlamentar, 56).

DNOCS. 1959. *O problema nacional das secas*. Departamento Nacional de Obrascontra as Secas, *Conselho Nacional de Economia*, v. 19, n. 3 (Bulletin 3).

Luz, L. D. "O estabelecimento de cenários no planejamento do uso dos recursos hídricos." In: *Desenvolvimento sustentável dos recursos hídricos*. *Gerenciamento e preservação*, 3, ref.: ABRH/APRH. XI Simpósio Brasileiro de Recursos Hídricos e Ⅱ Simpósio de Hidráulica dos Países de Língua Portuguesa, pp. 33 – 38.

Ingelstam, L. 1987. *La planificacion del desarrollo a largo plazo*: *notas sobre suesencia y metodologia*, n. 13. Revista da Cepal

Nobre, P. 1994. *Clima e mudança climática no Nordeste*. Brasília: Projeto ARIDAS/ Secretaria de Planejamento, Orçamento e Coordençaão, da Presidência da República. *Uma estratégia de desenvolvimento sustentavel para o Nordeste*, September(GT I – Recursos naturais e meio ambiente).

Nou Edla A. V., and Costa, N. L. da. 1994. *Diagnóstico da qualidade ambiental dăbacia do rio São Francisco*. *Sub – bacias do Oeste Baiano e Sobradinho*. Rio de-Janeiro: IBGE.

Peliano, A. M. 1993. *O mapa da fome* Ⅲ; *Indicadores sobre a indigência no Brasil*, n. 17. Brasília: IPEA. (Calcula para o Vale do São Francisco/CEEIVASF.)

Projeto Aridas. 1995. *Nordeste: uma estratégia de desenvolvimento sustentável.* Projeto Aridas, Brasília.

Queiroz, J. F. 1980. "Tecnologia da aridez – a difícil convivência com a natureza adversa." *Interior*, v. 4, n. 31.

Rocha, G. 1989. *O Rio São Francisco. Fator precípuo da existência do Brasil*, 3rd. edn, pp. 13 – 24. São Paulo: Nacional.

Rodrigues, M. M. 1996. *Retomando o planejamento: o Plano Plurianual 1996 – 1999*, n. 5, pp. 3 – 30. Rio de Janeiro: Banco Nacional de Desenvolvimento Economico e Social (BNDES).

Silva, W. Dias. 1985. *O Velho Chico – sua vida, suas lendas e sua história*, pp. 49 – 53; 227 – 239. Brasília: CODEVASF.

Silva, J. G. 1988. *A irrgação e a problemática fundiária do Nordeste*, pp. 18 – 25. Instituto de Economia – UNICAMP/Proni, Campinas.

Souza, R. O. de and Motta, F. S. 1994. *Qualidade e conservação da água, com vistas ao desenvolvimento sustentável do semi-árido nordestino*. Projeto Aridas/Secretaria de Planejamento, Orçamento e Coordenação da Presidência da República. *Uma estratégia de desenvolvimento sustentável para o Nordeste*, September, Brasília (GT Ⅱ – Recursos hídricos).

Souza, A. 1996. *Programa de fortalecimento do setor pesqueiro e desenvolvimento da aquicultura*. Brasília: CODEVASF (Preliminar).

Sudene. 1995. *Sudene: uma parceria de sucesso da bacia do São Francisco. Cem anos de Petrolina*. Recife: Sudene.

10　通过水资源综合管理应对全球环境问题:圣弗朗西斯科河和普拉塔河流域展望

(阿尔弗雷德·M·杜达)

10.1　绪论

　　自斯德哥尔摩人类环境会议召开至今已有 25 年,世界仍然面临着各种各样严峻的环境威胁,它们在全球范围内都有影响,包括土壤、水和海洋资源的退化,而这三者对已经增长的食物生产至关重要;无处不在、威胁着人类健康的空气污染和水污染;全球性气候变暖改变了气候模式,引发洪水或干旱,并导致全球海平面上升;栖息地、物种和遗传资源的丧失,生态系统及其作用的破坏。在里约热内卢举行的地球首脑会议上,世界各国首脑们再次保证,要综合应对上述问题,尽管对这些问题的严重性已经有了更深刻的认识,然而在地球首脑会议 5 年之后,环境现状依然如故,在北半球是这样,在南半球也同样是这样。过度消费的浪费模式在北半球许多国家依然存在,而人口快速增长和自然资源耗尽的情况在南半球许多国家中也继续存在。

　　地球已处在前所未有的变革时期。气候变化历经数千年时间产生了物种、植被和生态系统的自然演化,而现在,人类的活动却是改变这种自然演化过程的主要因素。受过度消费、贸易全球化和人口增长这三重压力的影响,地球表面(农业、林业)的各种用途已经改变了大部分地区的陆地植被,并危及到动植物的栖息地。

大火、放牧和耕地使得土地裸露、土壤遭受侵蚀、土地被耗尽，淡水和海洋系统恶化，已经发展到了扰乱地区水文和地球化学循环的程度。由人类所引进的外来物种挤垮了原始的自然物种；工业污染的有毒物质充斥在大气和水中；温室气体及消耗臭氧层的物质改变了大气和气候。对海洋进行过度捕捞、将海滨湿地转化为农业生产用地，又进一步减少了海洋鱼群的数量。

在20世纪70年代，这些问题看起来好像是地方性问题。到了80年代，研究表明，这些问题已经扩展到多个国家的所有区域。到了90年代，毫无疑问，这些问题已经变成明显的全球性问题，它们对地球环境的健康发展产生了负面影响。在地球的历史上，第一次由人类加速它的变化过程，这种变化已达到一种程度，可能使经济系统崩溃，人类生存变得更加昂贵，以及使世界环境——这个维系我们生命系统的可持续能力处于危险境地。对此，该怎么办呢？

本文概述了全球环境威胁和全球压力的重要性，这种威胁和压力对人类影响日益显著。不仅人口的快速增长和过度消费产生了这种压力，而且全球化贸易、国际市场、农业补贴、跨国私有部门的投资，以及国际金融组织也加强了对环境的威胁。气候的改变（温室气体排放所致）、生物多样性的丧失以及跨边界水域的恶化，都是全球环境压力不断增加的征兆。

各国首脑开始感受到这些威胁的困扰，1992年里约热内卢地球首脑会议迈出了温和的第一步。首脑会议的成果是，针对要采取的行动制定了各种全球公约、协议和蓝图，其中一些将在本文中介绍，用来阐述部门间的相互联系和对水资源及其管理的影响。首脑会议的成就之一就是建立了全球环境基金（GEF）。全球环境基金所提供的新的和额外的资金对各国都是一个机会，它使得这些国家可以把应对这些全球性问题所采取的行动，纳入到发展规划中去，同时本文中也列出了这些资金。

世界面临挑战,在应对这些全球性环境问题方面,圣弗朗西斯科河和普拉塔河流域非常具有代表性。本文阐述了在这两个流域中环境与水之间复杂的相互联系,以说明目前的处境是多么艰难,以及全球所面临环境的挑战是怎样的史无前例。无论是南半球还是北半球都要进行巨大变革,来迎接这些挑战。这两个流域有像贝洛奥里藏特和布宜诺斯艾利斯那样的城市,有像皮得罗利亚附近那些复杂的灌溉工程,还有严重的工业污染,它所包含的问题不仅是南半球的共性问题,同时也是北半球的典型问题。

考虑这些挑战对环境、社会、经济和政府所带来的巨大影响,官方开发援助的日益减少,以及在南半球所关注对本国而不是对全球有利的活动的政治现实,各国如何响应它们的新责任和义务?而这种挑战更具有原则性。每个全球公约或者行动纲领都有它本部门的内在涵义,有它独立的政治主张,还有它片面的方法,哪个方面应放在首位?当这些规则由于不断发展而改变时,各国又如何应对?纷繁复杂、令人困惑和不断变化的各种全球性方法因来自私有化、私有部门的投机活动和经济系统全球化的种种压力而变得更加不确定,怎样才能在这些方法上达成共识?在这个躁动不安的时代,还没有一种模式可以适应这种复杂的变化。然而可以肯定的是,这种全球性变化已经在许多层面发生了,无论是北方还是南方,在这些不可逆转的变化发生之前,都已经没有太多的时间来应对,而这些不可逆转的变化可能降低人类的生存质量和破坏人类赖以生存的生态系统的可持续性。

本文的主题就是论述一种可以实现这些变化的实际方法,它以更加综合的水资源管理方法为基础,在适应性的管理战略指引下,在每个国家逐个流域地实现这些变化。有些干预措施(例如高效使用能源)要在整个部门范围内实施,而某些气候的变化、许多生物的多样性、绝大多数土地的退化和跨边界的水资源都与特定的地点相关,它们需要由各国确定,由国内社会参与设定优先权,并且每个流域的情况也不相同。由于这个与特定地点相关的特征,还会由于在不同的地点或者存在问题的政策变革都有可能会带来成倍的好处,因此以更加综合的、跨部门的或者整体的方式对流域进行管理可能对于提供援助者和接受援助者都有吸引力。

世界银行和全球环境基金的水资源管理政策中都认可这样一个综合方法的重要性。本文将以此为案例,并作为一个实用平台逐个流域地应用这种方法,这些全球变化时期内的各种干预活动都可以放在平台上。本文还列举了一些实例,这些实例中有可能把针对全球环境的一些想法,纳入到圣弗朗西斯科河流域和普拉塔河流域的更加综合、更加完善的管理中去。如果这些综合方法与各国的实践项目(边干边学)相结合,并作为灵活、有适应力的组织管理的一部分,那么,通过合理、优先和可能会对规划中的经济发展带来很多好处的干预活动,这些方法有可能提供一种途径,使得各国在近期内逐步适应这些全球变化。接受全球环境基金援助的国家正在实验各种不同的干预方法,并从经验中学习,全球环境基金对此起到了促进作用。假以时日,主要项目、范例工程和政策变革都将大量实施,其结果将会融入到融资开发的战略中去,而最终社会和环境可持续性发展的目标就能实现。

10.2　全球环境的威胁和压力

地球上,森林覆盖的土地正在减少,沙漠正在扩大,土壤正被侵蚀。与此同时,饥饿的星球需要有更多的食物来养活迅速膨胀的人口,而由于水土流失(600 万 ~ 700 万 hm^2/a)和洪涝(盐碱化)(100 万 ~ 200 万 hm^2/a)而丧失了生产能力的土地量超过了新投入生产的土地量。同时,在河流下游,被侵蚀的表层土壤被带入到水库、运河和河流中,更加重了洪水造成的损害,并导致水力生产或灌溉潜能的降低。仅美国一个国家,由于水土流失所造成的损失就超过 50 亿美元(克拉克,1995)。

10.2.1 土地退化

土地转型和退化给贫困人口带来严重的后果,特别是在干燥地区。森林滥伐、草场退化、土壤损耗、土地盐化和地下蓄水层不断减少,使得地球上近 1 亿贫困人口的生活备受煎熬,并且威胁着其他 8 亿人口的生活。图 10.1 表明,包括拉丁美洲在内的各大洲,对旱地退化的关注已从中等程度发展到严重程度。

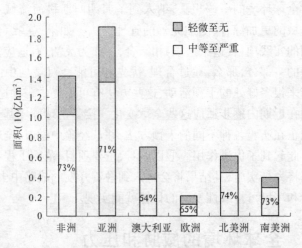

图 10.1 各大洲土地退化的严重性

森林砍伐已经成为全球性的严重情况。将森林转为他用,其本意是为了维持人类的生存,但它又有负面影响,削弱了人类在某些地方居住的能力。而在过去的 20 年间,湿热带地区森林砍伐急剧增多,现在已呈下降趋势,但这是因为一些亚洲国家已经没有多少森林可供砍伐了(休顿,1994)。通过森林砍伐获得土地,其生产能力只能维持很短时间,现在由于土地生产力正以惊人的速度下降而被遗弃。以目前这种森林砍伐的速度,热带森林将会从地球上消失而不能留给子孙后代(休顿,1994)。

10.2.2 生物多样性的丧失

随着森林的消失、水路的淤积和污染,以及湿地变为农业用地,地球上的生物多样性正以前所未有的速度消失。物种灭绝的焦点集中在热带雨林上,因为热带雨林蕴涵了太多物种(占地球所有生命的 50%~90%)。美国和欧洲 90% 以上的原始森林已经消失,中美洲、东南亚以及西非的热带森林也在遭受着同样的命运。成千上万的原始物种也许已经消失,而更多的物种正在受到威胁。全球生物多样性评估机构(联合国环境署,1996)对生物多样性丧失的本质和严重性进行了阐述。随着贫困人口生活质量的潜在提高,生物多样性的消失严重危及到了具有巨大的潜在经济价值的药品和其他产品,并同时波及到了亟待改善的贫困人口的生活质量,而这些贫困人口本应该是受益者。生物多样性无论是其道义价值还是其生态系统的价值,还没有几个人不知道,但是一旦某个物种消失了,它将不复存在。而当很多物种都消失以后,人们必须要真正关注物种进化的未来,关注它对人类将意味着什么。

10.2.3 气候变化

森林砍伐、土地退化和气候变化之间存在着相互联系。大气中所增加的二氧化碳,其中 25% 是森林被砍伐所致(休顿,1994),其余的是由于农业活动。1950~1980 年,全世界石油使用量增长了 4 倍。在北半球,能量消耗和消费模式引起了人们对气候变化的关注。但是,由于亚洲人口的增长和所拥有的巨大资源,使得能源消耗迅猛上升,发展中国家在 10 年内排放的温室气体总量已经超过了发达国家的排放总量。

气候变化带来的威胁,可能会扰乱天气模式,使全球的海平面上升,而且还可能导致无法估量的经济损失。我们可以预测它会使农业生产、降雨以及暴风雨产生的剧烈变化。海平面如果上涨0.5m,整个的岛国就有可能消失。与厄尔尼诺现象有关的暴风雪模式的变化以及阿根廷近海的低压现象(这与沿海洪灾有关)都加大了它们的破坏力。北半球的贫困人口较少,加上其资源丰富,使得它能够应对这种气候变化;而南半球则不然,它的贫困人口多,经济实力差,很难抵御气候变化和国内社会动荡所带来的影响。

10.2.4 水资源问题在各部门间的相互关系

水资源专家认识到,以上三种全球性现象与人口增长一道,对地方、区域甚至全球的水文循环和地球化学循环将产生根本影响。影响将反映在干旱、洪水、经济损失、成本增加以及环境损失等方面。河流、河流的集水区、海洋、能源和天气,它们之间存在着十分复杂的联系。其中,海洋使碳元素沉积,并保持了关键的生物多样性,从而使得碳循环成为可能。人们对这些相互关系的理解相当有限,而这些相互关系又存在于多个层面,如果要等待有文件对这些关系进行精确的描述,也许并不明智。产生这些不利变化的驱动力量已经聚集了能量,它势必将导致世界范围内的生态和经济灾害,因此必须采取预防措施应对这些变化。

举一个典型的例子,秘鲁近海的太平洋海域自然变暖,对全球范围内的气候、降雨、粮食生产和渔业带来了持续变化。这些影响称为厄尔尼诺南部振荡(ENSO 或简称厄尔尼诺)。自 1870 年最初的记载以来,这种周期性的海洋变暖从平均每 4 年发生一次,到现在不到一年就会发生一次,而且影响越来越坏,持续时间也越来越长。厄尔尼诺导致了暴风雨的产生,改变了气团的类型。实际上,海洋表面温度在过去的数十年间已经升高了 0.5℃,而这正好引发了厄尔尼诺现象。难道说气候变化和海水变暖早已发生了?

蒂伯特斯(1996)指出,最严重的一次厄尔尼诺现象发生在

1982～1983 年，最近一次严重的厄尔尼诺现象持续了 4 年(1991～1995 年)。在这期间，巴西东北部、印度、斯里兰卡、中国以及非洲饱受干旱的折磨；印度尼西亚和菲律宾粮食减产；在澳大利亚的昆士兰，干旱使粮食生产遭受了 10 亿美元的损失；干旱在加拿大西部和美国的影响也有报道。而在普拉塔河流域降雨量却大量增加(安德森，1993)，世界上一些地区渔业倒闭，而藻类生物繁殖，即赤潮的暴发，导致了水中大量氧气的消耗并产生有毒的效应(蒂伯特斯，1996)。普拉塔河流域所发生的损失高达 10 亿美元的洪灾和巴西东北部(圣弗朗西斯科河流域)毁灭性的旱灾，都与厄尔尼诺现象改变了的气候有关，而厄尔尼诺现象在发生频率、强度及持续时间上的增强，或者是由气候变化反作用于厄尔尼诺现象的结果(或者在未来产生更坏的影响)，本文在稍后将指出，这些情况的可能性都在变大。进一步讲，气候的微小变化将导致圣弗朗西斯科地区的河水改道引至巴西东北部以对抗干旱，而这种改道工程对圣弗朗西斯科三角洲地区环境产生的破坏也是由气候变化引起的。

10.2.5　跨边界水资源

目前全世界的水资源正处于巨大的压力之下，依赖于这些水资源的生态系统、人类以及经济发展前景难料。海洋已经捕捞殆尽；入海口的有机物太多而含氧量太低；许多沿海区域的湿地已经枯竭——或铺为路面、或改造成农田、或转变为水产养殖地。海洋哺乳动物和水鸟携带有毒的化学物质；河水改道用于农业灌溉使得河流和湖泊干涸；污染物排放已经影响到人类的健康；地下水过度开采，以及其受到了污染。各国在应对上述这些问题所取得的进展令人失望，因此要想解决跨边界水资源所面临的这些问题，看起来是不可能的。渐渐地，具有地域性的大海、可共享的河流流域、国际性的湖泊环境已经恶化，自古以来带给人类的诸多好处难以继续。久而久之，区域性的问题演化为更大的问题，最终将变为全球性的问题。

毫无疑问,水资源短缺和难以持续利用已经威胁到很多国家的发展。随着人口的高速增长,许多国家预测到了近期将面临严重的缺水问题,正如波斯特尔所指出的那样(1992)。农业、人类和工业对水资源的竞争已经到了白热化的程度,而他们却常常忽视对环境的保护。缺水意味着粮食保障将受到威胁,涝灾和盐碱化的土地生产力下降,被侵蚀的高原地区生产力降低。这种情况将造成即将到来的全球性的食品短缺(布朗,1996)。实际上,现在已有数千万的人沦为"环境难民",还有更多的人已经从农村涌进大城市,预计到 21 世纪这种难民人口将会达到 1 亿(费尔,1996)。

在世界范围内,淡水流域的活动和海洋生态系统恶化,两者之间的相互联系已经非常明显,因为来自于内陆的污染物造成许多地域性海洋环境的恶化。有问题的水域,例如波罗的海,现在需要花费 200 亿~300 亿美元进行污染治理和栖息地的重建(辛德勒和林特尔,1993),而且还需要更多的资金来恢复墨西哥湾因密西西比河污染而造成的缺氧死海区,或者减少里海因伏尔加河的污染造成的危害(沃尔弗森,1990)。很显然,由于陆地活动和下游生态系统之间相互联系,这些跨边界水资源问题也涉及单个国家流至多国共有海域的河流流域。

生态系统恶化有着多种多样的原因,随之又带来了失业并对经济产生了影响,它们相互之间的联系相当复杂。这不仅仅是因为污染或者重要的湿地栖息地转为他用而引起的海域跨边界的冲突,例如在亚洲某些地方,红树林湿地因转变成虾塘而消失。海洋中过度捕捞也是一个很大的问题,因为在海洋上可以任意进出捕捞,没有合理的管理机制,那些装备了现代化技术的渔船捕捞能力过大,还有政府提供补贴而造成了市场混乱。我们所有 15 个海洋渔场正在被大量或过度捕捞,其中有 13 个渔场的生产力正在衰减,有些可能永远消失(布朗,1996)。近 10 亿人口将鱼作为获取蛋白质的主要来源,随着海洋鱼类的捕捞殆尽,而农业灌溉却由于成本和对环境的负面影响而停滞不前,在不久的将来,食品保障将会受到很大的威胁,这也涉及到跨边界水资源问题。

表 10.1 列出了各国共享国际河流、湖泊和内陆海的情况。正如杜达(1994)所指出的一样,在这些流域,跨边界水资源问题、冲突和争端正在急剧增长,水资源危机将进一步加深,有可能成为一个前所未有、全球性的严重问题(彼斯瓦斯,1994)。

表 10.1　主要跨越边界的河流、湖泊及内海

国际河流	国家总数(国)	湖泊及海洋	国家总数(国)
多瑙河	14	地中海	18
尼日尔河	10	黑海	17
扎伊尔河	9	波罗的海	9
尼罗河	9	南中国海	9
莱茵河	8	北海	9
赞比西河	8	北海	9
亚马孙河	8	里海	6
湄公河	6	乍得湖	6
易北河	5	苏必利尔湖	2
普拉塔河	5		
恒河	4	维多利亚湖	5
科罗拉多河	2	坦噶尼喀湖	4

注:杜达(1994)。

10.2.6　全球压力

北半球的过度消费与森林砍伐,是气候变化产生危险的一个关键因素。不久,南半球的能源消耗将减少北半球的产出。或许有些人会把这些全球的变化归咎于人口的增长和森林的过度砍伐,但是实际情况并不那么简单。地球上的植被发生了很多前所未有的变化,已经遍及全球而不是某个地区。

信息革命、贸易全球化、农业出口市场、为偿还国际贷款而增加出口获取外汇的愿望,以及政策中普遍的政府补贴所带来的结果,增加了环境压力。譬如,近期世界观察协会的一份文件估计,每年各国政府要花掉纳税人超过 5 000 亿美元的资金用于补贴森林砍伐、过度捕捞和其他破坏环境的活动,因此更加剧了全球性变化(路德曼,1996)。其他例子见普拉塔河和圣弗朗西斯科河流域。

10.3　全球组织制度策略

保护全球环境需要大量的国际合作。保护全球共享的财富是全球性的行动,而不是少数几个国家的分散行动。世界各国在里约热内卢开了个好头,大家一致同意制定国际协议。各种新公约、协议、行动纲领、政策(如世界银行水资源管理政策)和融资渠道(如新的世界环境基金(GEF))等,为各国提供了机遇,以解决受到破坏、带有严重冲突和环境已经遭到恶化的流域的问题,并使得各国可以以一种与环境可持续发展协调一致的综合方法,实施部门性的干预措施。下面对各有关文书作简要的介绍。

10.3.1　气候

联合国气候变化框架公约(FCCC)于 1994 年 3 月生效,它在国际共识中指出,地球气候的变化和它的负面效应需要人类共同关注,呼吁所有国家要进行最广泛的可能的合作。各种应对气候变化的行动有权证明其在经济上是正当的,还可以帮助解决其他环境问题,在认识到这一点的同时,公约根据各个国家的需求,特别是发展中国家的需求,同意在获取资源时要实现社会和经济的可持续发展。当发展中国家向着可持续发展的目标迈进时,其能源的消耗也在不断增长,因此必须找到方法,更有效地利用能源和控制温室气体排放,包括如何应用新技术以便在经济和社会方面都受益。框1给出了联合国气候变化框架公约的小总结。

框1　联合国气候变化框架公约(FCCC)

气候在过去的很长一段时期内都在自然地变化着,在未来温室效应所引发的气候变化,其节奏之快将把生态系统甩在后面,很多国家因为要适应这种变化必须付出高昂的代价。这种快节奏对于1992年地球首脑会议上签署里约热内卢联合国气候变化框架公约的150个国家,十分重要。该公约已拥有160多个成员,旨在将大气中温室气体的浓度稳定在一个能够防止人类与气候系统之间发生危险冲突的水平内(第2章)。

在第4章中列出了各国所应履行的多种职责,包括:①发达国家提供财政支持;②制定排放台账;③制定和实施国家纲领,包括相关措施减缓气候变化;④促进开发、应用和转让以控制、减少和防止人为制造温室气体排放的技术、实践和过程,并加强在这方面的合作。

除了国家纲领、技术开发、汇报排放台账和国家在履行公约时所采取的步骤外,还要求成员国,只要可能就应该在相关的社会、经济、环境政策和行动中考虑气候变化的因素。为了实现这些变化,必须要引入可持续发展的概念,并付诸实践。由于这只是一个框架公约,在制定降低排放目标的协议时还有待进一步磋商。全球环境基金作为一个临时的融资机构,在协议框架内,在各发展中国家中实施各种工程项目和活动。

10.3.2　生物多样性

保护生物多样性不仅在道义和美学方面有意义,而且物种的灭绝和栖息地的丧失还要付出沉重的社会和经济代价。生物多样性的丧失意味着,在适应变化时,就失去了可选择的余地,生物多样性实际上代表了地球自然资本很重要的一部分。

生物多样性正以惊人的速度遭到破坏,如果不采取紧迫的行动,未来可选的余地将会大量减少。而且在上几个世纪已有大概1 000种生物灭绝。全世界栖息地的丧失和转为其他用途很可能会使数以万计的生物种类濒临灭绝(联合国环境署,1996)。框2中总结了1992年地球首脑会议上签署的生物多样性公约(CBD)。

框2　生物多样性公约(CBD)

如联合国气候变化框架公约一样,生物多样性公约是多次会议磋商在1992年6月地球首脑会议上形成的,有近100多个国家签署了这个公约。至1996年下半年,约170个国家签署了该公约。公约认定生物多样性的保存和管理是可持续发展不可分割的一部分,这一点已经在越来越多的国家达成共识。国家经济的很多成分都直接或者间接地依赖于各种生态系统的多样性,特别是那些贫穷的人口,他们要依赖这些资源维持家庭生计。

公约的目的是保存生物多样性、可持续利用各种元素、公平均衡地分享利用生物多样性所带来的好处,包括遗传资源。生物多样性公约重点放在发展问题上,它包括国家决策时要考虑生物多样性;通过环境和社会影响评估,使用社会经济政策和促进决策;控制威胁生物多样性的活动和过程。各国有义务通过自己的方式、活动和机构来保护及合理利用自己的生物多样性资源。公约的执行,要通过与部门各种活动的决策相统一的国家战略、规划和纲领来实现。各个成员国要建立优先权、战略和规划,并汇报至生物多样性公约秘书处。

协议用多个章节介绍了基因遗传资源、机构能力和机构建设、获取技术转让过程和生物技术等。公约明确认可了原著民部落可持续利用资源的权利和贡献,以及利益的公摊。发达国家提供财政资源促使发展中国家执行生物多样性公约,并从中受益。就像联合国气候变化框架公约一样,全球环境基金被任命为生物多样性公约的临时财政机构,直到找到一个常设机构为止。

10.3.3 土地退化

防止和控制土地的退化，主要是防止土地沙漠化和森林的过度砍伐，这是实现可持续发展的关键。然而，土地退化对环境和经济所带来的影响，并不限于它所发生的国家。这种影响体现在生物多样性的丧失、大气和地下碳循环受到影响以及国际水域的污染等方面，这种影响非常严重而且是全球性的。旱地环境问题产生的影响比地球上其他任何地方都严重。在过去的 20 年间，至少有 1 000 万的环境难民处在和来自干燥地区。世界 1/5 的人口受到影响的程度从较小到严重，而多数属于严重的。世界上最贫穷的国家大多数在世界上干燥地区。

干燥地区环境问题是由多种原因造成的：干旱、干燥、土地退化、社会动荡、国际间的冲突、经济压力、人口压力和其他很多原因。很难找到缓解这种影响的方法，即使找到了，也难以在地理上和时间上一致。干燥地区环境问题的复杂性和影响程度都制约解决的办法。尽管如此，世界各国还是在采取的行动上达成了共识，如方框 3 中所提到的。

10.3.4 跨边界水域

对于国际淡水水域（包括河流、湖泊、水库和跨边界地下水），在这些资源的有效使用、保持和开发上，还没有一个统一的法律文件使全球达成共识。然而，很多双边和多边协议及管理机构已经存在。另外，非约定性的都柏林宣言和国际法律委员会（ILC）起草的国际水域非航运用途法草案，其中有些措施已在国际上达成共识（彼斯瓦斯，1994）。

尤其是航海协议，其结构体系十分复杂。海运协议于 1994 年 11 月生效，它与 1982 年联合国海洋法公约（UNCLOS）一致，并且在其法律框架内开展活动。海洋协议为保护和管理海洋环境以及其中的生物及非生物资源,提供了一个全球性的框架,见框4。各种全球性和区域性的协议充实了海运协议,这些协议涉及区域海洋、源自陆地的污染、湿地、保护区和受保护物种、渔业、有毒物质、生物多样性和气候等。21世纪议程认定联合国海洋法公约是"一个国际基础,以此为基础寻求对海洋、沿海环境及其资源的保护和可持续发展"。

框3　联合国防治沙漠化公约

20世纪70年代,当非洲经历严重的旱情时,干旱地区、半干旱地区和干燥半湿润地区土地退化的环境问题引起了全球关注。1977年联合国大会在关于肯尼亚的干旱问题上,采取了倾向于国际性的行动办法,并制定了防治沙漠化行动规划。这些国际行动没有融资机制,导致资金匮乏,进展令人失望,它需要有一种新的行动。

防治沙漠化的议题再次出现在1992年地球首脑会议国际环境议程上。21世纪议程的一个主要章节阐述了这个全球性问题,它希望各国在政治上进一步重视沙漠化的防治。这种愿望在1994年的巴黎会议上得以实现,102个国家签署了该公约,并于1996年12月正式生效。公约的目的是防治沙漠化,减轻干旱和正在遭受严重干旱和沙漠化国家的影响。这个目的就是要通过执行由负责支持国际合作的国家咨询委员会所制定的国家行动纲领(NAPs)实现,并与21世纪议程一致。

作为里约热内卢会议进程的一部分,各国政府认为,沙漠化不仅仅是一个技术问题,更是一个社会和政治问题。文件中指出了各个团体共同参与到基础活动中去的必要性,还认可了各基层组织以及非政府组织帮助旱地上生存的人们生活的重要性。公约也通过列在4个附件中的区域行动纲领来执行。拉丁美洲和加勒比地区是4个区域中的一个。

所有成员国都应该采用统一的方法应对沙漠化和干旱对物理、生物及社会经济等方面的影响问题,并注意国际贸易、经营和债务的影响。用自上而下的方法,通过各团体共同参与,要求各成员国改善那些竭力在干旱地区继续生存下去的贫困人群的生活条件,而且号召各组织参与,并通过改变立法和政策应对发生沙漠化的根本原因。发达国家有责任通过双边或多边融资机制来提供融资和其他形式的帮助,将实质性的融资渠道集中起来并引入到受影响的发展中国家。

与联合国气候变化框架公约和生物多样性公约不同,联合国防治沙漠化公约没有要求全球环境基金作为它的临时融资机构,它也没有新的资金来治理沙漠化问题。但是,它通过建立"全球机制"促进对已有基金更加灵活的管理和协调。所选出的推行这个机制的机构,接受大会的指导,并推广利用该融资机构,考虑在国家、地区和全球范围内筹措资金,其中包括将技术大量转让给发展中国家所需的融资。

框4　联合国海洋法公约(UNCLOS)

经过24年漫长的协商，1982年159个国家签署了联合国海洋法公约，该公约提出了一个广泛的框架来保护海洋环境。它从根本上影响了斯德哥尔摩会议的21世纪原则，这一原则要求各成员国必须保证，各自确定和控制的活动中所产生的污染不能对其他国家的海洋环境造成损害。从更广泛的意义上讲，联合国海洋法公约号召各国防止、减少和控制污染，这些污染来自陆地、大气、倾泄，以及用于对海底进行勘探和采矿的船只与设施。联合国海洋法公约概括了各国的总体义务，采取措施防止海洋环境污染。这些措施包括建立国家法规、标准、实践和规程，以便实现它的目标。各国还要求与其邻国合作进行监测、评估和分析海洋污染的影响。

虽然联合国海洋法公约对海洋环境生活资源没有明确地提出综合保护措施，但是它为各国确定了基本责任来保护、保持和管理各种资源，这些资源在该国的管辖控制范围之内或之外的不同地域内。在大陆架和经济特区内，各个沿海国家有权自行决定对海洋生物的允许捕捞量，而且联合国海洋法公约重申了这些国家有权开采这些资源。联合国海洋法公约还定义了沿海国家在深海捕捞的权利和义务，并号召这些国家将来在捕捞这个问题上达成国际协议。

联合国海洋法公约历经了24年的协商过程，又经过了12年才正式生效，可见解决海洋水域的环境问题充满了矛盾。但是像生物多样性公约和联合国气候变化框架公约一样，它仅仅是一个框架性"全球性公约"，而没有设置融资机制为解决污染和渔业问题提供资金，也没有特别的规定和协议发起行动。该公约就像是一把伞，它只在一般水平上为将来的行动提供指导。事实上，它为南北方未来的谈判搭建了一个舞台，以保护各国在全球或地域性的响应能力，而不是响应全球性的统一标准，因为这样有可能会阻碍南半球国家的发展。尽管有了这个广泛全球性框架和它的灵活性，但事实仍然没有改观，一些海洋和特别经济地区正在因过度捕捞而消失，一些沿海地区被蓄意地作为陆地经济活动和社区生活所产生垃圾的收容所。

联合国海洋法公约阐述了淡水流域及其对海洋水域的影响，及其之间的联系，但是在磋商过程中没有形成任何实质性的行动。经过磋商并付诸实践的阻碍几乎没有物质方面的。这些条款间相互矛盾，框5中所描述的应对这些问题的全球行动纲领却不包括融资机制。

框 5　保护海洋环境免受陆地活动破坏的全球行动纲领（GAP）

联合国海洋法公约有两章（207 章和 213 章）特别提到了源自陆地的海洋污染，然而在采取行动需花费的资金上缺乏共识和犹豫不决，导致了1982 年公约的措词相当笼统。这个笼统的条款，在制定指导原则、规则和监测系统，以及在协调区域政策方面（考虑发展中国家的经济能力和他们对经济发展的需求），没有取得进展。事实上，沿海（海洋）生态环境在过去的 20 年已经进一步恶化。

1983 年，联合国环境署召集了一组专家制定指导原则（1985 年的蒙特利尔指导方针，旨在保护海洋环境免受源自陆地的污染）给联合国海洋法公约笼统的条款注入了活力。但是联合国环境署管理机构只是制定了这些指导方针，而没有采纳它。1991 年就筹备地球首脑会议和联合国环境署组织专家会议对该问题进行了讨论，结果该主题纳入 21 世纪议程第 17 章的协商中，并且该主题已经从单一污染问题，扩展到了所有的陆地活动，诸如生物栖息地的破坏、沉积效应和空气中的污染物等。

21 世纪议程第 17 章要求联合国环境署就这些陆地活动召开政府间会议，1993 年 5 月联合国环境署管理机构的 17/20 决议授权制定采纳行动纲领的进程。在蒙特利尔、雷克雅末和华盛顿的预备会议之后，1995 年晚些时候，109 个国家参加的政府间会议在华盛顿特区召开，旨在采纳全球行动纲领和"华盛顿宣言"。

在采纳全球行动纲领的过程中，各个政府采取持续和有效的行动来处理进入海洋环境的所有陆地活动带来的影响问题，并以此作为它们的共同目标。全球行动纲领要在社会的不同层面上找到各自的行动来防止、控制和减小海洋环境的恶化。它把所关心的问题进行了分类（如下水道污水和现在的有机污染物），确定优先采取行动的部分，并制定战略和纲领以利用现有的各种规章制度。这些活动的大多数资金来自国内，也希望与外部融资渠道合作，如双边互赠和国际金融机构等。与联合国气候变化框架公约和生物多样性公约不同，全球行动纲领没有明确的融资机制。然而全球环境基金被邀请在全球行动纲领工作范围内增加投资，为那些与全球环境基金运作战略相符的活动提供认可的增量成本。全球行动纲领包含了信息交换机制，为成员国提供支持，而且联合国环境署被指定通过区域海洋章程来支持全球行动纲领在该区域的执行。

各国提出了它们的主旨：制定和评估国家纲领；执行项目工程；相互合作以增强实力和获取资源；采取及时的预防和弥补措施；区域合作；敦促各国、国际机构以及双边互赠，按照全球行动纲领要求给予各工程项目相适应的优先权；制定全球性的法律文件，以减少和消除长期存在的 12 种有机污染物，这些有机污染物促进了海洋生物的大量繁殖并对人类健康和生态系统带来了威胁。针对其他类别的问题，它在各种目标、各国行动、地区行动和国际行动等方面提出了建议。

该约定进行磋商的目标就是为了使各国间达成共识,以约束各国的行动,因为这些行动通常都带有负面的经济影响。政治现实中的主权问题,尤其是发达国家和发展中国家之间,仍然受到过度关注,许多国家宁肯保持对他们自己政策的正当控制。国内政策和行动通常被认为与国际脱节。但是鉴于对水质、水量和生态系统的关注,各国都需要改变自己国内的政策和行为,其中包括国内各地区(省,州)的政策和行动。由于需要在一些特定地方采取行动应对各个流域和海洋生态系统中某些特定的问题,全球约定和区域框架公约还不足以应对跨边界水资源问题。而且每个公约采取的方法相互独立,哪个应优先实施,一个国家从哪开始实施,怎么判断资金使用的优先级?

10.4　全球环境基金

在地球首脑会议召开前的两年,全球环境基金就已建立。它作为一个指导性的纲领、新的实验方式和革新方法,以便应对4个焦点问题,即气候变化、生物多样性保持、臭氧损耗和国际水域。1994年3月,经过18个月的协商,在日内瓦达成一致,将全球环境基金从它的指导性引导阶段变成永久性融资机构。重组后的基金,拥有20亿美元的信托基金,向全球开发活动(现有155个国家)开放,它与联合国开发计划署、联合国环境署和世界银行建立了伙伴关系,并将它们作为它的执行机构。另外,除了这4个焦点方面外,那些应对土地退化问题的各种行动,只要它们与4个焦点中的一个或多个有关,同样也可获得融资。

在重建全球环境基金中,各国政府保证,它将完全包含里约热内卢公约以及21世纪议程所确定的原则。全球环境基金作为一种国际合作机制,其目的是提供新的、额外的援助和优惠资金,满足措施同意的增量成本需求,这些措施可以在4个焦点方面为全球环境带来好处。1995 年 10 月,全球环境基金制定了一个操作策略,该策略代表了全球环境基金的 4 个焦点方面所采取行动的策略框架。根据该策略的原则,全球环境基金将资助各种工程和项目,这些工程和项目由各国自己实施,并以适应可持续性发展而设定的国内优先权为基础。

10.5　全球环境基金操作策略

全球环境基金操作策略(全球环境基金会,1996)的制定,是用来指导各国全球环境基金的 4 个焦点区域所开展的活动。这个策略将协助全球环境基金秘书处及其三个执行机构的工作,以便编制工作规程、商业计划及预算,同时,为全球环境基金委员会批准这些行动提供指导。

生物多样性的操作策略提出了一种方式来履行全球环境基金在生物多样性方面所承担的任务。它提供了确定和实施全球环境基金资助的活动框架,使接受资助的各国可以应对保护和可持续利用生物多样性的全球性复杂挑战。它还提供了一个系统地监测和评估全球环境基金资助活动的有效性框架,并为生物多样性公约成员国大会(COP)提供了指导原则。

全球环境基金资助某些活动的目的,是为了有利于保护全球生物多样性。指导这些活动的主要战略思想是:①在各国范围内,将生物多样性的保护和利用统一,如有可能,还将它们与子区域内和区域内的发展规划及政策统一;②通过选定目标及成本效益原则,帮助保护和有效管理生态系统;③集中各方面的力量在其他几个焦点方面实现全球利益,尤其是在土地沙漠化以及森林砍伐地区;④制定一揽子计划,包含全球主要生物多样性中具有代表性的生态系统;⑤确定全球环境基金资助行动的目的,即通过战略性的和成本效益的方式,帮助这些接受资助的国家实现公认的生物多样性目标。

全球环境基金关于气候变化的操作策略，是将生物多样性公约成员国大会的政策指导原则引入到联合国气候变化框架公约中去。生物多样性公约成员国大会为资格标准、项目优先级和融资机制政策方面提供了最初的指导原则，这些方面的工作由全球环境基金会临时负责。推进这些活动的开展促进有效应对措施的实施。采用缓解措施，降低或减少人类活动而产生的温室气体的排放量，或通过吸收作用来保护或消除这些气体(这样就降低了气候变化的风险)。全球环境基金通过支持这些公认的、符合长期或短期标准的缓解措施，帮助各国实施项目。这些适应性的活动减少了气候变化的负面影响。最初，全球环境基金将为这些"在各国范围内开展的相关的适应性活动"提供认可的全部资金。这就是成员国大会所概括的"第一阶段适应性活动"。为第一阶段以外的其他活动提供资金，这需要遵照成员国大会的指导原则。全球环境基金所资助的应对气候变化的活动，在整体战略上，是支持采取持续措施，减少气候变化的危险或负面影响，将气候变化的危害降至最小。全球环境基金会将为有资格的接受国开展的推进、缓解和适应性活动提供资金。

在气候变化焦点方面三个最初的实施纲领，是在进行技术评估总结的基础上提出的，包括全球环境基金最近希望在新能源技术上降低成本的工作。这些纲领符合成员国大会指导原则及政府间气候变化专门委员会(IPCC)的最新发现。这三个最初要制定的实施纲领是：

(1)排除能源保持及能源效率的障碍；

(2)通过排除障碍和降低应用成本，推广采用可再生能源；

(3)降低温室气体低排放能源技术的长期成本。

在国际水资源领域，全球环境基金的目标是促进实施一个更加综合、基于生态系统的方式，以便管理国际水域及其流域，并以此方式使全球环境受益。全球环境基金的执行机构帮助各国寻求与其相邻国家进行合作的方式,以改变人类在不同生态系统中的行为方式,这样各种跨边界冲突和问题才能得以解决。它的目标是帮助各国通过应用必要的技术、经济、金融、法规及制度等,以便在跨边界水域及其流域实施可持续发展战略。

操作策略(全球环境基金会,1996)概括了将要在这些焦点方面采用的优先权。全球环境基金的活动集中在受威胁的跨边界水域和这些水域即将受威胁的生态系统。5 种类型的活动直指这些危害:

(1)控制源自陆地的污染物对国际水域的污染。尤其要注意防止排放有毒物质和重金属以及营养素和沉降物进入国际水域的流域中,这些流域拥有稀少和濒临灭绝的物种或独有的生态系统。干预措施中更要优先解决有机污染物的排放问题。

(2)防止和控制土地退化、沙漠化及森林砍伐引起的跨边界环境问题。

(3)防止一些关键的物理和生态栖息地的退化(例如湿地、浅水区和珊瑚礁),维持生物多样性,为那些受到威胁和濒临灭绝的物种提供生活及繁殖区域。

(4)完善的管理和控制措施,可以更好地指导生命和非生命资源的开发,解决过度捕捞或从跨边界流域过度抽取淡水和改变水道的问题。

(5)控制船载化学清洗剂和从压舱水转化而来的外来物种,它们会破坏生态系统并对人类健康带来负面影响。

在最初的 5 年内,65 个发展中国家和一些处于转型期的国家,已经得到资助,参与了全球环境基金的国际水资源工程。表10.2 列出了得到全球环境基金资助的跨边界河流流域、湖泊和大型海洋生态系统。5 种经济开发区面临的不同情况都已在一揽子工程中显现。

表 10.2　全球环境基金资助的国际水资源工程

跨边界河流流域	跨边界湖泊	大型海洋生态系统
多瑙河(14)	维多利亚湖 (3)	几内亚海湾 (5)
第聂伯河 (3)	坦噶尼喀湖 (4)	亚洲东海 (9)
贝尔梅霍河 (2)	马拉韦湖 (3)	黑海 (6)
奥卡万戈河 (3)	的的卡卡湖(2)	地中海 (18)
图门河 (4)	奥赫里德湖(2)	亚喀巴湾 (3)
咸海 (5)		红海 (6)
普拉塔入海河 (2)		西印度洋 (8)

注:括号中所表示的是国家数。

　　在全球环境基金活动的第一个 5 年时间中(3 年处于启动阶段,接下来的 2 年处于结构调整阶段),资助基金中大约有 13.34 亿美元分配给图 10.2 所示的国际水资源工程。1996 年底,气候变化得到的资助约占全球环境资金的 39%,生物多样性方面得到的资助为 35%,国际水域方面为 12%。大约 160 个国家已经表示出正式参与全球环境基金的兴趣。

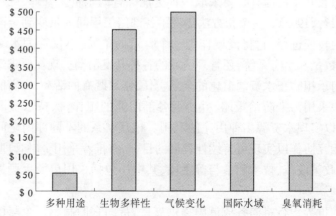

图 10.2　全球环境基金在各个国际水资源项目的投资(1991～1996 年)

10.6　水资源综合管理

在过去的 20 年中,已经见证了水资源管理思想不断发展的过程,从 19 世纪 70 年代玛德尔普拉塔会议,到 19 世纪 80 年代海洋法公约,再到 19 世纪 90 年代都柏林声明和联合国环境与发展会议(UNCED)。这个发展过程形成了一致的观点,就是需要采用一个更加综合的方法实现水资源管理,这个方法在本质上要跨越部门的界限,将生态和发展的需要统一,同时致力于保护水资源环境的生态可持续发展。这意味着,政府的最高级管理部门应当认识到,水资源及其流域必须作为宝贵的自然资源进行管理,以满足多种需求,而不仅仅是某个部门的活动所需。

世界银行最近呼吁,对地表水、地下水和水资源环境的不恰当管理要引起注意,这种不当的管理将有碍于减少贫穷和可持续性发展。在与非政府组织、各国政府和国际组织进行了长时间的磋商之后,1993 年世界银行水资源管理政策得以采纳。该政策呼吁各国和开发机构有必要采取一种更加综合的水资源管理方法(世界银行,1993)。这个新方法体现了各部门工程间的量变到全面管理的转变过程,它将流域作为一个合适的单元,不仅管理水域质量、数量和生态系统,还管理区域的各种开发活动。现在要求经济部门承担防止水资源退化的全部责任,修订既有的活动,在新的活动中采用污染防治策略,并协调各部门间的工作,保持水资源环境,以实现水资源多种用途的利用。相互联系的不同部门之间必须相互协作以实现可持续性发展的目标,并推荐采用金融管理、经济、政策改革、技术和参与等手段,其中还包括采用市场手段进行管理。

世界银行将向各成员国提供支持,帮助它们制定一个与国家的需要、资源和能力相适应的综合水资源管理方法。该方法强调建立有效的机构以保护、加强并恢复水资源质量和水生生态系统,以防止水质和水生生态因污染或者以前的开发工程项目而遭到损害。世界银行还强调,要进行立法和制定规章改革,加强经济发展,制定合理的价格政策,实现水资源服务的分散化,受益人和股东以及贫困人口应积极参与。

这个综合的方法有着重要的含义,不同部门行业、不同政府部门和公众共同参与这个过程,以提高水资源的管理能力。各国在实施水资源综合管理的第一步时,建议首先制定国家水资源管理策略(以分析为基础,该分析是跨部门水资源评估工作的一部分)。这个过程提供参与机会,以找到水资源环境的跨部门影响因素,寻找机会弥补跨部门的不足之处,对不同部门的行动确定优先级,然后确定如何实现可持续多用途地使用水资源环境的战略思想。这个过程提供了建立伙伴关系的机会,增强了组织能力,促进了非政府组织和股东共同参与,从而实现了以一种可持续的方式综合管理各国水资源。

全球环境基金实施策略倡导实施国际水资源工程时要应用这种综合方法(全球环境基金会,1996)。通常,在工程开始之初,是由全球环境基金的执行机构帮助实施工程的国家开展战略性工作。就像在实施策略中所提到的,这样可以使相互合作的国家间能够建立一个部门间的技术组,汇总与水资源有关的环境问题或冲突的信息,并成立委员会与其他国家的同事共享这些信息。通过这种方式,可以对跨边界水资源的各种情况(包括争端、冲突或者问题、机会和需求)进行分析。以这种事实分析作为起点,确定本国环境和水资源活动的优先权。这样可以将非常复杂的流域问题划分为很多小的、更容易管理的单元,根据每一个单元的问题确定一个特定行动纲领解决。

作为该过程的一部分,为解决优先级问题、矛盾或者冲突,各国需要决定采取行动、修改政策、制定规章和部门项目,这些步骤可以使得各国间的行动协调一致,而不至于发生经济利益的冲突。全球环境基金最终实施的工程为各国提供了一个可以淡化政治问题,致力于技术、实事求是的合作机会。这样他们就能够了解其公共流域的生态系统、各部门的活动和政策是如何影响水资源系统的。同时,学会一起合作,解决问题,所有这些都不需要依靠立法约束,而是基于一种务实的合作精神,因为水资源问题对于每个国家都很重要。这种共同的努力能够在参与的各方之间建立一种信任感,同时这种经历有可能最终在各国间形成更加正式和可持续的法律框架,以便在全球环境基金工程完工之后继续保持这种动力。

全球环境基金促进了将跨边界水资源问题纳入各国的发展规划,鼓励环境技术和知识的转让,提高发展中国家的能力,充分发挥各国的作用,在各部门中采取必要的干预措施。本质上,全球环境基金促进各国将统一综合的、生态系统的跨边界水资源管理方法的各个必要组成部分组合在一起,并以此方式实现跨边界水资源的可持续利用。全球环境基金为这些过程提供了所需的资金,并对其他项目的参与和开发援助形式进行调节,在全球环境基金的焦点方面之间建立联系,使各国可以有效地设定优先权,实现全球环境基金各种干预活动带来的多种益处。

10.7　圣弗朗西斯科河流域展望

圣弗朗西斯科河流域面积可与北美洲的科罗拉多河流域或哥伦比亚河流域相提并论,对巴西经济至关重要,因此它是拉丁美洲名副其实的非常重要的流域之一。在它流经的 6 州,既有贝洛奥里藏特这样的大城市,也有许多小村庄,人口约占巴西全国的 60%,流经 2 700km,最后注入大西洋。在圣弗朗西斯科河,这条被称之为“民族团结之河”的开发上,世界银行扮演了特别的角色。

在过去的 50 年里,许多主要的开发活动都在圣弗朗西斯科河流域进行。世界银行贷款的一些政府(实际主要是部门)的干预活动,没有考虑到环境的需要。关于水力发电项目和大型灌溉工程建设的报道已经在本书中谈到,还有随之而来的复杂的环境问题。除了工业、农业和水电部门对水资源的争夺以外,河流流量随着时间的复杂变化,势必要求采取更加综合和可持续的方法来解决这些环境问题。

罗马诺和卡达韦德·加西亚对这个流域曾经作过很好的描述(本书中)。其他一些主要的信息包括对世界银行在该流域环境问题上教训的全面分析和对圣弗朗西斯科河流域带入到大西洋的污染物的评估。圣弗朗西斯科河谷对于巴西的重要作用,体现在贫困和干旱的东北部地区及巴西整体经济上。许多世界银行所资助的项目,旨在帮助巴西缩小其东北部与中南部之间在经济收入上的不断增大的差异,并帮助消除贫困。超过 12 000MW 的水电装机容量为巴西工业提供了能源,在半干旱地区用于灌溉的水源促进了农村贫困问题的解决。

10.8　环境状况

1945 年,圣弗朗西斯科水电公司成立,1950 年世界银行向该公司提供了第一笔贷款,用于建设保罗阿方索Ⅰ期发电工程,同时政府在各个部门采取了干预措施促进本地区的发展。然而整个开发活动没有以统一的方式进行,而是由市场因素的驱使而开展的,就像其他国家的情况一样。传统的基于部门经济的开发战略,已经在全球范围内产生了复杂的环境问题。就像本书所引用的参考资料指出的,环境恶化、沙漠化、水库污染、水土流失、农业过度开垦以及流量的急剧变化,导致了该流域环境的恶化。

在圣弗朗西斯科河上游流域,贝洛奥里藏特附近地区的污染主要来源于采矿和矿物加工业、食品加工、化工和农业化工，以及污水的排放。砍伐树木用于生产冶炼业所需的焦炭导致了森林退化。在圣弗朗西斯科河中游和中下游流域大坝的修建所产生的结果包括河岸不稳固，更多的沉积物流往下游；渔业变化；废水排放导致水中含氧量大量减少；农业开垦边界土地导致的土地退化（侵蚀和盐碱化）。在圣弗朗西斯科河下游流域，对环境影响的结果包括农业和农业工业开发生产引起的污染，废水排放对沿海地区大众身体健康产生的不良影响。

沿圣弗朗西斯科河整个流域进行的部门性质的开发活动，导致工业、农业和水力发电部门之间对该流域水资源的争夺。从流域的源头至沿海三角洲地区，水土流失在不断增加，在皮拉波拉水土流失从每年的 840 万 t 增加到 3 200 万 t，而在波斯多德莫尔巴拉和曼加地区更为严重。这些被侵蚀的土壤大量进入西南大西洋，并在圣弗朗西斯科河入海口沉积，导致海洋藻类大量繁殖、水中含氧量大量减少。填海造田将海滨湿地转为农业开垦造成了更为严重的后果。洪水在这些湿地起到清洁作用，使咸水只能紧靠大洋，而这种转化和流径的改变造成了湿地丧失，并导致许多复杂的环境问题的发生，如咸水入侵、沉积加重、污染、湿地丧失和渔业范围缩小等。

10.9　世界银行的投入

圣弗朗西斯科河对于生活在巴西东北部地区的贫困农民至关重要，因为它是这里唯一的四季河。没有了水，就不会有发展，不会有生物多样性，不会有人类存在，道理就是这么简单。而在这个流域的开发中，各部门、各工程项目各自为政，就像在哥伦比亚河、科罗拉多河、恒河和尼罗河所进行的开发一样。正如世界银行（1992）指出的，这种目光短浅的做法导致大约 20 万人从自己的土地和家园迁移出去，改变了流域地区，最终改变了环境质量。

　　表 10.3 列出了世界银行在该流域资助的各种项目,总耗资达数十亿美元。它们涉及到大坝建设、移民或迁居工程、湿地改造为农业开垦区、水力发电工程、各种传统的和相当现代化的灌溉工程、重造森林和防治污染等。索布拉丁霍大坝和保罗阿方索水电工程的建设导致了最小流量变大,由此产生的洪水代价就是以湿地为生的人们不得不迁出自己的家园。而这种流量的改变,迅速促进了修建岸堤、填海造田和湿地转变为农垦区兴建灌溉项目以进行农业生产。随着时间流逝,灌溉工程项目不断增加,加之希望将流域大量的水引至半干旱的北部,以利于北部的发展,势必对沿岸地区造成进一步的威胁。

表 10.3　世界银行在圣弗朗西斯科河流域所资助的部分项目

项目	核准年份
保罗阿方索水电工程	1950
保罗阿方索四期水电工程(索布拉丁霍大坝)	1974
圣弗朗西斯科河下游流域填海造田	1975
圣弗朗西斯科河下游流域二次灌溉工程	1979
圣弗朗西斯科河上游和中游流域灌溉工程	1987
部门内灌溉工程	1988
贾依巴灌溉工程	1988
东北部灌溉工程Ⅰ期	1990
米纳斯吉达斯州林业开发	1988
水供应和污水处理—米纳斯吉达斯州Ⅰ期	1974
水供应和污水处理—米纳斯吉达斯州Ⅱ期	1976
水供应和污水处理—米纳斯吉达斯州Ⅲ期	1980
米纳斯吉达斯州水质和污染控制工程	1993

沿岸及干旱地区的土地退化和生物多样性的丧失,以及陆地活动对海洋水域造成的损害,所有这些问题都是全球性的严重问题。尤其是三角洲北部海滩地区,是受到威胁和濒临灭绝海龟的至关重要的栖息地,18个不同民族的原著民也居住在这里。他们的生存也受到威胁,因为他们过去依赖的获得动物蛋白质的主要野生动植物和鱼类已经处于危险之中。来自流域并集中在沿海地区的污染、森林砍伐和调节作用而不再发生洪水,这些可能会威胁到所有鱼类的繁殖,并且可能影响到这些生物种群的生活习性。

10.9.1　流域整体的综合管理办法

从水力发电到灌溉、航运、污染处理、水在流域内的调动、城市(工业)用水和上游水系的流量,这些来自不同部门对水资源不断增加的竞争性需求,要求保持水资源环境、生物多样性和依赖这些水资源生存的原著民。另外,还要解决因各部门单方面的开发活动而引起的环境恶化问题。

这种挑战在世界范围内普遍存在,而在科罗拉多河、哥伦比亚河、恒河和尼罗河,矛盾冲突更加尖锐,产生的环境问题更多。这种不能持续性发展的方式不符合21世纪议程的主旨和地球首脑会议所作的努力。但是,没有统一的方法来修正,或者将全球环境利益纳入到各部门的活动之列。每一个公约都好像有它自己的需求、行动和合作者,而无一例外地将政府各部门和地方政府排除在外。

前面所阐述的途径是通过一个更加综合的、跨部门的和基于环境的方法在各个流域实施水资源管理,这也是由彼斯瓦斯(1993)、世界银行(1993)和全球环境基金实施战略(全球环境基金,1966)所倡导的。这种方法提供了一种途径,使得各部门和各地方政府可以参与评估流域的水资源需求和与陆地相关的需求,分析流域存在的问题和可能的机会,同时与股东(甚至向他们咨询)一起工作,评定各种选项和所有的机会,制定一系列务实的环境和经济双赢的干预措施。这个建议将大问题分解为多个小的和更容易管理的单元,以便各部门采取协调的实际行动。

El – Ashry(1993),世界银行(1993)的水资源政策和全球环境基金(1996)的实施策略,鼓励采取平衡的策略、制度和示范方法来解决每一个单元的问题,并强调使用经济手段。事实上,经济手段是恢复科罗拉多河环境的关键办法(莫里森,1996)。这些手段不仅是针对水资源的量,还要针对水资源的质,这个概念很重要。美国、墨西哥和智利都使用水资源质量市场,而这对环境产生了外部影响和许多问题,这些问题需要同时解决,而不是逐步解决。杨和聪栋(1994)特别描述了水资源质量改善的市场是如何帮助处理农业污染。

10.9.2　全球性的重要机遇

正如马托斯·德·勒莫斯(1996)已经指出的那样,巴西的环境保护已露出了新的曙光。在环境方面,政策在改变,投资在注入。圣弗朗西斯科河流域就是一个很好的例子,一系列的污水处理和工业污染防治项目在贝洛奥里藏特地区蓬勃开展,如表 10.3 中所列(米纳斯吉达斯州的工程)。另外,申请贷款旨在加强对流域挖掘过和开采过的地区重新恢复植被。这个行动给全球环境带来了好处,减少了侵蚀和土地退化,实现了碳元素的化学循环。自从1995 年 1 月,巴西已经有了一个新的水资源管理方法,有一个保护伞对水资源进行统一管理。还有水资源运动市民组织和新的海滨管理章程,是 1996 年在纳塔尔举行的一个重要会议的结果。

罗马诺和卡达韦德·加西亚(本书中)认识到圣弗朗西斯科河的冲突有必要采取这一综合方法来解决,应当重视环境问题,实现可持续发展。这一方法在机构组织方面的原因也很重要。有必要建立一个流域委员会或者流域组织,协调跨部门的活动和各级地方政府开展的活动,势必促进私有部门和其他股东的参与。经济手段潜力很大,但它只有与环境规章制度的要求相结合,并保证工业生产在一定的水平下进行,才能发挥作用。这种综合方法的其他经济方面,非常明显地体现在银行资助的灌溉工程中,例如弗摩索佛玛索 A 和 H 项目,该项目将责任分摊到各个用户,收取合理的税费以回收成本。

最初用来保护生物多样性的活动,包括用经济手段实验对水资源的质和量起作用的活动,以及应对土地退化的活动,这些活动都应该得到鼓励。地方政府和其他地区的兴趣正在增长。因此成立了圣弗朗西斯科河开发州间议会委员会(CIPE),它由包括了圣弗朗西斯科河大部分地区 5 个州的立法委主任组成。另外,地方政府当局还成立了圣弗朗西斯科城市联盟(UNIVALE),它由流域各城市代表组成。这个联盟提供技术咨询服务,涉及能源生产、灌溉开发、卫生及人类居住、旅游、运输、教育和环境保护等多方面。甚至所有 6 个国家的工业部门也已加入,参与对话。这个阶段被设定为综合方法的实施阶段。

如果拆掉一些填海造田和堤坝,恢复沿岸的湿地,并在一些地区重造森林解决水土流失、旱地的生物多样性和海龟的特别栖息地;如果改变流域范围内水力发电流量,产生有限的洪水恢复鱼类栖息和人类赖以生存的沿海沼泽地,那么,巴西就完成了一项有全球性意义的重要活动。要满足水资源所要求的保持沿海沼泽地和渔业,流量管理是关键。这些行动可以作为一个范例,以展示联合国环境规划署所制定的全球行动纲领,是怎样贯彻执行用于处理陆地活动的。沿海和海洋业问题需要由海洋专家会诊,而解救措施必须是跨部门的,还必须得到淡水专家的帮助,在新的经济发展范畴内实施,并通过综合管理加强措施的实施效果。

10.10 普拉塔河流域展望

广袤的普拉塔河流域面积超过尼罗河流域,仅次于亚马孙河流域而位居第二。这里严重的问题涉及水污染、森林砍伐、水土流失和由此带来的沉积、水文条件改变引发的下游洪水泛滥和沿海渔业资源耗尽。这些问题给沿河 5 个国家带来了挑战。克尔德罗(本书中)很好地概括了普拉塔河流域的情况,而美洲湿地(1993)、波雷多(1989)和比斯巴尔(1995)提供的更为详细的生态信息表明,这里的生态环境已经严重恶化。

10.10.1 全球联系

考虑到该流域的跨边界特性,在沿海湿地、潘塔纳尔湿地和上游流域有世界级的各种生物栖息地,恢复森林的需要,以及气候变化的关注等普拉塔河流域环境问题,该问题本质上是全球性的(这些问题在全球范围内也非常严重),并且在这里的生态系统所承受的压力也受到全球性因素的影响。另外,普拉塔河流域在一个地区的压力将会影响到另外一个地区的土地和人类,并通过该地区的森林砍伐而影响全球环境。还有,某个国家一些政策的选择可能最终会限制这个国家及其下游邻国适应全球性环境变化的能力。如果这个问题看起来很复杂,那是因为它原本就很复杂。这些联系不仅在普拉塔河流域中已被证实,而且在 70 年代的美国也得到证实,那时美国正忙于应对出口市场、国际金融体系和国家政策,这些政策的制定只出于本部门的利益(库克,1985)。

巴拉那河流域存在很多的环境问题,这些问题是由流域 30 多座单纯用于水力发电的大坝造成的。由于这种水力发电政策,大坝的蓄水功能很少用于防洪。由于石油价格上涨、渴望增加出口获得更多外汇偿还外债和世界市场上不断增长的大豆价格,巴西政府在很多州推行农业现代化,在巴拉那流域大量种植大豆(马哈尔,1989)。这需要很多大型机器来耕种土地,从而又导致水土流失,并最终沉积在水库里。许多小型农场主因现代化进程而不得不迁居。世界银行帮助当地政府开发郎多尼亚州的亚马孙河,以安置从巴拉那河流域和圣弗朗西斯科河流域迁移过来的农民,70年代和80年代又导致亚马孙森林被大量砍伐,其严重程度向世界敲响了警钟。就算水力发电可以取代温室气体排放,而费恩赛德(1995)指出,在巴西为修建水库,大量砍伐和燃烧森林,大大增加了温室气体的产生量、跨边界水资源问题、生物多样性的丧失、温室气体排放和国际市场对国家政策的影响,以及两者之间存在的复杂联系。

就像在其他地方所描述的一样,在普拉塔河流域上游,洪水发生更加频繁、更加严重。这种情况是由四种因素相互作用而造成的:厄尔尼诺现象导致降雨增加;巴拉那河上40个以单一发电为目的的水力发电站的建设和运营;森林砍伐和为适应世界市场开垦大豆种植地,导致严重的水土流失和暴雨量的增加;沉积物在下游聚集。为此,应对这些情况作回顾性分析,找出洪水面前如此脆弱的主要原因,然后采取缓解措施。如果气候变化使得海洋变暖,引发厄尔尼诺现象,导致巴西东北部地区某个流域周期性干旱和洪水的暴发更加频繁,而该流域防御系统由于其基础设施不足而变得更加脆弱,假如情况真的是这样,那么就应该在流域采用大量的弥补措施。1983~1992年,下游暴发特大洪水,使阿根廷、巴拉圭和巴西小部分地区遭受数十亿美元的损失。世界银行启动了3亿美元紧急贷款用于阿根廷被毁的基础设施的建设,1996年,又耗资5亿美元用于修筑河堤和采取其他措施。全球性的天气严重变化已经影响了普拉塔河流域的方方面面。

10.10.2　环境威胁

除了以上复杂的影响,各种各样跨边界的水资源问题也很严重。麦克弗雷(1993)描述了巴西和阿根廷在巴拉那流域大坝兴建问题上的争论。巴拉圭河流域从贝尔梅霍河支流开始的地段(玻利维亚、阿根廷),森林砍伐和过度放牧引起的过度沉积现象非常明显。在皮科马约河(玻利维亚、巴拉圭、阿根廷)采矿和沉积产生的有毒物质问题更为严重。事实上,据许多大众性媒体报道,矿井所产生的40万t泥浆中含有大量的有毒物质。布宜诺斯艾利斯所发生的水污染问题(有毒物质、细菌以及含氧量大量减少),在普拉塔河口表现明显。另外,沿海地区的过度捕捞也是一个严重问题(比斯巴尔,1995)。

5年前,阿根廷、巴西、巴拉圭和乌拉圭签署约定,旨在创建自由贸易区域和关税联盟,称为南方共同市场。将来玻利维亚和智利也会加入,欧盟也表现出了兴趣。这种巨大的金融和贸易压力可能会增加流域的全球性压力。并且,环境问题与大量昂贵的清淤活动存在着很复杂的联系,因为水上运量的增加,需要进行清淤工作以保持航运畅通。清除淤泥中有毒物质可能会造成很多问题,已规划的上游航运改造工程,即希多威亚水道工程,也是如此。对世界最大湿地(潘塔纳尔湿地)和其他地方航运线路上的生物多样性的严重威胁,已经在"美洲湿地"(1993)中提出。

10.10.3　应对全球性优先权问题

在普拉塔河流域,严重的环境压力问题、复杂的生物多样性丧失问题,以及气候变化问题,均急需解决,而行动才刚刚开始。在乌拉圭和阿根廷,全球环境基金资助的生物多样性工程处于工程初期阶段。玻利维亚和阿根廷向全球环境基金申请并获得了资金,在贝尔梅霍河开展国际水资源工程,以应对土地退化、水土流失和可持续性发展。乌拉圭和阿根廷确定了普拉塔河流域下游入海口处国际水资源工程项目,并解决污染和渔业问题,为此申请的全球环境基金已得到批复。阿根廷也有一个全球环境基金资助的生物多样性工程,旨在对保护区内脆弱的森林地带加以保护。

南方共同市场有可能提供一个机会来处理这些全球议题。在南方共同市场范围内,各国环境保护规章制度必须协调一致,从而避免出现不公平竞争。世界级生物栖息地仍然存在,同时在城市中要取消补贴政策,以使价格政策有助于防止温室气体释放和污水排放。尽管如此,面对气候变化所造成的损害,由于森林砍伐、沉积作用,水库蓄水能力不足,使流域更加脆弱不堪。如果要消除这个有重大经济影响的洪水泛滥问题,那么毫无疑问,5国必须以一种综合的、跨部门的方式共同工作。

10.11 前方的路:面向可持续性发展

今天,在水资源问题上所采取应对方法,也正是人类健康、环境通向可持续性发展的道路,是全球日益关注的核心所在。在经济发展所需的自然资源中,水资源是最为关键的部分。已经研究了全球环境问题与圣弗朗西斯科河和普拉塔河流域的关联。不仅要在只有一国的圣弗朗西斯科河流域,而且还要在5国共享的普拉塔河流域采取一个更综合的、跨部门的方式进行开发活动,这样才能设定优先权,解决存在的问题,并作为新的开发活动的一部分。重造森林和可持续的农业生产可以帮助减少温室气体的排放。既有的湿地可以通过生物多样性的繁衍而得以保护,已经用于灌溉和筑堤的占用地区还可以恢复作为基本的栖息地,这样跨边界水资源问题就迎刃而解。

本书列举的各种巨大挑战并不仅限于这5国或者发展中国家。把全球环境问题纳入到经济发展战略中去,这对北方发达国家来说也很重要。保护全球环境是一项复杂的工作,这需要南北两方空前的合作。保护全球公共环境需要得到全球的响应。

现在到了在其他方面进行全球性变革的时候。开发援助在不断减少,而私人投资正在不断增加。市场全球化、金融体系全球化、信息全球化和私人的投机行为,产生了强大的力量,这股力量没有确定的模式,难以控制。甚至全球性公约在处理这些问题时,正不断变化和含糊不清,不确定性和政治因素可能会导致行动停滞不前。

现在已经到了变革的时候,但又没有固定的模式来应对这些重要的环境问题,所以提出了这个主题。由于这些问题与水资源有关或者受到水资源的影响,因此以一个更综合的、跨部门的方法来管理水资源应该是一个务实的做法。这种方法可以用来检验干预措施应对的实施情况,开展试验活动,确定优先开展的活动和选取关键地点实施必要的干预措施。河流流域作为一个生态单元,可以用做变化时期的一个实际的和固定的平台。这个平台可以将不同部门的工作集中起来,并可用来确定优先开展的活动,这样为一个目的而采取的干预措施有可能给其他多种目的带来益处。

实践检验,学习,再实践,这种适应性管理的策略是前进的唯一道路。随着资金日益减少,以及需要采取的活动在某个特定的地点进行,为什么不逐个流域地引入政策、活动和示范工程,以保持水资源环境的生态整体性和实现某些特定干预活动目标。随着时间的流逝,各国政府将变得更加自如和富有经验,以至于他们可以支持部门性的政策变化和行动。

几乎没有哪个问题能够像水资源管理那样,给地球上的人类生活和健康带来如此重大的影响。如果这样的综合方法证明确实有用,那么,那些富有技能的水资源专业人员就会有很大的机会可以跨部门、跨学科地进行思考,发挥其想象力,促进股东,特别是私有部门,参与优先权的制定过程。一个水域提供了一个具体方法来思考抽象的部门问题、政策和全球性重大干预活动,这是一种实施概念性的途径。以一条河流、湖泊或者沿海流域为固定平台,在这个多变的时期里,进行足够的验证和演示,人类就有可能发现通往可持续性发展的康庄大道竟然就在身边,就在自己的水域!

参 考 文 献

Anderson, R. J., da Franca Ribeiro dos Santos, N., and Diaz, H. F. 1993. *An Analysis of Flooding in the Parana/Paraguay River Basin*, LATEN Dissemination Note no. 5. World Bank.

Bisbal, G. A. 1995. "The Southeast South American Shelf Large Marine Ecosystem." *Marine Policy* 19(1): 21 – 38.

Biswas, A. K. 1994. "Management of International Water Resources: Some Recent Developments." In: A. K. Biswas, ed. *International Waters of the Middle East*, pp. 185 – 214. Oxford: Oxford University Press.

——1993. "Water for Sustainable Development in the Twenty-First Century – A Global Perspective." In: Biswas, Jellali, Stout, eds. *Water for Sustainable Development in the Twenty-First Century*, pp. 7 – 17. Oxford: Oxford University Press.

Bonetto, A. A, 1989. "The Increasing Damming of the Panama Basin and Its Effects on the Lower Reaches." *Regulated Rivers* 4(4): 333 – 346.

Brown, L. 1996. *Tough Choices – Facing the Challenge of Food Security*. NY: Norton.

Clark, E. H., Hawerkamp, J. A., and Chapman, W. 1985. *Eroding Soils: The Off-Farm Impacts*. Conservation Foundation.

Cook, K. A. 1985. *Eroding Eden*. Roosevelt Center for American Policy Studies.

Cordeiro, N. 1998. "Environmental management issues in the Plata basin," this volume.

Duda, A. M. 1994. "Achieving pollution prevention goals for transboundary waters through international joint commission processes." *Water Science and Technology* 30 (5): 223 – 231.

El-Ashry, M. 1993. "Policies for Water Resources Management in Arid and Semi-arid

Regions." In: Biswas, Jellali, Stout, eds. *Water for Sustainable Development in the Twenty-First Century*, pp 7 – 17. Oxford: Oxford University Press.

Fearnside, P, M. 1995. "Hydroelectric Dams in the Brazilian Amazon as Sources of Greenhouse Gases." *Environmental Conservation* 22(1):7 – 19.

Fell, N. 1996. "Outcasts from Eden." *New Scientist* 151(2045): 24 – 27.

Global Environment Facility. 1996a. *GEF Operational Strategy*. Washington, D. C.

——1996b. *Quarterly Operational Report*, November. Washington D. C.

Houghton, R. A, 1994. "The World-Wide Extent of Land-Use Change." *Bioscience*, 44(5).

Jennerjahn, T. C., Ittekkot, V., and Carvalho, C. E. V. 1996. "Preliminary Data on Particle Flux off the São Francisco River, Eastern Brazil." In: V. Ittekkot, P. Schafer, S. Honjo, and P. J. Depetris, eds. *Particle Flux in the Ocean Scope* 51. London: Wiley.

Kindler, J., and Lintner, S. 1993. "An Action Plan to Clean Up the Baltic Sea." *Environment* 35(8): 7 – 15.

Mattos de Lemos, H. 1996. "Water Resources of the Amazon Basin." Luncheon Speech at AWRA 31st Annual Conference, 1995. Reprinted in *Hydata*, March 1996, 7 – 9.

Mahar, D. J. 1989. *Government Policies and Deforestation in Brazil's Amazon Region*. Washington, D. C.: World Bank.

McCaffrey, S. 1993. "Water, Politics, and International Law." In: P. H. Gleick, ed. *Water in Crisis*. New York: Stockholm Environment Institute, Oxford University Press.

Morrison, J. I., Postel, S. L., and Gleick, P. H. 1996. *The Sustainable Use of Water in the Lower Colorado River Basin*. Pacific Institute for Studies in Development Environment, and Sustainability.

Postel, S. 1992. *Last Oasis – Facing Water Scarcity*. NY: Norton.

Romano, P. A., and Cadavid Garcia, E. A. 1998. "Policies for water-resources planning and management of the São Francisco river," this volume.

Roodman, D. M. 1996. *Paying the Piper: Subsidies, Politics, and the Environment*, World Watch Paper 133. World Watch Institute.

Tibbetts, J. 1996. "Farming and Fishing in the Wake of El-Nino." *Bioscience* 46 (8):566 – 569.

UN Environment Program (UNEP). 1996. *Global Biodiversity Asses sment*. Cambridge: Cambridge University Press.

Wetlands for the Americas. 1993. *Hydrovia: An Initial Environmental Examination of the Paraguay-Panama Waterways*.

Wolfson, Z. 1990. "The Caspian Sea: Clear Signs of Disaster Environmental Policy." *Review for the Soviet Union and Eastern Europe* 4(2): 13 – 18.

World Bank. 1992. *Approach to the Environment in Brazil: A Review of Selected Projects*, vol. Ⅳ, Report no. 10039. Washington, D.C.

——1993. *Water Resource Management Policy Paper*. Washington, D.C.

Young, C.J., and Congdon, J.E. 1994. *Using Economic Incentives to Control Water Pollution from Agriculture*. Environmental Defense Fund.